유머로 배우는 한국어

English(영어)
translation(번역판)

- 유머 (noun) : humor; joke

  An act or remark that makes people laugh.

- 로 : no equivalent expression

  A postpositional particle that indicates a method or way to do something.

- 배우다 (verb) : learn

  To obtain new knowledge.

- -는 : no equivalent expression

  An ending of a word that makes the preceding statement function as an adnominal phrase and implies that an event or action is happening in the present.

- 한국어 (noun) : Korean; Korean language

  The language used by the Korean people.

※ 이 책의 폰트는 '함초롬 바탕체'를 사용하였습니다.

< 저자(author) >

㈜한글2119연구소

• 연구개발전담부서

• ISO 9001 : 품질경영시스템 인증

• ISO 14001 : 환경경영시스템 인증

• 이메일(e-mail) : gjh0675@naver.com

< 동영상(video) 자료(material) >

HANPUK_english(translation)
https://www.youtube.com/@HANPUK_English

HANPUK

제 2024153361 호

연구개발전담부서 인정서

1. 전담부서명: 연구개발전담부서

   [소속기업명: (주)한글2119연구소]

2. 소 재 지: 인천광역시 부평구 마장로264번길 33
   상가동 제지하층 제2호 (산곡동, 뉴서울아파트)

3. 신고 연월일: 2024년 05월 02일

과학기술정보통신부

「기초연구진흥 및 기술개발지원에 관한 법률」 제14조의

2제1항 및 같은 법 시행령 제27조제1항에 따라 위와 같이

기업의 연구개발전담부서로 인정합니다.

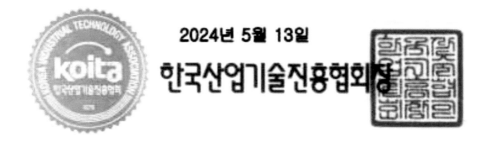

2024년 5월 13일

한국산업기술진흥협회장

< 목차(table of contents) >

● 부록(appendix)

< 1 단원(chapter) >

제목 : 깜짝 놀라서 티브이(TV) 전원을 꺼 버렸지.

● 본문 (main text)

할머니께서 드라마를 보시다가 갑자기 티브이(TV) 전원을 꺼 버렸습니다.

그리고 며칠 후 초등학교 동창회에 참석하셨습니다.

거기서 할머니는 가장 친한 친구에게 티브이(TV)를 갑자기 끈 이유를 말했습니다.

할머니 : 갑자기 배우 한 명이 기침을 하잖아.

　　　　깜짝 놀라서 티브이(TV) 전원을 꺼 버렸지.

할머니 친구 : 바보야, 티브이(TV)를 왜 꺼.

　　　　　　얼른 마스크를 쓰면 되지.

할머니 : 맞네.

　　　　그런 기막힌 방법이 있었네.

● 발음 (pronunciation)

할머니께서 드라마를 보시다가 갑자기 티브이(TV) 전원을 꺼 버렸습니다.
할머니께서 드라마를 보시다가 갑짜기 티브이(TV) 저눠늘 꺼 버련씀니다.
halmeonikkeseo deuramareul bosidaga gapjagi tibeui(TV) jeonwoneul kkeo beoryeotseumnida.

그리고 며칠 후 초등학교 동창회에 참석하셨습니다.
그리고 며칠 후 초등학꾜 동창회에 참서카셛씀니다.
geurigo myeochil hu chodeunghaggyo dongchanghoee chamseokasyeotseumnida.

거기서 할머니는 가장 친한 친구에게 티브이(TV)를 갑자기 끈 이유를 말했습니다.
거시서 할머니는 가장 친한 친구에게 티브이(TV)를 갑자기 끈 이유를 말핻씀니다.
geogiseo halmeonineun gajang chinhan chinguege tibeui(TV)reul gapjagi kkeun iyureul malhaetseumnida.

할머니 : 갑자기 배우 한 명이 기침을 하잖아.
할머니 : 갑짜기 배우 한 명이 기치믈 하자나.
halmeoni : gapjagi baeu han myeongi gichimeul hajana.

　　　 깜짝 놀라서 티브이(TV) 전원을 꺼 버렸지.
　　　 깜짝 놀라서 티브이(TV) 저눠늘 꺼 버련찌.
　　　 kkamjjak nollaseo tibeui(TV) jeonwoneul kkeo beoryeotji.

할머니 친구 : 바보야, 티브이(TV)를 왜 꺼.
할머니 친구 : 바보야, 티브이(TV)를 왜 꺼.
halmeoni chingu : baboya, tibeui(TV)reul wae kkeo.

　　　 얼른 마스크를 쓰면 되지.
　　　 얼른 마스크를 쓰면 되지.
　　　 eolleun maseukeureul sseumyeon doeji.

할머니 : 맞네.
할머니 : 만네.
halmeoni : manne.

　　　 그런 기막힌 방법이 있었네.
　　　 그런 기마킨 방버비 이썬네.
　　　 geureon gimakin bangbeobi isseonne.

● 어휘 (vocabulary) / 문법 (grammar)

할머니+께서 드라마+를 보+시+다가 갑자기 티브이(TV) 전원+을 끄(끄)+어 버리+었+습니다.

그리고 며칠 후 초등학교 동창회+에 참석하+시+었+습니다.

거기+서 할머니+는 가장 친하+ㄴ 친구+에게 티브이(TV)+를 갑자기 끄+ㄴ 이유+를 말하+였+습니다.

할머니 : 갑자기 배우 한 명+이 기침+을 하+잖아.

　　　　　깜짝 놀라+아서 티브이(TV) 전원+을 끄(끄)+어 버리+었+지.

할머니 친구 : 바보+야, 티브이(TV)+를 왜 끄(끄)+어.

　　　　　얼른 마스크+를 쓰+면 되+지.

할머니 : 맞+네.

　　　　　그런 기막히+ㄴ 방법+이 있+었+네.

할머니+께서 드라마+를 보+시+다가 갑자기 티브이(TV) 전원+을 <u>끄(ㄲ)+[어 버리]</u>+었+습니다.
꺼 버렸습니다

- **할머니 (Noun)** : 아버지의 어머니, 또는 어머니의 어머니를 이르거나 부르는 말.
  grandmother; granny
  A word used to refer to or address the mother of one's father or mother.

- **께서** : (높임말로) 가. 이. 어떤 동작의 주체가 높여야 할 대상임을 나타내는 조사.
  kkeseo
  (honorific) '가,' '이'; a postpositional particle used to indicate that the subject of an act is elevated.

- **드라마 (Noun)** : 극장에서 공연되거나 텔레비전 등에서 방송되는 극.
  drama
  A play performed in a theater or broadcast on television.

- **를** : 동작이 직접적으로 영향을 미치는 대상을 나타내는 조사.
  reul
  A postpositional particle used to indicate the subject that an act has a direct influence on.

- **보다 (Verb)** : 눈으로 대상을 즐기거나 감상하다.
  watch; see; enjoy
  To enjoy or appreciate an object with eyes.

- **-시-** : 어떤 동작이나 상태의 주체를 높이는 뜻을 나타내는 어미.
  -si-
  An ending of a word used for the subject honorifics of an action or state.

- **-다가** : 어떤 행동이나 상태 등이 중단되고 다른 행동이나 상태로 바뀜을 나타내는 연결 어미.
  -daga
  A connective ending used when an action or state, etc., is stopped and changed to another action or state.

- **갑자기 (Adverb)** : 미처 생각할 틈도 없이 빨리.
  suddenly; all of a sudden
  Quickly, not allowing someone to think.

- **티브이(TV) (Noun)** : 방송국에서 전파로 보내오는 영상과 소리를 받아서 보여 주는 기계.
  TV; television
  A machine that delivers the images and sound that were sent in waves by a broadcasting station.

할머니+께서 드라마+를 보+시+다가 갑자기 티브이(TV) 전원+을 <u>끄(ㄲ)+[어 버리]</u>+었+습니다.

- **전원 (Noun)** : 전기 콘센트 등과 같이 기계 등에 전류가 오는 원천.
  power; socket
  The source from which electricity is delivered to a machine, etc., such as an electrical outlet, etc.

- **을** : 동작이 직접적으로 영향을 미치는 대상을 나타내는 조사.
  eul
  A postpositional particle used to indicate the subject that an act has a direct influence on.

- **끄다 (Verb)** : 전기나 기계를 움직이는 힘이 통하는 길을 끊어 전기 제품 등을 작동하지 않게 하다.
  turn off; turn out
  To cut off the path where the power that moves the electricity or machine goes through and stop the electric appliance, etc., from working.

- **-어 버리다** : 앞의 말이 나타내는 행동이 완전히 끝났음을 나타내는 표현.
  -eo beorida
  An expression used to indicate that the act mentioned in the preceding statement is completely done.

- **-었-** : 어떤 사건이 과거에 완료되었거나 그 사건의 결과가 현재까지 지속되는 상황을 나타내는 어미.
  -eot-
  An ending of a word used to indicate that an event was completed in the past or its result continues in the present.

- **-습니다** : (아주높임으로) 현재의 동작이나 상태, 사실을 정중하게 설명함을 나타내는 종결 어미.
  -seupnida
  (formal, highly addressee-raising) A sentence-final ending used to explain the present action, state, or fact politely.

> 그리고 며칠 후 초등학교 동창회+에 참석하+시+었+습니다.
> **참석하셨습니다**

- **그리고 (Adverb)** : 앞의 내용에 이어 뒤의 내용을 단순히 나열할 때 쓰는 말.
  and
  A word used to connect the preceding statement with the following one.

- **며칠 (Noun)** : 몇 날.
  days
  Some days.

- **후 (Noun)** : 얼마만큼 시간이 지나간 다음.
  later time
  A point of time following a certain passage of time.

• **초등학교 (Noun)** : 학교 교육의 첫 번째 단계로 만 여섯 살에 입학하여 육 년 동안 기본 교육을 받는 학교.

elementary school; primary school

A six-year school which accepts six-year-old children, as the first level of school education, to teach them the basic curriculum.

• **동창회 (Noun)** : 같은 학교를 졸업한 사람들의 모임.

school reunion

A gathering of people who graduated from the same school.

• **에** : 앞말이 어떤 장소나 자리임을 나타내는 조사.

on; in; at

A postpositional particle to indicate that the preceding statement refers to a certain place or space.

• **참석하다 (Verb)** : 회의나 모임 등의 자리에 가서 함께하다.

attend

To go to a meeting, gathering, etc., to participate.

• **-시-** : 어떤 동작이나 상태의 주체를 높이는 뜻을 나타내는 어미.

-si-

An ending of a word used for the subject honorifics of an action or state.

• **-었-** : 어떤 사건이 과거에 완료되었거나 그 사건의 결과가 현재까지 지속되는 상황을 나타내는 어미.

-eot-

An ending of a word used to indicate that an event was completed in the past or its result continues in the present.

• **-습니다** : (아주높임으로) 현재의 동작이나 상태, 사실을 정중하게 설명함을 나타내는 종결 어미.

-seupnida

(formal, highly addressee-raising) A sentence-final ending used to explain the present action, state, or fact politely.

거기+서 할머니+는 가장 <u>친하</u>+ㄴ 친구+에게 티브이(TV)+를 갑자기 <u>끄</u>+ㄴ 이유+를 <u>말하</u>+였+습니다.
친한   **끈**   **말했습니다**

• **거기 (Pronoun)** : 앞에서 이미 이야기한 곳을 가리키는 말.

there

A pronoun used to indicate the previously-mentioned place.

• 서 : 앞말이 행동이 이루어지고 있는 장소임을 나타내는 조사.

seo

A postpositional particle used to indicate that the preceding word refers to a place where a certain act is being done.

• 할머니 (Noun) : 아버지의 어머니, 또는 어머니의 어머니를 이르거나 부르는 말.

grandmother; granny

A word used to refer to or address the mother of one's father or mother.

• 는 : 문장 속에서 어떤 대상이 화제임을 나타내는 조사.

neun

A postpositional particle used to indicate that a certain subject is the topic of a sentence.

• 가장 (Adverb) : 여럿 가운데에서 제일로.

best

In a way that is better than any other.

• 친하다 (Adjective) : 가까이 사귀어 서로 잘 알고 정이 두텁다.

close

Being on good terms with someone one knows well and feels close to.

• -ㄴ : 앞의 말이 관형어의 기능을 하게 만들고 현재의 상태를 나타내는 어미.

-n

An ending of a word that makes the preceding statement function as an adnominal phrase and refers to the present state.

• 친구 (Noun) : 사이가 가까워 서로 친하게 지내는 사람.

friend

A person that one is close to and in an amicable relationship with.

• 에게 : 어떤 행동이 미치는 대상임을 나타내는 조사.

ege

A postpositional particle referring to the subject that is influenced by a certain action.

• 티브이(TV) (Noun) : 방송국에서 전파로 보내오는 영상과 소리를 받아서 보여 주는 기계.

TV; television

A machine that delivers the images and sound that were sent in waves by a broadcasting station.

• 를 : 동작이 직접적으로 영향을 미치는 대상을 나타내는 조사.

reul

A postpositional particle used to indicate the subject that an act has a direct influence on.

• 갑자기 (Adverb) : 미처 생각할 틈도 없이 빨리.
suddenly; all of a sudden
Quickly, not allowing someone to think.

• 끄다 (Verb) : 전기나 기계를 움직이는 힘이 통하는 길을 끊어 전기 제품 등을 작동하지 않게 하다.
turn off; turn out
To cut off the path where the power that moves the electricity or machine goes through and stop the electric appliance, etc., from working.

• -ㄴ : 앞의 말이 관형어의 기능을 하게 만들고 사건이나 동작이 과거에 일어났음을 나타내는 어미.
-n
An ending of a word that makes the preceding statement function as an adnominal phrase and indicates an event or action having occurred in the past.

• 이유 (Noun) : 어떠한 결과가 생기게 된 까닭이나 근거.
reason
The cause or reason of a certain result.

• 를 : 동작이 직접적으로 영향을 미치는 대상을 나타내는 조사.
reul
A postpositional particle used to indicate the subject that an act has a direct influence on.

• 말하다 (Verb) : 어떤 사실이나 자신의 생각 또는 느낌을 말로 나타내다.
say; tell; speak; talk
To verbally present a fact or one's thoughts or feelings.

• -였- : 어떤 사건이 과거에 완료되었거나 그 사건의 결과가 현재까지 지속되는 상황을 나타내는 어미.
-yeot-
An ending of a word used to indicate that an event was completed in the past or its result continues in the present.

• -습니다 : (아주높임으로) 현재의 동작이나 상태, 사실을 정중하게 설명함을 나타내는 종결 어미.
-seupnida
(formal, highly addressee-raising) A sentence-final ending used to explain the present action, state, or fact politely.

> 할머니 : 갑자기 배우 한 명+이 기침+을 하+잖아.

• 갑자기 (Adverb) : 미처 생각할 틈도 없이 빨리.
suddenly; all of a sudden
Quickly, not allowing someone to think.

• 배우 (Noun) : 영화나 연극, 드라마 등에 나오는 인물의 역할을 맡아서 연기하는 사람.
  actor; actress
  A person who acts the part of a character in a movie, play, drama, etc.

• 한 (Determiner) : 하나의.
  one
  One.

• 명 (Noun) : 사람의 수를 세는 단위.
  person
  A bound noun that serves as a unit for counting the number of persons.

• 이 : 어떤 상태나 상황의 대상이나 동작의 주체를 나타내는 조사.
  i
  A postpositional particle referring to a subject under a certain state or situation, or the agent of an action.

• 기침 (Noun) : 폐에서 목구멍을 통해 공기가 거친 소리를 내며 갑자기 터져 나오는 일.
  cough
  A sudden expulsion of air through the throat from the lungs accompanied by a rough sound.

• 을 : 동작이 직접적으로 영향을 미치는 대상을 나타내는 조사.
  eul
  A postpositional particle used to indicate the subject that an act has a direct influence on.

• 하다 (Verb) : 어떤 행동이나 동작, 활동 등을 행하다.
  do; perform
  To perform a certain move, action, activity, etc.

• -잖아 : (두루낮춤으로) 어떤 상황에 대해 말하는 사람이 상대방에게 확인하거나 정정해 주듯이 말함을 나타내는 표현.
  -jana
  (informal addressee-lowering) An expression used to check with or correct the listener on something about a certain situation.

할머니 : 깜짝 놀라+(아)서 티브이(TV) 전원+을 끄(ㄲ)+[어 버리]+었+지.
놀라서   꺼 버렸지

• 깜짝 (Adverb) : 갑자기 놀라는 모양.
  with a startle
  In the manner of being surprised suddenly.

• 놀라다 (Verb) : 뜻밖의 일을 당하거나 무서워서 순간적으로 긴장하거나 가슴이 뛰다.
  be surprised; be astonished; be shocked; be scared
  To become tense or feel one's heart pounding as one faces an unexpected incident or is scared.

• -아서 : 이유나 근거를 나타내는 연결 어미.
  -aseo
  A connective ending used for a reason or cause.

• 티브이(TV) (Noun) : 방송국에서 전파로 보내오는 영상과 소리를 받아서 보여 주는 기계.
  TV; television
  A machine that delivers the images and sound that were sent in waves by a broadcasting station.

• 전원 (Noun) : 전기 콘센트 등과 같이 기계 등에 전류가 오는 원천.
  power; socket
  The source from which electricity is delivered to a machine, etc., such as an electrical outlet, etc.

• 을 : 동작이 직접적으로 영향을 미치는 대상을 나타내는 조사.
  eul
  A postpositional particle used to indicate the subject that an act has a direct influence on.

• 끄다 (Verb) : 전기나 기계를 움직이는 힘이 통하는 길을 끊어 전기 제품 등을 작동하지 않게 하다.
  turn off; turn out
  To cut off the path where the power that moves the electricity or machine goes through and stop the electric appliance, etc., from working.

• -어 버리다 : 앞의 말이 나타내는 행동이 완전히 끝났음을 나타내는 표현.
  -eo beorida
  An expression used to indicate that the act mentioned in the preceding statement is completely done.

• -었- : 어떤 사건이 과거에 완료되었거나 그 사건의 결과가 현재까지 지속되는 상황을 나타내는 어미.
  -eot-
  An ending of a word used to indicate that an event was completed in the past or its result continues in the present.

• -지 : (두루낮춤으로) 말하는 사람이 자신에 대한 이야기나 자신의 생각을 친근하게 말할 때 쓰는 종결 어미.
  -ji
  (informal addressee-lowering) A sentence-final ending used when the speaker talks about himself/herself or his/her thoughts in a friendly manner.

> 할머니 친구 : 바보+야, 티브이(TV)+를 왜 <u>끄(ㄲ)+어</u>.
> 　　　　　　　　　　　　　　　　　　　　꺼

- **바보 (Noun)** : (욕하는 말로) 어리석고 멍청하거나 못난 사람.
  fool; dumber; jerk
  (insult) A stupid and foolish person.

- **야** : 친구나 아랫사람, 동물 등을 부를 때 쓰는 조사.
  ya
  A postpositional word used to address a friend, younger person, animal, etc.

- **티브이(TV) (Noun)** : 방송국에서 전파로 보내오는 영상과 소리를 받아서 보여 주는 기계.
  TV; television
  A machine that delivers the images and sound that were sent in waves by a broadcasting station.

- **를** : 동작이 직접적으로 영향을 미치는 대상을 나타내는 조사.
  reul
  A postpositional particle used to indicate the subject that an act has a direct influence on.

- **왜 (Adverb)** : 무슨 이유로. 또는 어째서.
  why
  For what reason; how come.

- **끄다 (Verb)** : 전기나 기계를 움직이는 힘이 통하는 길을 끊어 전기 제품 등을 작동하지 않게 하다.
  turn off; turn out
  To cut off the path where the power that moves the electricity or machine goes through and stop the electric appliance, etc., from working.

- **-어** : (두루낮춤으로) 어떤 사실을 서술하거나 물음, 명령, 권유를 나타내는 종결 어미.
  -eo
  (informal addressee-lowering) A sentence-final ending used to describe a certain fact, ask a question, give an order, or advise.

> 할머니 친구 : 얼른 마스크+를 쓰+[면 되]+지.

- **얼른 (Adverb)** : 시간을 오래 끌지 않고 바로.
  quickly; immediately; promptly
  Right away without lingering over something.

• 마스크 (Noun) : 병균이나 먼지, 찬 공기 등을 막기 위하여 입과 코를 가리는 물건.
mask
A thing that covers one's nose and mouth to keep off germs, dust, cold air, etc.

• 를 : 동작이 직접적으로 영향을 미치는 대상을 나타내는 조사.
reul
A postpositional particle used to indicate the subject that an act has a direct influence on.

• 쓰다 (Verb) : 얼굴에 어떤 물건을 걸거나 덮어쓰다.
wear; put on
To hang something on one's face or cover one's face with it.

• -면 되다 : 조건이 되는 어떤 행동을 하거나 어떤 상태만 갖추어지면 문제가 없거나 충분함을 나타내는
　　　　　 표현.
-myeon doeda
An expression used to indicate that, as long as one does or reaches a certain act or state, there is no problem or it is enough.

• -지 : (두루낮춤으로) 말하는 사람이 자신에 대한 이야기나 자신의 생각을 친근하게 말할 때 쓰는 종결
　　　 어미.
-ji
(informal addressee-lowering) A sentence-final ending used when the speaker talks about himself/herself or his/her thoughts in a friendly manner.

할머니 : 맞+네.

　　　　그런 기막히+ㄴ 방법+이 있+었+네.
　　　　　　　기막힌

• 맞다 (Verb) : 그렇거나 옳다.
be so; be right
To be so or right.

• -네 : (아주낮춤으로) 지금 깨달은 일에 대하여 말함을 나타내는 종결 어미.
-ne
(formal, highly addressee-lowering) A sentence-final ending used when talking about something that one just learned.

• 그런 (Determiner) : 상태, 모양, 성질 등이 그러한.
like that
A state, appearance, characteristic, etc. being as such.

- **기막히다 (Adjective)** : 정도나 상태가 어떻다고 말할 수 없을 만큼 좋다.
  great; fantastic
  The state or extent of something being unspeakably great.

- **-ㄴ** : 앞의 말이 관형어의 기능을 하게 만들고 현재의 상태를 나타내는 어미.
  -n
  An ending of a word that makes the preceding statement function as an adnominal phrase and refers to the present state.

- **방법 (Noun)** : 어떤 일을 해 나가기 위한 수단이나 방식.
  way; means; manner
  A method or way of doing something.

- **이** : 어떤 상태나 상황의 대상이나 동작의 주체를 나타내는 조사.
  i
  A postpositional particle referring to a subject under a certain state or situation, or the agent of an action.

- **있다 (Adjective)** : 사실이나 현상이 존재하다.
  no equivalent expression
  A fact or a phenomenon being existent.

- **-었-** : 어떤 사건이 과거에 완료되었거나 그 사건의 결과가 현재까지 지속되는 상황을 나타내는 어미.
  -eot-
  An ending of a word used to indicate that an event was completed in the past or its result continues in the present.

- **-네** : (아주낮춤으로) 지금 깨달은 일에 대하여 말함을 나타내는 종결 어미.
  -ne
  (formal, highly addressee-lowering) A sentence-final ending used when talking about something that one just learned.

< 2 단원(chapter) >

제목 : 쫓아오던 게 강아지였나?

● 본문 (main text)

고양이 한 마리가 쥐를 열심히 쫓고 있었습니다.

쥐가 고양이에게 거의 잡힐 것 같았습니다.

하지만 아슬아슬한 찰나에 쥐가 쥐구멍으로 들어가 버렸습니다.

쥐구멍 앞에 서성이던 고양이가 쪼그려 앉았습니다.

그러더니 갑자기 고양이가 **"멍멍!"**하고 짖어 댔습니다.

이 소리를 듣고 쥐는 어리둥절했습니다.

쥐 : 뭐지?

　　쫓아오던 게 강아지였나?

쥐는 너무 궁금해서 머리를 살며시 구멍 밖으로 내밀었습니다.

이때 쥐가 고양이에게 잡히고 말았습니다.

의기양양하게 쥐를 물고 가면서 고양이가 이렇게 말했습니다.

고양이 : 요즘은 먹고살려면 적어도 2개 국어는 해야 돼.

● 발음 (pronunciation)

고양이 한 마리가 쥐를 열심히 쫓고 있었습니다.
고양이 한 마리가 쥐를 열씸히 쫀꼬 이썬씀니다.
goyangi han mariga jwireul yeolsimhi jjotgo isseotseumnida.

쥐가 고양이에게 거의 잡힐 것 같았습니다.
쥐가 고양이에게 거의 자필 껃 가탇씀니다.
jwiga goyangiege geoui japil geot gatatseumnida.

하지만 아슬아슬한 찰나에 쥐가 쥐구멍으로 들어가 버렸습니다.
하지만 아슬아슬한 찰라에 쥐가 쥐구멍으로 드러가 버렫씀니다.
hajiman aseuraseulhan challae jwiga jwigumeongeuro deureoga beoryeotseumnida.

쥐구멍 앞에 서성이던 고양이가 쪼그려 앉았습니다.
쥐구멍 아페 서성이던 고양이가 쪼그려 안잗씀니다.
jwigumeong ape seoseongideon goyangiga jjogeuryeo anjatseumnida.

그러더니 갑자기 고양이가 "멍멍!"하고 짖어 댔습니다.
그러더니 갑짜기 고양이가 "멍멍!"하고 지저 댇씀니다.
geureodeoni gapjagi goyangiga "meongmeong!"hago jijeo daetseumnida.

이 소리를 듣고 쥐는 어리둥절했습니다.
이 소리를 듣꼬 쥐는 어리둥절핻씀니다.
i sorireul deutgo jwineun eoridungjeolhaetseumnida.

쥐 : 뭐지?
쥐 : 뭐지?
jwi : mwoji?

쫓아오던 게 강아지였나?
쪼차오던 게 강아지연나?
jjochaodeon ge gangajiyeonna?

쥐는 너무 궁금해서 머리를 살며시 구멍 밖으로 내밀었습니다.
쥐는 너무 궁금해서 머리를 살며시 구멍 바끄로 내미럳씀니다.
jwineun neomu gunggeumhaeseo meorireul salmyeosi gumeong bakkeuro naemireotseumnida.

이때 쥐가 고양이에게 잡히고 말았습니다.
이때 쥐가 고양이에게 자피고 마랃씀니다.
ittae jwiga goyangiege japigo maratseumnida.

의기양양하게 쥐를 물고 가면서 고양이가 이렇게 말했습니다.
의기양양하게 쥐를 물고 가면서 고양이가 이러케 말핻씀니다.
uigiyangyanghage jwireul mulgo gamyeonseo goyangiga ireoke malhaetseumnida.

고양이 : 요즘은 먹고살려면 적어도 2개 국어는 해야 돼.
고양이 : 요즈믄 먹꼬살려면 저거도 2개 구거는 해야 돼.
goyangi : yojeumeun meokgosallyeomyeon jeogeodo igae gugeoneun haeya
dwae.

● 어휘 (vocabulary) / 문법 (grammar)

고양이 한 마리+가 쥐+를 열심히 쫓+<u>고 있</u>+었+습니다.

쥐+가 고양이+에게 거의 잡히+<u>ㄹ 것 같</u>+았+습니다.

하지만 아슬아슬하+ㄴ 찰나+에 쥐+가 쥐구멍+으로 들어가+<u>(아) 버리</u>+었+습니다.

쥐구멍 앞+에 서성이+던 고양이+가 쪼그리+어 앉+았+습니다.

그러+더니 갑자기 고양이+가 **"멍멍!"** 하+고 짖+<u>어 대</u>+었+습니다.

이 소리+를 듣+고 쥐+는 어리둥절하+였+습니다.

쥐 : "뭐+(이)+지?"

　　"쫓아오+던 것(거)+이 강아지+이+었+나?"

쥐+는 너무 궁금하+여서 머리+를 살며시 구멍 밖+으로 내밀+었+습니다.

이때 쥐+가 고양이+에게 잡히+<u>고 말</u>+았+습니다.

의기양양하+게 쥐+를 물+고 가+면서 고양이+가 이렇+게 말하+였+습니다.

고양이 : 요즘+은 먹고살+려면 적어도 이 개 국어+는 하+<u>여야 되</u>+어.

고양이 한 마리+가 쥐+를 열심히 쫓+[고 있]+었+습니다.

- **고양이 (Noun)** : 어두운 곳에서도 사물을 잘 보고 쥐를 잘 잡으며 집 안에서 기르기도 하는 자그마한 동물.
  cat
  A small animal which can see well in the dark and catches mice well and which is also raised as a pet.

- **한 (Determiner)** : 하나의.
  one
  One.

- **마리 (Noun)** : 짐승이나 물고기, 벌레 등을 세는 단위.
  mari
  A bound noun that serves as a unit for counting the number of animals, fish, bugs, etc.

- **가** : 어떤 상태나 상황에 놓인 대상이나 동작의 주체를 나타내는 조사.
  ga
  A postpositional particle referring to a subject under a certain state or situation, or the subject of an act.

- **쥐 (Noun)** : 사람의 집 근처 어두운 곳에서 살며 몸은 진한 회색에 긴 꼬리를 가지고 있는 작은 동물.
  mouse; rat
  A small rodent with a dark gray coat and a long tail that lives in a dark place, often near a human's house.

- **를** : 동작이 직접적으로 영향을 미치는 대상을 나타내는 조사.
  reul
  A postpositional particle used to indicate the subject that an act has a direct influence on.

- **열심히 (Adverb)** : 어떤 일에 온 정성을 다하여.
  hard; diligently; zealously
  With all one's heart.

- **쫓다 (Verb)** : 앞선 것을 잡으려고 서둘러 뒤를 따르거나 자취를 따라가다.
  follow; pursue
  To go after or follow the trace of something or someone hurriedly in order to catch.

- **-고 있다** : 앞의 말이 나타내는 행동이 계속 진행됨을 나타내는 표현.
  -go itda
  An expression used to state that the act mentioned in the preceding statement is continued.

• -었- : 사건이 과거에 일어났음을 나타내는 어미.

-eot-

An ending of a word used to indicate that an event happened in the past.

• -습니다 : (아주높임으로) 현재의 동작이나 상태, 사실을 정중하게 설명함을 나타내는 종결 어미.

-seupnida

(formal, highly addressee-raising) A sentence-final ending used to explain the present action, state, or fact politely.

쥐+가 고양이+에게 거의 <u>잡히+[ㄹ 것 같]</u>+았+습니다.

잡힐 것 같았습니다

• **쥐 (Noun)** : 사람의 집 근처 어두운 곳에서 살며 몸은 진한 회색에 긴 꼬리를 가지고 있는 작은 동물.

mouse; rat

A small rodent with a dark gray coat and a long tail that lives in a dark place, often near a human's house.

• 가 : 어떤 상태나 상황에 놓인 대상이나 동작의 주체를 나타내는 조사.

ga

A postpositional particle referring to a subject under a certain state or situation, or the subject of an act.

• **고양이 (Noun)** : 어두운 곳에서도 사물을 잘 보고 쥐를 잘 잡으며 집 안에서 기르기도 하는 자그마한 동물.

cat

A small animal which can see well in the dark and catches mice well and which is also raised as a pet.

• 에게 : 어떤 행동의 주체이거나 비롯되는 대상임을 나타내는 조사.

ege

A postpositional particle indicating the agent of a certain action or one from which an action comes from.

• **거의 (Adverb)** : 어떤 상태나 한도에 매우 가깝게.

nearly; almost

In the state of being very close to a state or limit.

• **잡히다 (Verb)** : 도망가지 못하게 붙들리다.

be arrested; be held; be caught

To be caught and unable to run away.

• -ㄹ 것 같다 : 추측을 나타내는 표현.

　-l geot gatda

　An expression used to indicate that the statement is a guess.

• -았- : 사건이 과거에 일어났음을 나타내는 어미.

　-at-

　An ending of a word used to indicate that an event happened in the past.

• -습니다 : (아주높임으로) 현재의 동작이나 상태, 사실을 정중하게 설명함을 나타내는 종결 어미.

　-seupnida

　(formal, highly addressee-raising) A sentence-final ending used to explain the present action, state, or fact politely.

하지만 <u>아슬아슬하+ㄴ</u> 찰나+에 쥐+가 쥐구멍+으로 <u>들어가+[(아) 버리]+었+습니다</u>.
아슬아슬한　　　　　　　　　　　　　들어가 버렸습니다

• **하지만 (Adverb)** : 내용이 서로 반대인 두 개의 문장을 이어 줄 때 쓰는 말.

　but; however

　A word used to connect two statements that are opposite in meaning to each other.

• **아슬아슬하다 (Adjective)** : 일이 잘 안 될까 봐 무서워서 소름이 돋을 정도로 마음이 조마조마하다.

　anxious

　Feeling so nervous as to get goose bumps, because one afraids that something will go awry.

• -ㄴ : 앞의 말이 관형어의 기능을 하게 만들고 현재의 상태를 나타내는 어미.

　-n

　An ending of a word that makes the preceding statement function as an adnominal phrase and refers to the present state.

• **찰나 (Noun)** : 어떤 일이나 현상이 일어나는 바로 그때.

　instant

　The very moment at which something happens.

• 에 : 앞말이 시간이나 때임을 나타내는 조사.

　in; at

　A postpositional particle to indicate that the preceding statement refers to the time.

• **쥐 (Noun)** : 사람의 집 근처 어두운 곳에서 살며 몸은 진한 회색에 긴 꼬리를 가지고 있는 작은 동물.

　mouse; rat

　A small rodent with a dark gray coat and a long tail that lives in a dark place, often near a human's house.

• 가 : 어떤 상태나 상황에 놓인 대상이나 동작의 주체를 나타내는 조사.

ga

A postpositional particle referring to a subject under a certain state or situation, or the subject of an act.

• 쥐구멍 (Noun) : 쥐가 들어가고 나오는 구멍.

mouse hole

A hole through which mice go in and out.

• 으로 : 움직임의 방향을 나타내는 조사.

euro

A postpositional particle that indicates the direction of movement.

• 들어가다 (Verb) : 밖에서 안으로 향하여 가다.

enter; go into

To go inside from outside.

• -아 버리다 : 앞의 말이 나타내는 행동이 완전히 끝났음을 나타내는 표현.

-a beorida

An expression used to indicate that the act mentioned in the preceding statement is completely done.

• -었- : 어떤 사건이 과거에 완료되었거나 그 사건의 결과가 현재까지 지속되는 상황을 나타내는 어미.

-eot-

An ending of a word used to indicate that an event was completed in the past or its result continues in the present.

• -습니다 : (아주높임으로) 현재의 동작이나 상태, 사실을 정중하게 설명함을 나타내는 종결 어미.

-seupnida

(formal, highly addressee-raising) A sentence-final ending used to explain the present action, state, or fact politely.

쥐구멍 앞+에 서성이+던 고양이+가 <u>쪼그리+어</u> 앉+았+습니다.
쪼그려

• 쥐구멍 (Noun) : 쥐가 들어가고 나오는 구멍.

mouse hole

A hole through which mice go in and out.

• 앞 (Noun) : 향하고 있는 쪽이나 곳.

front

The direction or place one is facing.

- 에 : 앞말이 어떤 장소나 자리임을 나타내는 조사.

  on; in; at

  A postpositional particle to indicate that the preceding statement refers to a certain place or space.

- **서성이다 (Verb)** : 한곳에 서 있지 않고 주위를 왔다 갔다 하다.

  stroll; walk around

  To walk around a place repeatedly, rather than standing on one spot.

- -던 : 앞의 말이 관형어의 기능을 하게 만들고 사건이나 동작이 과거에 완료되지 않고 중단되었음을 나타내는 어미.

  -deon

  An ending of a word that makes the preceding statement function as an adnominal phrase and implies that an event or action has not been completed in the past but has been stopped.

- **고양이 (Noun)** : 어두운 곳에서도 사물을 잘 보고 쥐를 잘 잡으며 집 안에서 기르기도 하는 자그마한 동물.

  cat

  A small animal which can see well in the dark and catches mice well and which is also raised as a pet.

- 가 : 어떤 상태나 상황에 놓인 대상이나 동작의 주체를 나타내는 조사.

  ga

  A postpositional particle referring to a subject under a certain state or situation, or the subject of an act.

- **쪼그리다 (Verb)** : 팔다리를 접거나 모아서 몸을 작게 움츠리다.

  crouch

  To make one's body smaller by folding or gathering the arms and legs.

- -어 : 앞의 말이 뒤의 말보다 먼저 일어났거나 뒤의 말에 대한 방법이나 수단이 됨을 나타내는 연결 어미.

  -eo

  A connective ending used when the preceding statement happened before the following statement or was the ways or means to the following statement.

- **앉다 (Verb)** : 윗몸을 바로 한 상태에서 엉덩이에 몸무게를 실어 다른 물건이나 바닥에 몸을 올려놓다.

  sit; be seated

  To place one's weight on the bottocks and put his/her body on an object or on the floor with his/her upper body in an upright position.

• -았- : 어떤 사건이 과거에 완료되었거나 그 사건의 결과가 현재까지 지속되는 상황을 나타내는 어미.

-at-

An ending of a word used to indicate that an event was completed in the past or its result continues in the present.

• -습니다 : (아주높임으로) 현재의 동작이나 상태, 사실을 정중하게 설명함을 나타내는 종결 어미.

-seupnida

(formal, highly addressee-raising) A sentence-final ending used to explain the present action, state, or fact politely.

그러+더니 갑자기 고양이+가 "멍멍!" 하+고 짖+[어 대]+었+습니다.

짖어 댔습니다

• **그러다 (Verb)** : 앞에서 일어난 일이나 말한 것과 같이 그렇게 하다.

do so

To do what occurred or was stated previously.

• -더니 : 과거에 경험하여 알게 된 사실과 다른 새로운 사실이 있음을 나타내는 연결 어미.

-deoni

A connective ending used when there is a new fact different from what one realized from an experience in the past.

• **갑자기 (Adverb)** : 미처 생각할 틈도 없이 빨리.

suddenly; all of a sudden

Quickly, not allowing someone to think.

• **고양이 (Noun)** : 어두운 곳에서도 사물을 잘 보고 쥐를 잘 잡으며 집 안에서 기르기도 하는 자그마한 동물.

cat

A small animal which can see well in the dark and catches mice well and which is also raised as a pet.

• **가** : 어떤 상태나 상황에 놓인 대상이나 동작의 주체를 나타내는 조사.

ga

A postpositional particle referring to a subject under a certain state or situation, or the subject of an act.

• **멍멍 (Adverb)** : 개가 짖는 소리.

bow-wow

A word imitating the sound of a dog barking.

- **하다 (verb)** : 그런 소리가 나다. 또는 그런 소리를 내다.
  sound; go
  To sound or make a sound in a certain way.

- **-고** : 앞의 말과 뒤의 말이 차례대로 일어남을 나타내는 연결 어미.
  -go
  A connective ending used when the preceding statement and the following statement happen in order.

- **짖다 (Verb)** : 개가 크게 소리를 내다.
  bark
  For a dog to make a loud sound.

- **-어 대다** : 앞의 말이 나타내는 행동을 반복하거나 그 반복되는 행동의 정도가 심함을 나타내는 표현.
  -eo daeda
  An expression used to indicate that the act mentioned in the preceding statement is repeated or done seriously.

- **-었-** : 사건이 과거에 일어났음을 나타내는 어미.
  -eot-
  An ending of a word used to indicate that an event happened in the past.

- **-습니다** : (아주높임으로) 현재의 동작이나 상태, 사실을 정중하게 설명함을 나타내는 종결 어미.
  -seupnida
  (formal, highly addressee-raising) A sentence-final ending used to explain the present action, state, or fact politely.

이 소리+를 듣+고 쥐+는 <u>어리둥절하+였+습니다</u>.
어리둥절했습니다

- **이 (Determiner)** : 바로 앞에서 이야기한 대상을 가리킬 때 쓰는 말.
  this
  A word that is used to refer to something which was just mentioned.

- **소리 (Noun)** : 물체가 진동하여 생긴 음파가 귀에 들리는 것.
  sound; noise
  Sound wave heard by the ear that is created when an object vibrates.

- **를** : 동작이 직접적으로 영향을 미치는 대상을 나타내는 조사.
  reul
  A postpositional particle used to indicate the subject that an act has a direct influence on.

• 듣다 (Verb) : 귀로 소리를 알아차리다.

  hear

  To sense a sound with ears.

• -고 : 앞의 말과 뒤의 말이 차례대로 일어남을 나타내는 연결 어미.

  -go

  A connective ending used when the preceding statement and the following statement happen in order.

• 쥐 (Noun) : 사람의 집 근처 어두운 곳에서 살며 몸은 진한 회색에 긴 꼬리를 가지고 있는 작은 동물.

  mouse; rat

  A small rodent with a dark gray coat and a long tail that lives in a dark place, often near a human's house.

• 는 : 문장 속에서 어떤 대상이 화제임을 나타내는 조사.

  neun

  A postpositional particle used to indicate that a certain subject is the topic of a sentence.

• 어리둥절하다 (Adjective) : 일이 돌아가는 상황을 잘 알지 못해서 정신이 얼떨떨하다.

  confused; confounded; muddled

  Dazed from not being familiar with what is happening.

• -였- : 사건이 과거에 일어났음을 나타내는 어미.

  -yeot-

  An ending of a word used to indicate that an event happened in the past.

• -습니다 : (아주높임으로) 현재의 동작이나 상태, 사실을 정중하게 설명함을 나타내는 종결 어미.

  -seupnida

  (formal, highly addressee-raising) A sentence-final ending used to explain the present action, state, or fact politely.

쥐 : <u>뭐+(이)+지</u>?
　　　　뭐지

• 뭐 (Pronoun) : 모르는 사실이나 사물을 가리키는 말.

  what

  A pronoun used to refer to a fact or object that one does not know of.

• 이다 : 주어가 지시하는 대상의 속성이나 부류를 지정하는 뜻을 나타내는 서술격 조사.

  ida

  A predicate particle indicating the meaning of the attribute or category of the thing that the subject of the sentence refers to.

• -지 : (두루낮춤으로) 말하는 사람이 듣는 사람에게 친근함을 나타내며 물을 때 쓰는 종결 어미.
-ji
(informal addressee-lowering) A sentence-final ending used when the speaker asks the listener in a friendly manner.

쥐 : 쫓아오+던 것(거)+이 강아지+이+었+나?
　　　　　　　게　　　　　　강아지였나

• 쫓아오다 (Verb) : 어떤 사람이나 물체의 뒤를 급히 따라오다.
chase after
To follow a person or object hurriedly.

• -던 : 앞의 말이 관형어의 기능을 하게 만들고 사건이나 동작이 과거에 완료되지 않고 중단되었음을 나타내는 어미.
-deon
An ending of a word that makes the preceding statement function as an adnominal phrase and implies that an event or action has not been completed in the past but has been stopped.

• 것 (Noun) : 정확히 가리키는 대상이 정해지지 않은 사물이나 사실.
something
A bound noun used to refer to a thing or fact that is not specified or determind by someone.

• 이 : 어떤 상태나 상황의 대상이나 동작의 주체를 나타내는 조사.
i
A postpositional particle referring to a subject under a certain state or situation, or the agent of an action.

• 강아지 (Noun) : 개의 새끼.
puppy
The pup of a dog.

• 이다 : 주어가 지시하는 대상의 속성이나 부류를 지정하는 뜻을 나타내는 서술격 조사.
ida
A predicate particle indicating the meaning of the attribute or category of the thing that the subject of the sentence refers to.

• -었- : 사건이 과거에 일어났음을 나타내는 어미.
-eot-
An ending of a word used to indicate that an event happened in the past.

- -나 : (두루낮춤으로) 물음이나 추측을 나타내는 종결 어미.

  -na

  (informal addressee-lowering) A sentence-final ending used when asking or assuming something.

쥐+는 너무 궁금하+여서 머리+를 살며시 구멍 밖+으로 내밀+었+습니다.
　　　　　　　궁금해서

- **쥐 (Noun)** : 사람의 집 근처 어두운 곳에서 살며 몸은 진한 회색에 긴 꼬리를 가지고 있는 작은 동물.

  mouse; rat

  A small rodent with a dark gray coat and a long tail that lives in a dark place, often near a human's house.

- **는** : 문장 속에서 어떤 대상이 화제임을 나타내는 조사.

  neun

  A postpositional particle used to indicate that a certain subject is the topic of a sentence.

- **너무 (Adverb)** : 일정한 정도나 한계를 훨씬 넘어선 상태로.

  too

  To an excessive degree.

- **궁금하다 (Adjective)** : 무엇이 무척 알고 싶다.

  curious

  Having a strong desire to know about something.

- **-여서** : 이유나 근거를 나타내는 연결 어미.

  -yeoseo

  A connective ending used to indicate a reason or cause.

- **머리 (Noun)** : 사람이나 동물의 몸에서 얼굴과 머리털이 있는 부분을 모두 포함한 목 위의 부분.

  head

  A part of the human or animal body above the neck that includes the face and hair.

- **를** : 동작이 직접적으로 영향을 미치는 대상을 나타내는 조사.

  reul

  A postpositional particle used to indicate the subject that an act has a direct influence on.

- **살며시 (Adverb)** : 남이 모르도록 조용히 조심스럽게.

  stealthily; secretly; furtively

  Quietly and carefully so that others do not notice.

- **구멍 (Noun)** : 뚫어지거나 파낸 자리.
  hole; pit
  An area sunken by drilling or digging.

- **밖 (Noun)** : 선이나 경계를 넘어선 쪽.
  outside
  The side beyond a line or boundary.

- **으로** : 움직임의 방향을 나타내는 조사.
  euro
  A postpositional particle that indicates the direction of movement.

- **내밀다 (Verb)** : 몸이나 물체의 일부분이 밖이나 앞으로 나가게 하다.
  protrude; stick out; extend
  To make a part of the body or object to go outside or ahead.

- **-었-** : 사건이 과거에 일어났음을 나타내는 어미.
  -eot-
  An ending of a word used to indicate that an event happened in the past.

- **-습니다** : (아주높임으로) 현재의 동작이나 상태, 사실을 정중하게 설명함을 나타내는 종결 어미.
  -seupnida
  (formal, highly addressee-raising) A sentence-final ending used to explain the present action, state, or fact politely.

> 이때 쥐+가 고양이+에게 잡히+[고 말]+았+습니다.

- **이때 (Noun)** : 바로 지금. 또는 바로 앞에서 이야기한 때.
  this time; this moment; this instant
  Just now; the time mentioned in the very previous moment.

- **쥐 (Noun)** : 사람의 집 근처 어두운 곳에서 살며 몸은 진한 회색에 긴 꼬리를 가지고 있는 작은 동물.
  mouse; rat
  A small rodent with a dark gray coat and a long tail that lives in a dark place, often near a human's house.

- **가** : 어떤 상태나 상황에 놓인 대상이나 동작의 주체를 나타내는 조사.
  ga
  A postpositional particle referring to a subject under a certain state or situation, or the subject of an act.

• 고양이 (Noun) : 어두운 곳에서도 사물을 잘 보고 쥐를 잘 잡으며 집 안에서 기르기도 하는 자그마한 동물.

cat

A small animal which can see well in the dark and catches mice well and which is also raised as a pet.

• 에게 : 어떤 행동의 주체이거나 비롯되는 대상임을 나타내는 조사.

ege

A postpositional particle indicating the agent of a certain action or one from which an action comes from.

• 잡히다 (Verb) : 도망가지 못하게 붙들리다.

be arrested; be held; be caught

To be caught and unable to run away.

• -고 말다 : 앞에 오는 말이 가리키는 행동이 안타깝게도 끝내 일어났음을 나타내는 표현.

-go malda

An expression used to state that it is regrettable that the act mentioned in the preceding statement finally occurred.

• -았- : 어떤 사건이 과거에 완료되었거나 그 사건의 결과가 현재까지 지속되는 상황을 나타내는 어미.

-at-

An ending of a word used to indicate that an event was completed in the past or its result continues in the present.

• -습니다 : (아주높임으로) 현재의 동작이나 상태, 사실을 정중하게 설명함을 나타내는 종결 어미.

-seupnida

(formal, highly addressee-raising) A sentence-final ending used to explain the present action, state, or fact politely.

의기양양하+게 쥐+를 물+고 가+면서 고양이+가 이렇+게 말하+였+습니다.
말했습니다

• 의기양양하다 (Adjective) : 원하던 일을 이루어 만족스럽고 자랑스러운 마음이 얼굴에 나타난 상태이다.

elated; triumphant

Having an expression on one's face that appears satisfied and proud, as one has achieved what one wanted to achieve.

• -게 : 앞의 말이 뒤에서 가리키는 일의 목적이나 결과, 방식, 정도 등이 됨을 나타내는 연결 어미.

-ge

A connective ending used when the preceding statement is the purpose, result, method, amount, etc., of something mentioned in the following statement.

• **쥐 (Noun)** : 사람의 집 근처 어두운 곳에서 살며 몸은 진한 회색에 긴 꼬리를 가지고 있는 작은 동물.
　mouse; rat
　A small rodent with a dark gray coat and a long tail that lives in a dark place, often near a human's house.

• **를** : 동작이 직접적으로 영향을 미치는 대상을 나타내는 조사.
　reul
　A postpositional particle used to indicate the subject that an act has a direct influence on.

• **물다 (Verb)** : 윗니와 아랫니 사이에 어떤 것을 끼워 넣고 벌어진 두 이를 다물어 상처가 날 만큼 아주 세게 누르다.
　bite
　To insert something between the upper and lower teeth and press it hard by putting the parted teeth together to the extent that it causes a wound.

• **-고** : 앞의 말이 나타내는 행동이나 그 결과가 뒤에 오는 행동이 일어나는 동안에 그대로 지속됨을 나타내는 연결 어미.
　-go
　A connective ending used when an action or result of the preceding statement remains the same while the following action happens.

• **가다 (Verb)** : 한 곳에서 다른 곳으로 장소를 이동하다.
　go; travel
　To move from one place to another place.

• **-면서** : 두 가지 이상의 동작이나 상태가 함께 일어남을 나타내는 연결 어미.
　-myeonseo
　A connective ending used when more than two actions or states happen at the same time.

• **고양이 (Noun)** : 어두운 곳에서도 사물을 잘 보고 쥐를 잘 잡으며 집 안에서 기르기도 하는 자그마한 동물.
　cat
　A small animal which can see well in the dark and catches mice well and which is also raised as a pet.

• **가** : 어떤 상태나 상황에 놓인 대상이나 동작의 주체를 나타내는 조사.
　ga
　A postpositional particle referring to a subject under a certain state or situation, or the subject of an act.

• **이렇다 (Adjective)** : 상태, 모양, 성질 등이 이와 같다.
　so; like this
　(for a state, appearance, nature to be) Like this.

- -게 : 앞의 말이 뒤에서 가리키는 일의 목적이나 결과, 방식, 정도 등이 됨을 나타내는 연결 어미.
  -ge
  A connective ending used when the preceding statement is the purpose, result, method, amount, etc., of something mentioned in the following statement.

- **말하다 (Verb)** : 어떤 사실이나 자신의 생각 또는 느낌을 말로 나타내다.
  say; tell; speak; talk
  To verbally present a fact or one's thoughts or feelings.

- -였- : 사건이 과거에 일어났음을 나타내는 어미.
  -yeot-
  An ending of a word used to indicate that an event happened in the past.

- -습니다 : (아주높임으로) 현재의 동작이나 상태, 사실을 정중하게 설명함을 나타내는 종결 어미.
  -seupnida
  (formal, highly addressee-raising) A sentence-final ending used to explain the present action, state, or fact politely.

고양이 : 요즘+은 먹고살+려면 적어도 이 개 국어+는 하+[여야 되]+어.
해야 돼

- **요즘 (Noun)** : 아주 가까운 과거부터 지금까지의 사이.
  nowadays; these days
  A period from a while ago to the present.

- 은 : 문장 속에서 어떤 대상이 화제임을 나타내는 조사.
  eun
  A postpositional particle used to indicate that a certain subject is the topic of a sentence.

- **먹고살다 (Verb)** : 생계를 유지하다.
  make a living
  To lead one's life by making money.

- -려면 : 어떤 행동을 할 의도나 의향이 있는 경우를 가정할 때 쓰는 연결 어미.
  -ryeomyeon
  A connective ending used to assume that one has a purpose or intention of doing a certain act.

- **적어도 (Adverb)** : 아무리 적게 잡아도.
  at least
  At the lowest estimation.

• **이** (Determiner) : 둘의.
two
Being the number two.

• **개** (Noun) : 낱으로 떨어진 물건을 세는 단위.
gae
A bound noun that serves as a unit for counting the number of objects that are available as a single piece.

• **국어** (Noun) : 한 나라의 국민들이 사용하는 말.
official language; native language
The language used by the people of a country.

• 는 : 강조의 뜻을 나타내는 조사.
neun
A postpositional particle used to indicate an emphasis.

• **하다** (Verb) : 어떤 행동이나 동작, 활동 등을 행하다.
do; perform
To perform a certain move, action, activity, etc.

• -여야 되다 : 반드시 그럴 필요나 의무가 있음을 나타내는 표현.
-yeoya doeda
An expression used to indicate that one needs or is obligated to do a certain thing.

• -어 : (두루낮춤으로) 어떤 사실을 서술하거나 물음, 명령, 권유를 나타내는 종결 어미.
-eo
(informal addressee-lowering) A sentence-final ending used to describe a certain fact, ask a question, give an order, or advise.

< 3 단원(chapter) >

제목 : 이게 다 엄마 때문이야.

● 본문 (main text)

유치원에 들어간 아이는 치아가 너무 못생겨서 친구들에게 많은 놀림을 받았다.

견디다 못한 아이는 엄마에게 투정을 부렸다.

아이 : 엄마, 이빨이 이상하다고 친구들이 자꾸만 놀려요.

　　　치과에 가서 이빨 교정 좀 해 주세요.

엄마 : 야, 그게 얼마나 비싼데.

아이 : 몰라, 이게 다 엄마 때문이야.

　　　엄마가 날 이렇게 낳았잖아.

그러자 엄마가 하는 한마디.

엄마 : 너 낳았을 때 이빨 없었거든, 이것아!

● 발음 (pronunciation)

유치원에 들어간 아이는 치아가 너무 못생겨서 친구들에게 많은 놀림을 받았다.
유치워네 드러간 아이는 치아가 너무 몯쌩겨서 친구드레게 마는 놀리믈 바닫따.
yuchiwone deureogan aineun chiaga neomu motsaenggyeoseo chingudeurege maneun nollimeul badatda.

견디다 못한 아이는 엄마에게 투정을 부렸다.
견디다 모탄 아이는 엄마에게 투정을 부렫따.
gyeondida motan aineun eommaege tujeongeul buryeotda.

아이 : 엄마, 이빨이 이상하다고 친구들이 자꾸만 놀려요.
아이 : 엄마, 이빠리 이상하다고 친구드리 자꾸만 놀려요.
ai : eomma, ippari isanghadago chingudeuri jakkuman nollyeoyo.

　　　치과에 가서 이빨 교정 좀 해 주세요.
　　　치꽈에 가서 이빨 교정 좀 해 주세요.
　　　chigwae gaseo ippal gyojeong jom hae juseyo.

엄마 : 야, 그게 얼마나 비싼데.
엄마 : 야, 그게 얼마나 비싼데.
eomma : ya, geuge eolmana bissande.

아이 : 몰라, 이게 다 엄마 때문이야.
아이 : 몰라, 이게 다 엄마 때무니야.
ai : molla, ige da eomma ttaemuniya.

　　　엄마가 날 이렇게 낳았잖아.
　　　엄마가 날 이러케 나알짜나.
　　　eommaga nal ireoke naatjana.

그러자 엄마가 하는 한마디.
그러자 엄마가 하는 한마디.
geureoja eommaga haneun hanmadi.

엄마 : 너 낳았을 때 이빨 없었거든, 이것아!

엄마 : 너 나아쓸 때 이빨 업썯꺼든, 이거사!

eomma : neo naasseul ttae ippal eopseotgeodeun, igeosa!

● 어휘 (vocabulary) / 문법 (grammar)

유치원+에 들어가+ㄴ 아이+는 치아+가 너무 못생기+어서 친구+들+에게 많+은 놀림+을 받+았+다.

견디+다 못하+ㄴ 아이+는 엄마+에게 투정+을 부리+었+다.

아이 : 엄마, 이빨+이 이상하+다고 친구+들+이 자꾸만 놀리+어요.

치과+에 가+(아)서 이빨 교정 좀 하+여 주+세요.

엄마 : 야, 그것(그거)+이 얼마나 비싸+ㄴ데.

아이 : 모르(몰ㄹ)+아, 이것(이거)+이 다 엄마 때문+이+야.

엄마+가 나+를 이렇+게 낳+았+잖아.

그리하+자 엄마+가 하+는 한마디.

엄마 : 너 낳+았+을 때 이빨 없+었+거든, 이것+아!

> 유치원+에 들어가+ㄴ 아이+는 치아+가 너무 못생기+어서 친구+들+에게 많+은 놀림+을 받+았+다.
>   들어간   못생겨서

- **유치원 (Noun)** : 초등학교 입학 이전의 어린이들을 교육하는 기관 및 시설.
  kindergarten
  The institute and facilities that are made to educate children before they start school.

- **에** : 앞말이 어떤 장소나 자리임을 나타내는 조사.
  on; in; at
  A postpositional particle to indicate that the preceding statement refers to a certain place or space.

- **들어가다 (Verb)** : 어떤 단체의 구성원이 되다.
  join; be employed; be accepted
  To become a member of a certain group.

- **-ㄴ** : 앞의 말이 관형어의 기능을 하게 만들고 사건이나 동작이 완료되어 그 상태가 유지되고 있음을 나타내는 어미.
  -n
  An ending of a word that makes the preceding statement function as an adnominal phrase and indicates that an event or action has been completed and its state continues.

- **아이 (Noun)** : 나이가 어린 사람.
  child; kid
  A young person.

- **는** : 문장 속에서 어떤 대상이 화제임을 나타내는 조사.
  neun
  A postpositional particle used to indicate that a certain subject is the topic of a sentence.

- **치아 (Noun)** : 음식물을 씹는 일을 하는 기관.
  tooth
  An organ in one's mouth that is used to chew food.

- **가** : 어떤 상태나 상황에 놓인 대상이나 동작의 주체를 나타내는 조사.
  ga
  A postpositional particle referring to a subject under a certain state or situation, or the subject of an act.

- **너무 (Adverb)** : 일정한 정도나 한계를 훨씬 넘어선 상태로.
  too
  To an excessive degree.

• **못생기다 (Verb)** : 생김새가 보통보다 못하다.
  ugly-looking; homely
  Being below the average in terms of appearance.

• **-어서** : 이유나 근거를 나타내는 연결 어미.
  -eoseo
  A connective ending used for a reason or cause.

• **친구 (Noun)** : 사이가 가까워 서로 친하게 지내는 사람.
  friend
  A person that one is close to and in an amicable relationship with.

• **들** : '복수'의 뜻을 더하는 접미사.
  -deul
  A suffix used to mean plural.

• **에게** : 어떤 행동의 주체이거나 비롯되는 대상임을 나타내는 조사.
  ege
  A postpositional particle indicating the agent of a certain action or one from which an action comes from.

• **많다 (Adjective)** : 수나 양, 정도 등이 일정한 기준을 넘다.
  plentiful; many; a lot of
  A number, amount, etc., exceeding a certain standard.

• **-은** : 앞의 말이 관형어의 기능을 하게 만들고 현재의 상태를 나타내는 어미.
  -eun
  An ending of a word that makes the preceding word function as an adnominal phrase and refers to the present state.

• **놀림 (Noun)** : 남의 실수나 약점을 잡아 웃음거리로 만드는 일.
  making fun of someone; teasing
  Making someone look funny by pointing out or imitating his/her mistake or a weak point.

• **을** : 동작이 직접적으로 영향을 미치는 대상을 나타내는 조사.
  eul
  A postpositional particle used to indicate the subject that an action has a direct influence on.

• **받다 (Verb)** : 다른 사람이 하는 행동, 심리적인 작용 등을 당하거나 입다.
  receive; get; be affected by; be influenced by
  To be affected or influenced by someone else's behavior or psychological action.

- -았- : 사건이 과거에 일어났음을 나타내는 어미.

  -at-

  An ending of a word used to indicate that an event happened in the past.

- -다 : 어떤 사건이나 사실, 상태를 서술함을 나타내는 종결 어미.

  -da

  A sentence-final ending used when describing a certain event, fact, state, etc.

견디+[다 못하]+ㄴ 아이+는 엄마+에게 투정+을 부리+었+다.

  견디다 못한   부렸다

- **견디다 (Verb)** : 힘들거나 어려운 것을 참고 버티어 살아 나가다.

  bear; stand; endure

  To endure and go through something difficult or painful.

- -다 못하다 : 앞의 말이 나타내는 행동을 더 이상 계속할 수 없음을 나타내는 표현.

  -da motada

  An expression used to indicate that the act mentioned in the preceding statement cannot be continued.

- -ㄴ : 앞의 말이 관형어의 기능을 하게 만들고 사건이나 동작이 과거에 일어났음을 나타내는 어미.

  -n

  An ending of a word that makes the preceding statement function as an adnominal phrase and indicates an event or action having occurred in the past.

- **아이 (Noun)** : 나이가 어린 사람.

  child; kid

  A young person.

- 는 : 문장 속에서 어떤 대상이 화제임을 나타내는 조사.

  neun

  A postpositional particle used to indicate that a certain subject is the topic of a sentence.

- **엄마 (Noun)** : 격식을 갖추지 않아도 되는 상황에서 어머니를 이르거나 부르는 말.

  mom

  A word used to refer to or address one's mother in an informal situation.

- 에게 : 어떤 행동이 미치는 대상임을 나타내는 조사.

  ege

  A postpositional particle referring to the subject that is influenced by a certain action.

- **투정 (Noun)** : 무엇이 모자라거나 마음에 들지 않아 떼를 쓰며 조르는 일.
  complaining; grumbling; growling
  An act of badgering someone for more of something or for a new one, when something is in shortage or is not satisfactory.

- **을** : 동작이 직접적으로 영향을 미치는 대상을 나타내는 조사.
  eul
  A postpositional particle used to indicate the subject that an action has a direct influence on.

- **부리다 (Verb)** : 바람직하지 못한 행동이나 성질을 계속 드러내거나 보이다.
  persist; wield
  To often show or reveal an undesirable act or personality.

- **-었-** : 사건이 과거에 일어났음을 나타내는 어미.
  -eot-
  An ending of a word used to indicate that an event happened in the past.

- **-다** : 어떤 사건이나 사실, 상태를 서술함을 나타내는 종결 어미.
  -da
  A sentence-final ending used when describing a certain event, fact, state, etc.

> **아이** : 엄마, 이빨+이 이상하+다고 친구+들+이 자꾸만 <u>놀리+어요</u>.
> **놀려요**

- **엄마 (Noun)** : 격식을 갖추지 않아도 되는 상황에서 어머니를 이르거나 부르는 말.
  mom
  A word used to refer to or address one's mother in an informal situation.

- **이빨 (Noun)** : (낮잡아 이르는 말로) 사람이나 동물의 입 안에 있으며, 무엇을 물거나 씹는 데 쓰는 기관.
  tooth; teeth
  (disparaging) A part in the human or animal mouth that is used to bite or chew something.

- **이** : 어떤 상태나 상황의 대상이나 동작의 주체를 나타내는 조사.
  i
  A postpositional particle referring to a subject under a certain state or situation, or the subject of an act.

- **이상하다 (Adjective)** : 정상적인 것과 다르다.
  strange; unusual
  Not normal.

• -다고 : 어떤 행위의 목적, 의도를 나타내거나 어떤 상황의 이유, 원인을 나타내는 연결 어미.

  -dago

A connective ending referring to the purpose or intention of a certain action, or the reason or cause of a certain situation.

• 친구 (Noun) : 사이가 가까워 서로 친하게 지내는 사람.

friend

A person that one is close to and in an amicable relationship with.

• 들 : '복수'의 뜻을 너하는 접미사.

  -deul

A suffix used to mean plural.

• 이 : 어떤 상태나 상황의 대상이나 동작의 주체를 나타내는 조사.

i

A postpositional particle referring to a subject under a certain state or situation, or the subject of an act.

• 자꾸만 (Adverb) : (강조하는 말로) 자꾸.

frequently; repeatedly; again and again

(emphasizing form) Again and again.

자꾸 (Adverb) : 여러 번 계속하여.

frequently; repeatedly; again and again

Several times.

• 놀리다 (Verb) : 실수나 약점을 잡아 웃음거리로 만들다.

make fun of; tease

To make a laughingstock of someone by taking advantage of his/her weak point or mistake.

• -어요 : (두루높임으로) 어떤 사실을 서술하거나 질문, 명령, 권유함을 나타내는 종결 어미.

  -eoyo

(informal addressee-raising) A sentence-final ending used to describe a certain fact, ask a question, give an order, or advise.

아이 : 치과+에 <u>가</u>+(아)서 이빨 교정 좀 <u>하</u>+[여 주]+세요.
                가서   해 주세요

• **치과 (Noun)** : 이와 더불어 잇몸 등의 지지 조직, 구강 등의 질병을 치료하는 의학 분야. 또는 그 분야
　　　　　　 의 병원.
　dental surgery; dentistry; dentist's office; dental clinic
　A field of medical science that treats diseases of teeth, supporting tissue such as gum,
　mouth, etc., or the department of the hospital that is in charge of the field.

• **에** : 앞말이 목적지이거나 어떤 행위의 진행 방향임을 나타내는 조사.
　to; at
　A postpositional particle to indicate that the preceding statement refers to a destination or
　the course of a certain action.

• **가다 (Verb)** : 어떤 목적을 가지고 일정한 곳으로 움직이다.
　go
　To move to a certain place with a specific purpose.

• **-아서** : 앞의 말과 뒤의 말이 순차적으로 일어남을 나타내는 연결 어미.
　-aseo
　A connective ending used to indicate that the preceding event and the following one
　happened sequentially.

• **이빨 (Noun)** : (낮잡아 이르는 말로) 사람이나 동물의 입 안에 있으며, 무엇을 물거나 씹는 데 쓰는 기
　　　　　　 관.
　tooth; teeth
　(disparaging) A part in the human or animal mouth that is used to bite or chew something.

• **교정 (Noun)** : 고르지 못하거나 틀어지거나 잘못된 것을 바로잡음.
　correction
　An act of correcting something uneven, distorted or wrong.

• **좀 (Adverb)** : 주로 부탁이나 동의를 구할 때 부드러운 느낌을 주기 위해 넣는 말.
　please
　A word chiefly used to soften a request for a favor or agreement.

• **하다 (Verb)** : 어떤 행동이나 동작, 활동 등을 행하다.
　do; perform
　To perform a certain move, action, activity, etc.

• **-여 주다** : 남을 위해 앞의 말이 나타내는 행동을 함을 나타내는 표현.
　-yeo juda
　An expression used to indicate that one does the act mentioned in the preceding statement
　for someone.

• -세요 : (두루높임으로) 설명, 의문, 명령, 요청의 뜻을 나타내는 종결 어미.

-seyo

(informal addressee-raising) A sentence-final ending used to describe, ask a question, order, and request.

엄마 : 야, <u>그것(그거)+이</u> 얼마나 <u>비싸+ㄴ데</u>.
그게 　　　　　　　　 비싼데

• 야 (Interjection) : 놀라거나 반가울 때 내는 소리.

wow; yay

An exclamation uttered when the speaker is surprised or glad.

• 그것 (Pronoun) : 앞에서 이미 이야기한 대상을 가리키는 말.

no equivalent expression

A pronoun used to indicate the previously-mentioned object.

• 이 : 앞의 말을 강조하는 뜻을 나타내는 조사.

i

A postpositional particle used to emphasize the preceding statement.

• 얼마나 (Adverb) : 상태나 느낌 등의 정도가 매우 크고 대단하게.

how

In a great and enormous degree in terms of a state or feeling.

• 비싸다 (Adjective) : 물건값이나 어떤 일을 하는 데 드는 비용이 보통보다 높다.

expensive; costly

The price of an object or the cost to do something being higher than the average.

• -ㄴ데 : (두루낮춤으로) 듣는 사람의 반응을 기대하며 어떤 일에 대해 감탄함을 나타내는 종결 어미.

-nde

(informal addressee-lowering) A sentence-final ending used to admire something while anticipating the listener's response.

아이 : <u>모르(몰르)+아</u>, <u>의것(이거)+이</u> 다 엄마 때문+이+야.
몰라 　　　　　　 이게

• 모르다 (Verb) : 사람이나 사물, 사실 등을 알지 못하거나 이해하지 못하다.

not know

To have no knowledge or understanding of a person, object or fact.

• -아 : (두루낮춤으로) 어떤 사실을 서술하거나 물음, 명령, 권유를 나타내는 종결 어미.

-a

(informal addressee-lowering) A sentence-final ending used to describe a certain fact, ask a question, give an order, or advise.

• 이것 (Pronoun) : 바로 앞에서 이야기한 대상을 가리키는 말.

this

A word that refers to something which was just mentioned.

• 이 : 어떤 상태나 상황의 대상이나 동작의 주체를 나타내는 조사.

i

A postpositional particle referring to a subject under a certain state or situation, or the subject of an act.

• 다 (Adverb) : 남거나 빠진 것이 없이 모두.

all; everything

With nothing left over or missing.

• 엄마 (Noun) : 격식을 갖추지 않아도 되는 상황에서 어머니를 이르거나 부르는 말.

mom

A word used to refer to or address one's mother in an informal situation.

• 때문 (Noun) : 어떤 일의 원인이나 이유.

because; because of

A cause or reason for a certain incident.

• 이다 : 주어가 지시하는 대상의 속성이나 부류를 지정하는 뜻을 나타내는 서술격 조사.

ida

A predicate particle indicating the meaning of the attribute or category of the thing that the subject of the sentence refers to.

• -야 : (두루낮춤으로) 어떤 사실에 대하여 서술하거나 물음을 나타내는 종결 어미.

-ya

(informal addressee-lowering) A sentence-final ending used to describe a certain fact or ask a question.

아이 : 엄마+가 나+를 이렇+게 낳+았+잖아.
　　　　　　　　날

• 엄마 (Noun) : 격식을 갖추지 않아도 되는 상황에서 어머니를 이르거나 부르는 말.

mom

A word used to refer to or address one's mother in an informal situation.

• 가 : 어떤 상태나 상황에 놓인 대상이나 동작의 주체를 나타내는 조사.

ga

A postpositional particle referring to a subject under a certain state or situation, or the subject of an act.

• 나 (Pronoun) : 말하는 사람이 친구나 아랫사람에게 자기를 가리키는 말.

I

A pronoun used to indicate oneself to a friend or a younger person.

• 를 : 동작이 간접석인 영향을 미지는 대상이나 목석임을 나타내는 조사.

reul

A postpositional particle used to indicate the subject or target that an action has an indirect influence on.

• 이렇다 (Adjective) : 상태, 모양, 성질 등이 이와 같다.

such; of this kind; of this sort

A state, shape, property, etc., being like this.

• -게 : 앞의 말이 뒤에서 가리키는 일의 목적이나 결과, 방식, 정도 등이 됨을 나타내는 연결 어미.

-ge

A connective ending used when the preceding statement is the purpose, result, method, amount, etc., of something mentioned in the following statement.

• 낳다 (Verb) : 배 속의 아이, 새끼, 알을 몸 밖으로 내보내다.

give birth; deliver

To deliver a baby or egg out of one's womb.

• -았- : 사건이 과거에 일어났음을 나타내는 어미.

-at-

An ending of a word used to indicate that an event happened in the past.

• -잖아 : (두루낮춤으로) 어떤 상황에 대해 말하는 사람이 상대방에게 확인하거나 정정해 주듯이 말함을 나타내는 표현.

-jana

(informal addressee-lowering) An expression used to check with or correct the listener on something about a certain situation.

> 그리하+자 엄마+가 하+는 한마디.
> 그러자

• 그리하다 (verb) : 앞에서 일어난 일이나 말한 것과 같이 그렇게 하다.

do so

To do in the same way as what occurred or was stated previously.

- -자 : 앞의 말이 나타내는 동작이 끝난 뒤 곧 뒤의 말이 나타내는 동작이 잇따라 일어남을 나타내는 연
  결 어미.
  -ja
  A connective ending used to indicate that the preceding action was completed and then the
  following action occurred successively

- 엄마 (Noun) : 격식을 갖추지 않아도 되는 상황에서 어머니를 이르거나 부르는 말.
  mom
  A word used to refer to or address one's mother in an informal situation.

- 가 : 어떤 상태나 상황에 놓인 대상이나 동작의 주체를 나타내는 조사.
  ga
  A postpositional particle referring to a subject under a certain state or situation, or the
  subject of an act.

- 하다 (Verb) : 다른 사람의 말이나 생각 등을 나타내는 문장을 받아 뒤에 오는 단어를 꾸미는 말.
  say
  The word that refers to a preceding phrase that describes someone's words, thoughts, etc.,
  and modifies the following word.

- -는 : 앞의 말이 관형어의 기능을 하게 만들고 사건이나 동작이 현재 일어남을 나타내는 어미.
  -neun
  An ending of a word that makes the preceding statement function as an adnominal phrase
  and implies that an event or action is happening in the present.

- 한마디 (Noun) : 짧고 간단한 말.
  one word; single word
  Short and simple words.

엄마 : 너 낳+았+[을 때] 이빨 없+었+거든, 이것+아!

- 너 (Pronoun) : 듣는 사람이 친구나 아랫사람일 때, 그 사람을 가리키는 말.
  no equivalent expression
  A pronoun used to indicate the listener when he/she is the same age or younger.

- 낳다 (Verb) : 배 속의 아이, 새끼, 알을 몸 밖으로 내보내다.
  give birth; deliver
  To deliver a baby or egg out of one's womb.

- -았- : 사건이 과거에 일어났음을 나타내는 어미.
  -at-
  An ending of a word used to indicate that an event happened in the past.

- -을 때 : 어떤 행동이나 상황이 일어나는 동안이나 그 시기 또는 그러한 일이 일어난 경우를 나타내는 표현.

  -eul ttae

  An expression used to indicate the duration, period, or occasion of a certain act or situation.

- **이빨 (Noun)** : (낮잡아 이르는 말로) 사람이나 동물의 입 안에 있으며, 무엇을 물거나 씹는 데 쓰는 기관.

  tooth; teeth

  (disparaging) A part in the human or animal mouth that is used to bite or chew something.

- **없다 (Adjective)** : 사람, 사물, 현상 등이 어떤 곳에 자리나 공간을 차지하고 존재하지 않는 상태이다.

  being not

  (for a person, thing, phenomenon, etc. to be) Not occupying a spot or space at a certain location.

- -었- : 사건이 과거에 일어났음을 나타내는 어미.

  -eot-

  An ending of a word used to indicate that an event happened in the past.

- -거든 : (두루낮춤으로) 앞의 내용에 대해 말하는 사람이 생각한 이유나 원인, 근거를 나타내는 종결 어미.

  -geodeun

  (informal addressee-lowering) A sentence-final ending referring to the reason, cause, or basis for the preceding statement that the speaker thought of.

- **이것 (Pronoun)** : (귀엽게 이르는 말로) 이 아이.

  this

  (endearing) This kid.

- 아 : 친구나 아랫사람, 동물 등을 부를 때 쓰는 조사.

  a

  A postpositional particle used to address a friend, younger person, animal, etc.

< 4 단원(chapter) >

제목 : 아빠, 물 좀 갖다주세요.

● 본문 (main text)

늦은 오후 방에 늘어져 있던 아들은 시원한 물 한 잔이 먹고 싶어졌다.

그러나 꼼짝하기도 싫은 아들은 거실에서 텔레비전을 보고 계시던 아빠에게 큰 소리로 말했다.

이들 : 아빠, 물 좀 갖다주세요.

아빠 : 냉장고에 있으니까 네가 꺼내 먹어.

십 분 후

아들 : 아빠, 물 좀 갖다주세요.

아빠 : 네가 직접 가서 마시라니까.

아빠의 목소리는 점점 짜증이 섞이면서 톤이 높아지고 있었다.

그러나 이에 굴하지 않고 아들은 또 다시 외쳤다.

아들 : 아빠, 물 좀 갖다주세요.

아빠 : 네가 갖다 먹으라고.

　　　한 번만 더 부르면 혼내 주러 간다.

아빠는 이제 단단히 화가 나셨다.

하지만 아들은 지칠 줄 모르고 다시 십 분 후에 이렇게 말했다.

아들 : 아빠, 저 혼내러 오실 때 물 좀 갖다주세요.

● 발음 (pronunciation)

늦은 오후 방에 늘어져 있던 아들은 시원한 물 한 잔이 먹고 싶어졌다.
느즌 오후 방에 느러저 읻떤 아드른 시원한 물 한 자니 먹꼬 시퍼젇따.
neujeun ohu bange neureojeo itdeon adeureun siwonhan mul han jani meokgo sipeojeotda.

그러나 꼼짝하기도 싫은 아들은 거실에서 텔레비전을 보고 계시던 아빠에게 큰 소리로 말했다.
그러나 꼼짜카기도 시른 아드른 거시레서 텔레비저늘 보고 계시던 아빠에게 큰 소리로 말핻따.
geureona kkomjjakagido sireun adeureun geosireseo tellebijeoneul bogo gyesideon appaege keun soriro malhaetda.

아들 : 아빠, 물 좀 갖다주세요.
아들 : 아빠, 물 좀 갇따주세요.
adeul : appa, mul jom gatdajuseyo.

아빠 : 냉장고에 있으니까 네가 꺼내 먹어.
아빠 : 냉장고에 이쓰니까 네가 꺼내 머거.
appa : naengjanggoe isseunikka nega kkeonae meogeo.

십 분 후
십 분 후
sip bun hu

아들 : 아빠, 물 좀 갖다주세요.
아들 : 아빠, 물 좀 갇따주세요.
adeul : appa, mul jom gatdajuseyo.

아빠 : 네가 직접 가서 마시라니까.
아빠 : 네가 직쩝 가서 마시라니까.
appa : nega jikjeop gaseo masiranikka.

아빠의 목소리는 점점 짜증이 섞이면서 톤이 높아지고 있었다.
아빠의 목쏘리는 점점 짜증이 서끼면서 토니 노파지고 이썯따.
appaui moksorineun jeomjeom jjajeungi seokkimyeonseo toni nopajigo isseotda.

그러나 이에 굴하지 않고 아들은 또 다시 외쳤다.
그러나 이에 굴하지 안코 아드른 또 다시 외쳗따.
geureona ie gulhaji anko adeureun tto dasi oecheotda.

아들 : 아빠, 물 좀 갖다주세요.
아들 : 아빠, 물 좀 갇따주세요.
adeul : appa, mul jom gatdajuseyo.

아빠 : 네가 갖다 먹으라고.
아빠 : 네가 갇따 머그라고.
appa : nega gatda meogeurago.

한 번만 더 부르면 혼내 주러 간다.
한 번만 더 부르면 혼내 주러 간다.
han beonman deo bureumyeon honnae jureo ganda.

아빠는 이제 단단히 화가 나셨다.
아빠는 이제 단단히 화가 나셛따.
appaneun ije dandanhi hwaga nasyeotda.

하지만 아들은 지칠 줄 모르고 다시 십 분 후에 이렇게 말했다.
하지만 아드른 지칠 쭐 모르고 다시 십 분 후에 이러케 말핻따.
hajiman adeureun jichil jul moreugo dasi sip bun hue ireoke malhaetda.

아들 : 아빠, 저 혼내러 오실 때 물 좀 갖다주세요.
아들 : 아빠, 저 혼내러 오실 때 물 좀 갇따주세요.
adeul : appa, jeo honnaereo osil ttae mul jom gatdajuseyo.

● 어휘 (vocabulary) / 문법 (grammar)

늦+은 오후 방+에 늘어지+<u>어 있</u>+던 아들+은 시원하+ㄴ 물 한 잔+이 먹+<u>고 싶</u>+<u>어지</u>+었+다.

그러나 꼼짝하+기+도 싫+은 아들+은 거실+에서 텔레비전+을 보+<u>고 계시</u>+던 아빠+에게 크+ㄴ 소리+로

말하+였+다.

아들 : 아빠, 물 좀 갖다주+세요.

아빠 : 냉장고+에 있+으니까 네+가 꺼내+(어) 먹+어.

십 분 후

아들 : 아빠, 물 좀 갖다주+세요.

아빠 : 네+가 직접 가+(아)서 마시+라니까.

아빠+의 목소리+는 점점 짜증+이 섞이+면서 톤+이 높아지+<u>고 있</u>+었+다.

그러나 이에 굴하+<u>지 않</u>+고 아들+은 또 다시 외치+었+다.

아들 : 아빠, 물 좀 갖다주+세요.

아빠 : 네+가 갖+다 먹+으라고.

한 번+만 더 부르+면 혼내+<u>(어) 주</u>+러 가+ㄴ다.

아빠+는 이제 단단히 화+가 나+시+었+다.

하지만 아들+은 지치+<u>ㄹ 줄</u> 모르+고 다시 십 분 후+에 이렇+게 말하+였+다.

아들 : 아빠, 저 혼내+러 오+시+<u>ㄹ 때</u> 물 좀 갖다주+세요.

늦+은 오후 방+에 늘어지+[어 있]+던 아들+은 시원하+ㄴ 물 한 잔+이 먹+[고 싶]+[어지]+었+다.
늘어져 있던　　　　　　시원한　　　　　　먹고 싶어졌다

- **늦다 (Adjective)** : 적당한 때를 지나 있다. 또는 시기가 한창인 때를 지나 있다.
  late; later
  Being past the right time, or being past the peak of something.

- **-은** : 앞의 말이 관형어의 기능을 하게 만들고 현재의 상태를 나타내는 어미.
  -eun
  An ending of a word that makes the preceding word function as an adnominal phrase and refers to the present state.

- **오후 (Noun)** : 정오부터 해가 질 때까지의 동안.
  afternoon
  The duration from noon to the time when the sun goes down.

- **방 (Noun)** : 사람이 살거나 일을 하기 위해 벽을 둘러서 막은 공간.
  room
  A space enclosed by walls for residential or business purposes.

- **에** : 앞말이 어떤 장소나 자리임을 나타내는 조사.
  on; in; at
  A postpositional particle to indicate that the preceding statement refers to a certain place or space.

- **늘어지다 (Verb)** : 몸을 마음껏 펴거나 근심 걱정 없이 쉬다.
  have a sound rest; have a sound sleep
  To make oneself comfortable, or rest in a carefree fashion.

- **-어 있다** : 앞의 말이 나타내는 상태가 계속됨을 나타내는 표현.
  -eo itda
  An expression used to indicate that the state mentioned in the preceding statement is continued.

- **-던** : 앞의 말이 관형어의 기능을 하게 만들고 사건이나 동작이 과거에 완료되지 않고 중단되었음을 나타내는 어미.
  -deon
  An ending of a word that makes the preceding statement function as an adnominal phrase and implies that an event or action has not been completed in the past but has been stopped.

- **아들 (Noun)** : 남자인 자식.
  son
  One's male child.

• 은 : 문장 속에서 어떤 대상이 화제임을 나타내는 조사.

eun

A postpositional particle used to indicate that a certain subject is the topic of a sentence.

• **시원하다 (Adjective)** : 음식이 먹기 좋을 정도로 차고 산뜻하거나, 속이 후련할 정도로 뜨겁다.

cool; hot

Food being cold and refreshing and thus it is good to eat, or being hot enough to make one feel refreshed.

• -ㄴ : 앞의 말이 관형어의 기능을 하게 만들고 현재의 상태를 나타내는 어미.

-n

An ending of a word that makes the preceding word function as an adnominal phrase and refers to the present state.

• **물 (Noun)** : 강, 호수, 바다, 지하수 등에 있으며 순수한 것은 빛깔, 냄새, 맛이 없고 투명한 액체.

water

A liquid that constitutes rivers, lakes, oceans, underground reservoirs, etc., a pure form of which is colorless, orderless, tasteless and transparent.

• **한 (Determiner)** : 하나의.

one

One.

• **잔 (Noun)** : 음료나 술 등을 담은 그릇을 기준으로 그 분량을 세는 단위.

cup; glass

A unit that measures the amount of alcoholic and non-alcoholic beverages by counting the number of containers holding the beverage.

• 이 : 어떤 상태나 상황의 대상이나 동작의 주체를 나타내는 조사.

i

A postpositional particle referring to a subject under a certain state or situation, or the agent of an action.

• **먹다 (Verb)** : 액체로 된 것을 마시다.

drink; have

To drink liquid.

• -고 싶다 : 앞의 말이 나타내는 행동을 하기를 원함을 나타내는 표현.

-go sipda

An expression used to state that the speaker wants to do the act mentioned in the preceding statement.

- -어지다 : 앞에 오는 말이 나타내는 대로 행동하게 되거나 그 상태로 됨을 나타내는 표현.
  -eojida
  An expression used to indicate that one does the act or becomes the state mentioned in the preceding statement.

- -었- : 어떤 사건이 과거에 완료되었거나 그 사건의 결과가 현재까지 지속되는 상황을 나타내는 어미.
  -eot-
  An ending of a word used to indicate that an event was completed in the past or its result continues in the present.

- -다 : 어떤 사건이나 사실, 상태를 서술함을 나타내는 종결 어미.
  -da
  A sentence-final ending used when describing a certain event, fact, state, etc.

그러나 꼼짝하+기+도 싫+은 아들+은 거실+에서 텔레비전+을 보+[고 계시]+던 아빠+에게 <u>크+ㄴ</u>
                                                   큰

<u>소리</u>+로 <u>말하</u>+였+<u>다</u>.
      말했다

- **그러나** (Adverb) : 앞의 내용과 뒤의 내용이 서로 반대될 때 쓰는 말.
  but; however
  A word used to indicate that a statement is the opposite of the following statement.

- **꼼짝하다** (Verb) : 몸이 느리게 조금씩 움직이다. 또는 몸을 느리게 조금씩 움직이다.
  wriggle; wiggle
  For one's body to move slowly and slightly; to move one's body slowly and slightly.

- -기 : 앞의 말이 명사의 기능을 하게 하는 어미.
  -gi
  An ending of a word used to make the preceding word function as a noun.

- 도 : 극단적인 경우를 들어 다른 경우는 말할 것도 없음을 나타내는 조사.
  do
  A postpositional particle used when giving an extreme case in order to show that it is obvious in another case.

- **싫다** (Adjective) : 어떤 일을 하고 싶지 않다.
  unwilling; loath
  Not wanting to do something.

• -은 : 앞의 말이 관형어의 기능을 하게 만들고 현재의 상태를 나타내는 어미.
-eun
An ending of a word that makes the preceding word function as an adnominal phrase and refers to the present state.

• 아들 (Noun) : 남자인 자식.
son
One's male child.

• 은 : 문장 속에서 어떤 대상이 화제임을 나타내는 조사.
eun
A postpositional particle used to indicate that a certain subject is the topic of a sentence.

• 거실 (Noun) : 서양식 집에서, 가족이 모여서 생활하거나 손님을 맞는 중심 공간.
living room
The central room in a western house, where family members spend time together or talk with visitors.

• 에서 : 앞말이 행동이 이루어지고 있는 장소임을 나타내는 조사.
eseo
A postpositional particle used to indicate that the preceding word refers to a place where a certain action is being done.

• 텔레비전 (Noun) : 방송국에서 전파로 보내오는 영상과 소리를 받아서 보여 주는 기계.
TV; television
A machine that delivers the images and sound that were sent in waves by a broadcasting station.

• 을 : 동작이 직접적으로 영향을 미치는 대상을 나타내는 조사.
eul
A postpositional particle used to indicate the subject that an action has a direct influence on.

• 보다 (verb) : 눈으로 대상을 즐기거나 감상하다.
watch; see; enjoy
To enjoy or appreciate an object with eyes.

• -고 계시다 : (높임말로) 앞의 말이 나타내는 행동이 계속 진행됨을 나타내는 표현.
-go gyesida
(honorific) An expression used to indicate that the act mentioned in the preceding statement continues to occur.

- -던 : 앞의 말이 관형어의 기능을 하게 만들고 사건이나 동작이 과거에 완료되지 않고 중단되었음을 나타내는 어미.

  -deon

  An ending of a word that makes the preceding statement function as an adnominal phrase and implies that an event or action has not been completed in the past but has been stopped.

- **아빠 (Noun)** : 격식을 갖추지 않아도 되는 상황에서 아버지를 이르거나 부르는 말.

  dad; daddy

  A word used to refer to or address a father in an informal situation.

- 에게 : 어떤 행동이 미치는 대상임을 나타내는 조사.

  ege

  A postpositional particle referring to the subject that is influenced by a certain action.

- **크다 (Adjective)** : 소리의 세기가 강하다.

  loud

  The strength of a sound being strong.

- -ㄴ : 앞의 말이 관형어의 기능을 하게 만들고 현재의 상태를 나타내는 어미.

  -n

  An ending of a word that makes the preceding statement function as an adnominal phrase and refers to the present state.

- **소리 (Noun)** : 사람의 목에서 나는 목소리.

  voice

  The sound coming out of a person's throat.

- 로 : 어떤 일의 방법이나 방식을 나타내는 조사.

  ro

  A postpositional particle that indicates a method or way to do something.

- **말하다 (Verb)** : 어떤 사실이나 자신의 생각 또는 느낌을 말로 나타내다.

  say; tell; speak; talk

  To verbally present a fact or one's thoughts or feelings.

- -였- : 어떤 사건이 과거에 완료되었거나 그 사건의 결과가 현재까지 지속되는 상황을 나타내는 어미.

  -yeot-

  An ending of a word used to indicate that an event was completed in the past or its result continues in the present.

- -다 : 어떤 사건이나 사실, 상태를 서술함을 나타내는 종결 어미.

  -da

  A sentence-final ending used when describing a certain event, fact, state, etc.

아들 : 아빠, 물 좀 갖다주+세요.

• 아빠 (Noun) : 격식을 갖추지 않아도 되는 상황에서 아버지를 이르거나 부르는 말.
  dad; daddy
  A word used to refer to or address a father in an informal situation.

• 물 (Noun) : 강, 호수, 바다, 지하수 등에 있으며 순수한 것은 빛깔, 냄새, 맛이 없고 투명한 액체.
  water
  A liquid that constitutes rivers, lakes, oceans, underground reservoirs, etc., a pure form of which is colorless, orderless, tasteless and transparent.

• 좀 (Adverb) : 주로 부탁이나 동의를 구할 때 부드러운 느낌을 주기 위해 넣는 말.
  please
  A word chiefly used to soften a request for a favor or agreement.

• 갖다주다 (Verb) : 무엇을 가지고 와서 주다.
  bring; deliver; fetch
  To carry or take something to a certain place or person.

• -세요 : (두루높임으로) 설명, 의문, 명령, 요청의 뜻을 나타내는 종결 어미.
  -seyo
  (informal addressee-raising) A sentence-final ending used to describe, ask a question, order, and request.

아빠 : 냉장고+에 있+으니까 네+가 <u>꺼내</u>+(어) 먹+어.
꺼내

• 냉장고 (Noun) : 음식을 상하지 않게 하거나 차갑게 하려고 낮은 온도에서 보관하는 상자 모양의 기계.
  refrigerator; fridge
  A box-shaped machine used to store food at a low temperature in order to keep it cold or to prevent it from going bad.

• 에 : 앞말이 어떤 장소나 자리임을 나타내는 조사.
  on; in; at
  A postpositional particle to indicate that the preceding statement refers to a certain place or space.

• 있다 (Adjective) : 무엇이 어떤 곳에 자리나 공간을 차지하고 존재하는 상태이다.
  no equivalent expression
  Something occupying a certain place or space and existing there.

- -으니까 : 뒤에 오는 말에 대하여 앞에 오는 말이 원인이나 근거, 전제가 됨을 강조하여 나타내는 연결 어미.

  -eunikka

  A connective ending used to emphasize that the preceding statement is the cause, reason, or premise for the following statement.

- 네 (Pronoun) : '너'에 조사 '가'가 붙을 때의 형태.

  you

  A form of '너' (you), when the postpositional particle '가' is attached to it.

  너 (Pronoun) : 듣는 사람이 친구나 아랫사람일 때, 그 사람을 가리키는 말.

  no equivalent expression

  A pronoun used to indicate the listener when he/she is the same age or younger.

- 가 : 어떤 상태나 상황에 놓인 대상이나 동작의 주체를 나타내는 조사.

  ga

  A postpositional particle referring to a subject under a certain state or situation, or the subject of an act.

- 꺼내다 (Verb) : 안에 있는 물건을 밖으로 나오게 하다.

  take out; carry out

  To take out an object that is inside.

- -어 : 앞의 말이 뒤의 말보다 먼저 일어났거나 뒤의 말에 대한 방법이나 수단이 됨을 나타내는 연결 어미.

  -eo

  A connective ending used when the preceding statement happened before the following statement or was the ways or means to the following statement.

- 먹다 (Verb) : 액체로 된 것을 마시다.

  drink; have

  To drink liquid.

- -어 : (두루낮춤으로) 어떤 사실을 서술하거나 물음, 명령, 권유를 나타내는 종결 어미.

  -eo

  (informal addressee-lowering) A sentence-final ending used to describe a certain fact, ask a question, give an order, or advise.

십 분 후

- 십 (Determiner) : 열의.

  ten

  Amounting to ten.

- **분 (Noun)** : 한 시간의 60분의 1을 나타내는 시간의 단위.
  minute
  A bound noun indicating a unit of time, which is one-sixtieth of an hour.

- **후 (Noun)** : 얼마만큼 시간이 지나간 다음.
  later time
  A point of time following a certain passage of time.

아들 : 아빠, 물 좀 갖다주+세요.

- **아빠 (Noun)** : 격식을 갖추지 않아도 되는 상황에서 아버지를 이르거나 부르는 말.
  dad; daddy
  A word used to refer to or address a father in an informal situation.

- **물 (Noun)** : 강, 호수, 바다, 지하수 등에 있으며 순수한 것은 빛깔, 냄새, 맛이 없고 투명한 액체.
  water
  A liquid that constitutes rivers, lakes, oceans, underground reservoirs, etc., a pure form of which is colorless, orderless, tasteless and transparent.

- **좀 (Adverb)** : 주로 부탁이나 동의를 구할 때 부드러운 느낌을 주기 위해 넣는 말.
  please
  A word chiefly used to soften a request for a favor or agreement.

- **갖다주다 (Verb)** : 무엇을 가지고 와서 주다.
  bring; deliver; fetch
  To carry or take something to a certain place or person.

- **-세요** : (두루높임으로) 설명, 의문, 명령, 요청의 뜻을 나타내는 종결 어미.
  -seyo
  (informal addressee-raising) A sentence-final ending used to describe, ask a question, order, and request.

아빠 : 네+가 직접 <u>가+(아)서</u> 마시+라니까.
가서

- **네 (Pronoun)** : '너'에 조사 '가'가 붙을 때의 형태.
  you
  A form of '너' (you), when the postpositional particle '가' is attached to it.

너 (Pronoun) : 듣는 사람이 친구나 아랫사람일 때, 그 사람을 가리키는 말.
no equivalent expression
A pronoun used to indicate the listener when he/she is the same age or younger.

- 가 : 어떤 상태나 상황에 놓인 대상이나 동작의 주체를 나타내는 조사.
  ga
  A postpositional particle referring to a subject under a certain state or situation, or the subject of an act.

- **직접 (Adverb)** : 중간에 다른 사람이나 물건 등이 끼어들지 않고 바로.
  in person
  In the manner of doing something personally, without any intermediary such as other persons, goods, etc., in between.

- **가다 (Verb)** : 한 곳에서 다른 곳으로 장소를 이동하다.
  go; travel
  To move from one place to another place.

- -아서 : 앞의 말과 뒤의 말이 순차적으로 일어남을 나타내는 연결 어미.
  -aseo
  A connective ending used to indicate that the preceding event and the following one happened sequentially.

- **마시다 (Verb)** : 물 등의 액체를 목구멍으로 넘어가게 하다.
  drink
  To make liquid such as water, etc., pass down one's throat.

- -라니까 : (아주낮춤으로) 가볍게 꾸짖으면서 반복해서 명령하는 뜻을 나타내는 종결 어미.
  -ranikka
  (informal addressee-lowering) A sentence-final ending used when the speakers orders repeatedly while scolding someone mildly.

| 아빠+의 목소리+는 점점 짜증+이 섞이+면서 톤+이 높아지+[고 있]+었+다. |

- **아빠 (Noun)** : 격식을 갖추지 않아도 되는 상황에서 아버지를 이르거나 부르는 말.
  dad; daddy
  A word used to refer to or address a father in an informal situation.

- 의 : 앞의 말이 뒤의 말에 대하여 소유, 소속, 소재, 관계, 기원, 주체의 관계를 가짐을 나타내는 조사.
  ui
  A postpositional particle used to indicate that the referent of the following word is owned by, belongs to, is related to, originates from, or is the object of what the preceding word indicates.

• **목소리 (Noun)** : 사람의 목구멍에서 나는 소리.

voice

The sound that comes out of the human throat.

• **는** : 문장 속에서 어떤 대상이 화제임을 나타내는 조사.

neun

A postpositional particle used to indicate that a certain subject is the topic of a sentence.

• **점점 (Adverb)** : 시간이 지남에 따라 정도가 조금씩 더.

gradually

Little by little as times goes by.

• **짜증 (Noun)** : 마음에 들지 않아서 화를 내거나 싫은 느낌을 겉으로 드러내는 일. 또는 그런 성미.

irritation; annoyance

An act of expressing one's anger or dislike towards something because one is dissatisfied, or such a disposition.

• **이** : 어떤 상태나 상황의 대상이나 동작의 주체를 나타내는 조사.

i

A postpositional particle referring to a subject under a certain state or situation, or the agent of an action.

• **섞이다 (Verb)** : 어떤 말이나 행동에 다른 말이나 행동이 함께 나타나다.

be added

For something to be said or done while something else is said or done.

• **-면서** : 두 가지 이상의 동작이나 상태가 함께 일어남을 나타내는 연결 어미.

-myeonseo

A connective ending used when more than two actions or states happen at the same time.

• **톤 (Noun)** : 전체적으로 느껴지는 분위기나 말투.

tone

An overall impression or a way of speech.

• **이** : 어떤 상태나 상황의 대상이나 동작의 주체를 나타내는 조사.

i

A postpositional particle referring to a subject under a certain state or situation, or the agent of an action.

• **높아지다 (Verb)** : 이전보다 더 높은 정도나 수준, 지위에 이르다.

rise

To reach a higher degree, level, or status than before.

- -고 있다 : 앞의 말이 나타내는 행동이 계속 진행됨을 나타내는 표현.

  -go itda

  An expression used to state that the act mentioned in the preceding statement is continued.

- -었- : 어떤 사건이 과거에 완료되었거나 그 사건의 결과가 현재까지 지속되는 상황을 나타내는 어미.

  -eot-

  An ending of a word used to indicate that an event was completed in the past or its result continues in the present.

- -다 : 어떤 사건이나 사실, 상태를 서술함을 나타내는 종결 어미.

  -da

  A sentence-final ending used when describing a certain event, fact, state, etc.

그러나 이에 굴하+[지 않]+고 아들+은 또 다시 외치+었+다.
외쳤다

- 그러나 (Adverb) : 앞의 내용과 뒤의 내용이 서로 반대될 때 쓰는 말.

  but; however

  A word used to indicate that a statement is the opposite of the following statement.

- 이에 (Adverb) : 이러한 내용에 곧.

  hereupon; hence; thereupon

  Immediately as a result of this.

- 굴하다 (Verb) : 어떤 힘이나 어려움 앞에서 자신의 의지를 굽히다.

  submit; succumb

  To give in to a force or difficulties.

- -지 않다 : 앞의 말이 나타내는 행위나 상태를 부정하는 뜻을 나타내는 표현.

  -ji anta

  An expression used to deny the act or state indicated in the preceding statement.

- -고 : 앞의 말이 나타내는 행동이나 그 결과가 뒤에 오는 행동이 일어나는 동안에 그대로 지속됨을 나타내는 연결 어미.

  -go

  A connective ending used when an action or result of the preceding statement remains the same while the following action happens.

- 아들 (Noun) : 남자인 자식.

  son

  One's male child.

- 은 : 문장 속에서 어떤 대상이 화제임을 나타내는 조사.
  eun
  A postpositional particle used to indicate that a certain subject is the topic of a sentence.

- 또 (Adverb) : 어떤 일이나 행동이 다시.
  once more
  In the manner of happening or behaving again.

- 다시 (Adverb) : 같은 말이나 행동을 반복해서 또.
  again
  Repeatedly with the same words or behavior.

- 외치다 (Verb) : 큰 소리를 지르다.
  cry out; shout
  To yell in a loud voice.

- -었- : 어떤 사건이 과거에 완료되었거나 그 사건의 결과가 현재까지 지속되는 상황을 나타내는 어미.
  -eot-
  An ending of a word used to indicate that an event was completed in the past or its result continues in the present.

- -다 : 어떤 사건이나 사실, 상태를 서술함을 나타내는 종결 어미.
  -da
  A sentence-final ending used when describing a certain event, fact, state, etc.

아들 : 아빠, 물 좀 갖다주+세요.

- 아빠 (Noun) : 격식을 갖추지 않아도 되는 상황에서 아버지를 이르거나 부르는 말.
  dad; daddy
  A word used to refer to or address a father in an informal situation.

- 물 (Noun) : 강, 호수, 바다, 지하수 등에 있으며 순수한 것은 빛깔, 냄새, 맛이 없고 투명한 액체.
  water
  A liquid that constitutes rivers, lakes, oceans, underground reservoirs, etc., a pure form of which is colorless, orderless, tasteless and transparent.

- 좀 (Adverb) : 주로 부탁이나 동의를 구할 때 부드러운 느낌을 주기 위해 넣는 말.
  please
  A word chiefly used to soften a request for a favor or agreement.

- 갖다주다 (Verb) : 무엇을 가지고 와서 주다.
  bring; deliver; fetch
  To carry or take something to a certain place or person.

• -세요 : (두루높임으로) 설명, 의문, 명령, 요청의 뜻을 나타내는 종결 어미.

-seyo

(informal addressee-raising) A sentence-final ending used to describe, ask a question, order, and request.

아빠 : 네+가 갖+다 먹+으라고.

• 네 (Pronoun) : '너'에 조사 '가'가 붙을 때의 형태.

you

A form of '너' (you), when the postpositional particle '가' is attached to it.

너 (Pronoun) : 듣는 사람이 친구나 아랫사람일 때, 그 사람을 가리키는 말.

no equivalent expression

A pronoun used to indicate the listener when he/she is the same age or younger.

• 가 : 어떤 상태나 상황에 놓인 대상이나 동작의 주체를 나타내는 조사.

ga

A postpositional particle referring to a subject under a certain state or situation, or the subject of an act.

• 갖다 (Verb) : 무엇을 손에 쥐거나 몸에 지니다.

have; hold

To carry or keep something, or hold it in one's hands.

• -다 : 어떤 행동이 진행되는 중에 다른 행동이 나타남을 나타내는 연결 어미.

-da

A connective ending used when something happens while a certain act is ongoing.

• 먹다 (Verb) : 액체로 된 것을 마시다.

drink; have

To drink liquid.

• -으라고 : (두루낮춤으로) 말하는 사람의 생각이나 주장을 듣는 사람에게 강조하여 말함을 나타내는 종결 어미.

-eurago

(informal addressee-lowering) A sentence-final ending used to emphatically state the speaker's thoughts or argument to the listener.

아빠 : 한 번+만 더 부르+면 혼내+[(어) 주]+러 가+ㄴ다.
　　　　　　　　　　　　　　혼내 주러　　　　간다

• **한 (Determiner)** : 하나의.
one
One.

• **번 (Noun)** : 일의 횟수를 세는 단위.
beon
A bound noun that serves as a unit for counting the frequency of a task.

• **만** : 앞의 말이 어떤 것에 대한 조건임을 나타내는 조사.
man
A postpositional particle used when the preceding statement is a precondition for something.

• **더 (Adverb)** : 보태어 계속해서.
more
In a continuous addition.

• **부르다 (Verb)** : 말이나 행동으로 다른 사람을 오라고 하거나 주의를 끌다.
call for; call out for; gesture
To ask someone to come or draw his/her attention through words or actions.

• **-면** : 뒤에 오는 말에 대한 근거나 조건이 됨을 나타내는 연결 어미.
-myeon
A connective ending used when the preceding statement becomes the reason or condition of the following statement.

• **혼내다 (Verb)** : 심하게 꾸지람을 하거나 벌을 주다.
scold; rebuke; punish
To scold someone harshly or punish him/her.

• **-어 주다** : 남을 위해 앞의 말이 나타내는 행동을 함을 나타내는 표현.
-eo juda
An expression used to indicate that one does the act mentioned in the preceding statement for someone.

• **-러** : 가거나 오거나 하는 동작의 목적을 나타내는 연결 어미.
-reo
A connective ending used to express the purpose of an action such as going and coming.

• **가다 (Verb)** : 어떤 목적을 가지고 일정한 곳으로 움직이다.
go
To move to a certain place with a specific purpose.

- -ㄴ다 : (아주낮춤으로) 현재 사건이나 사실을 서술함을 나타내는 종결 어미.

  -nda

  (formal, highly addressee-lowering) A sentence-final ending used to describe an event or fact of the present.

아빠+는 이제 단단히 화+가 <u>나+시+었+다</u>.
나셨다

- **아빠 (Noun)** : 격식을 갖추지 않아도 되는 상황에서 아버지를 이르거나 부르는 말.

  dad; daddy

  A word used to refer to or address a father in an informal situation.

- **는** : 문장 속에서 어떤 대상이 화제임을 나타내는 조사.

  neun

  A postpositional particle used to indicate that a certain subject is the topic of a sentence.

- **이제 (Adverb)** : 말하고 있는 바로 이때에.

  now

  At this moment of speaking.

- **단단히 (Adverb)** : 보통보다 더 심하게.

  seriously; severely

  More severely than normal.

- **화 (Noun)** : 몹시 못마땅하거나 노여워하는 감정.

  anger; fury

  A feeling of strong frustration or anger.

- **가** : 어떤 상태나 상황에 놓인 대상이나 동작의 주체를 나타내는 조사.

  ga

  A postpositional particle referring to a subject under a certain state or situation, or the subject of an act.

- **나다 (Verb)** : 어떤 감정이나 느낌이 생기다.

  feel

  To feel a certain emotion or sensation.

- **-시-** : 높이고자 하는 인물과 관계된 소유물이나 신체의 일부가 문장의 주어일 때 그 인물을 높이는 뜻을 나타내는 어미.

  -si-

  An ending of a word used to show respect to a person when that person's possession or body part is the subject of the sentence.

• -었- : 어떤 사건이 과거에 완료되었거나 그 사건의 결과가 현재까지 지속되는 상황을 나타내는 어미.

-eot-

An ending of a word used to indicate that an event was completed in the past or its result continues in the present.

• -다 : 어떤 사건이나 사실, 상태를 서술함을 나타내는 종결 어미.

-da

A sentence-final ending used when describing a certain event, fact, state, etc.

> | 하지만 아들+은 <u>지치+[ㄹ 줄]</u> 모르+고 다시 십 분 후+에 이렇+게 <u>말하+였+다</u>. |
> |:---:|
> | 지칠 줄   말했다 |

• **하지만 (Adverb)** : 내용이 서로 반대인 두 개의 문장을 이어 줄 때 쓰는 말.

but; however

A word used to connect two statements that are opposite in meaning to each other.

• **아들 (Noun)** : 남자인 자식.

son

One's male child.

• 은 : 문장 속에서 어떤 대상이 화제임을 나타내는 조사.

eun

A postpositional particle used to indicate that a certain subject is the topic of a sentence.

• **지치다 (Verb)** : 힘든 일을 하거나 어떤 일에 시달려서 힘이 없다.

be tired; be exhausted

To have no energy due to hard work or suffering.

• -ㄹ 줄 : 어떤 사실이나 상태에 대해 알고 있거나 모르고 있음을 나타내는 표현.

-l jul

An expression used to indicate that one either knows or does not know a certain fact or state.

• **모르다 (Verb)** : 느끼지 않다.

not feel; not realize

To not feel.

• -고 : 앞의 말이 나타내는 행동이나 그 결과가 뒤에 오는 행동이 일어나는 동안에 그대로 지속됨을 나타내는 연결 어미.

-go

A connective ending used when an action or result of the preceding statement remains the same while the following action happens.

- **다시 (Adverb)** : 같은 말이나 행동을 반복해서 또.
  again
  Repeatedly with the same words or behavior.

- **십 (Determiner)** : 열의.
  ten
  Amounting to ten.

- **분 (Noun)** : 한 시간의 60분의 1을 나타내는 시간의 단위.
  minute
  A bound noun indicating a unit of time, which is one-sixtieth of an hour.

- **후 (Noun)** : 얼마만큼 시간이 지나간 다음.
  later time
  A point of time following a certain passage of time.

- **에** : 앞말이 시간이나 때임을 나타내는 조사.
  in; at
  A postpositional particle to indicate that the preceding statement refers to the time.

- **이렇다 (Adjective)** : 상태, 모양, 성질 등이 이와 같다.
  such; of this kind; of this sort
  A state, shape, property, etc., being like this.

- **-게** : 앞의 말이 뒤에서 가리키는 일의 목적이나 결과, 방식, 정도 등이 됨을 나타내는 연결 어미.
  -ge
  A connective ending used when the preceding statement is the purpose, result, method, amount, etc., of something mentioned in the following statement.

- **말하다 (Verb)** : 어떤 사실이나 자신의 생각 또는 느낌을 말로 나타내다.
  say; tell; speak; talk
  To verbally present a fact or one's thoughts or feelings.

- **-였-** : 어떤 사건이 과거에 완료되었거나 그 사건의 결과가 현재까지 지속되는 상황을 나타내는 어미.
  -yeot-
  An ending of a word used to indicate that an event was completed in the past or its result continues in the present.

- **-다** : 어떤 사건이나 사실, 상태를 서술함을 나타내는 종결 어미.
  -da
  A sentence-final ending used when describing a certain event, fact, state, etc.

아들 : 아빠, 저 혼내+러 <u>오+시+[ㄹ 때]</u> 물 좀 갖다주+세요.
오실 때

• **아빠 (Noun)** : 격식을 갖추지 않아도 되는 상황에서 아버지를 이르거나 부르는 말.
  dad; daddy
  A word used to refer to or address a father in an informal situation.

• **저 (Pronoun)** : 말하는 사람이 듣는 사람에게 자신을 낮추어 가리키는 말.
  I; me
  The humble form used by the speaker to refer to himself/herself for the purpose of showing humility to the listener.

• **혼내다 (Verb)** : 심하게 꾸지람을 하거나 벌을 주다.
  scold; rebuke; punish
  To scold someone harshly or punish him/her.

• **-러** : 가거나 오거나 하는 동작의 목적을 나타내는 연결 어미.
  -reo
  A connective ending used to express the purpose of an action such as going and coming.

• **오다 (Verb)** : 무엇이 다른 곳에서 이곳으로 움직이다.
  come
  For something to move from another place to here.

• **-시-** : 어떤 동작이나 상태의 주체를 높이는 뜻을 나타내는 어미.
  -si-
  An ending of a word used for the subject honorifics of an action or state.

• **-ㄹ 때** : 어떤 행동이나 상황이 일어나는 동안이나 그 시기 또는 그러한 일이 일어난 경우를 나타내는 표현.
  -l ttae
  An expression used to indicate the duration, period, or occasion of a certain act or situation.

• **물 (Noun)** : 강, 호수, 바다, 지하수 등에 있으며 순수한 것은 빛깔, 냄새, 맛이 없고 투명한 액체.
  water
  A liquid that constitutes rivers, lakes, oceans, underground reservoirs, etc., a pure form of which is colorless, orderless, tasteless and transparent.

• **좀 (Adverb)** : 주로 부탁이나 동의를 구할 때 부드러운 느낌을 주기 위해 넣는 말.
  please
  A word chiefly used to soften a request for a favor or agreement.

• **갖다주다 (Verb)** : 무엇을 가지고 와서 주다.

 bring; deliver; fetch

 To carry or take something to a certain place or person.

• **-세요** : (두루높임으로) 설명, 의문, 명령, 요청의 뜻을 나타내는 종결 어미.

 -seyo

 (informal addressee-raising) A sentence-final ending used to describe, ask a question, order, and request.

< 5 단원(chapter) >

제목 : 이해가 안 가네요.

● 본문 (main text)

화창한 오후, 앞을 못 보는 시각 장애인이 자신을 안전하게 인도해 줄 개와 함께 지하철역으로 향하고 있었다.

그런데 한참 길을 걷다가 개가 한쪽 다리를 들더니 맹인의 바지에 오줌을 싸는 것이었다.

그러자 그 맹인이 갑자기 주머니에서 과자를 꺼내더니 개에게 주려고 했다.

이때 지나가던 행인이 그 광경을 지켜보다 맹인에게 한마디 했다.

행인 : 저기요, 선생님 잠깐만요.

맹인 : 무슨 일이시죠?

행인 : 아니, 방금 개가 당신 바지에 오줌을 쌌는데 왜 과자를 줍니까?

　　　 저 같으면 개 머리를 한 대 때렸을 텐데 이해가 안 가네요.

맹인 : 개한테 과자를 줘야 머리가 어디 있는지 알 수 있잖아요.

● 발음 (pronunciation)

화창한 오후, 앞을 못 보는 시각 장애인이 자신을 안전하게 인도해 줄 개와 함께 지하철역으로 향하고
화창한 오후, 아플 몯 보는 시각 장애이니 자시늘 안전하게 인도해 줄 개와 함께 지하철려그로 향하고
hwachanghan ohu, apeul mot boneun sigak jangaeini jasineul anjeonhage indohae jul gaewa
hamkke jihacheollyeogeuro hyanghago

있었다.
이썯따.
isseotda.

그런데 한참 길을 걷다가 개가 한쪽 다리를 들더니 맹인의 바지에 오줌을 싸는 것이었다.
그런데 한참 기를 걷따가 개가 한쪽 다리를 들더니 맹이늬 바지에 오주믈 싸는 거시얻따.
geureonde hancham gireul geotdaga gaega hanjjok darireul deuldeoni maenginui bajie ojumeul
ssaneun geosieotda.

그러자 그 맹인이 갑자기 주머니에서 과자를 꺼내더니 개에게 주려고 했다.
그러자 그 맹이니 갑짜기 주머니에서 과자를 꺼내더니 개에게 주려고 핻따.
geureoja geu maengini gapjagi jumeonieseo gwajareul kkeonaedeoni gaeege juryeogo haetda.

이때 지나가던 행인이 그 광경을 지켜보다 맹인에게 한마디 했다.
이때 지나가던 행이니 그 광경을 지켜보다 맹이네게 한마디 핻따.
ittae jinagadeon haengini geu gwanggyeongeul jikyeoboda maenginege hanmadi haetda.

행인 : 저기요, 선생님 잠깐만요.
행인 : 저기요, 선생님 잠깐마뇨.
haengin : jeogiyo, seonsaengnim jamkkanmanyo.

맹인 : 무슨 일이시죠?
맹인 : 무슨 이리시죠?
maengin : museun irisijyo?

행인 : 아니, 방금 개가 당신 바지에 오줌을 쌌는데 왜 과자를 줍니까?
행인 : 아니, 방금 개가 당신 바지에 오주믈 싼는데 왜 과자를 줍니까?
haengin : ani, banggeum gaega dangsin bajie ojumeul ssanneunde wae
gwajareul jumnikka?

저 같으면 개 머리를 한 대 때렸을 텐데 이해가 안 가네요.

저 가트면 개 머리를 한 대 때려쓸 텐데 이해가 안 가네요.

jeo gateumyeon gae meorireul han dae ttaeryeosseul tende ihaega an
ganeyo.

맹인 : 개한테 과자를 줘야 머리가 어디 있는지 알 수 있잖아요.

맹인 : 개한테 과자를 줘야 머리가 어디 인는지 알 쑤 읻짜나요.

maengin : gaehante gwajareul jwoya meoriga eodi inneunji al su itjanayo.

● 어휘 (vocabulary) / 문법 (grammar)

화창하+ㄴ 오후, 앞+을 못 보+는 시각 장애인+이 자신+을 안전하+게 인도하+여 주+ㄹ 개+와 함께

지하철역+으로 향하+고 있+었+다.

그런데 한참 길+을 걷+다가 개+가 한쪽 다리+를 들+더니 맹인+의 바지+에 오줌+을 싸+는 것+이+었+다.

그리하+자 그 맹인+이 갑자기 주머니+에서 과자+를 꺼내+더니 개+에게 주+려고 하+였+다.

이때 지나가+던 행인+이 그 광경+을 지켜보+다 맹인+에게 한마디 하+였+다.

행인 : 저기, 선생님 잠깐+만+요.

맹인 : 무슨 일+이+시+죠?

행인 : 아니, 방금 개+가 선생님 바지+에 오줌+을 싸+았+는데 왜 과자+를 주+ㅂ니까?

　　　　저 같+으면 개 머리+를 한 대 때리+었+을 텐데 이해+가 안 가+네요.

맹인 : 개+한테 과자+를 주+어야 머리+가 어디 있+는지 알(아)+ㄹ 수 있+잖아요.

화창하+ㄴ 오후, 앞+을 못 보+는 시각 장애인+이 자신+을 안전하+게 <u>인도하+[여 주]</u>+ㄹ 개+와 함께
　화창한　　　　　　　　　　　　　　　　　　　　　　　　인도해 줄

지하철역+으로 향하+[고 있]+었+다.

• **화창하다 (Adjective)** : 날씨가 맑고 따뜻하며 바람이 부드럽다.
  fine; sunny; genial; clear
  The weather being clear and warm and the wind being gentle.

• **-ㄴ** : 앞의 말이 관형어의 기능을 하게 만들고 현재의 상태를 나타내는 어미.
  -n
  An ending of a word that makes the preceding statement function as an adnominal phrase and refers to the present state.

• **오후 (Noun)** : 정오부터 해가 질 때까지의 동안.
  afternoon
  The duration from noon to the time when the sun goes down.

• **앞 (Noun)** : 향하고 있는 쪽이나 곳.
  front
  The direction or place one is facing.

• **을** : 동작이 직접적으로 영향을 미치는 대상을 나타내는 조사.
  eul
  A postpositional particle used to indicate the subject that an action has a direct influence on.

• **못 (Adverb)** : 동사가 나타내는 동작을 할 수 없게.
  not
  The word that negates the action represented by the verb.

• **보다 (Verb)** : 눈으로 대상의 존재나 겉모습을 알다.
  see; look at; notice
  To perceive with eyes the existence or appearance of an object.

• **-는** : 앞의 말이 관형어의 기능을 하게 만들고 사건이나 동작이 현재 일어남을 나타내는 어미.
  -neun
  An ending of a word that makes the preceding statement function as an adnominal phrase and implies that an event or action is happening in the present.

• **시각 장애인 (Noun)** : 눈이 멀어서 앞을 보지 못하는 사람.
  the visually-impaired; visually-handicapped person
  A person who lost his/her eyesight and cannot see.

시각 (Noun) : 물체의 모양이나 움직임, 빛깔 등을 보는 눈의 감각.
sight; vision
The sense of the eyes which sees the shape, movement, color, etc., of an object.

장애인 (Noun) : 몸에 장애가 있거나 정신적으로 부족한 점이 있어 일상생활이나 사회생활이 어려운 사
람.
disabled person
A person who has difficulty leading an ordinary life or holding a job due to physical or
mental problems.

• 이 : 어떤 상태나 상황의 대상이나 동작의 주체를 나타내는 조사.
i
A postpositional particle referring to a subject under a certain state or situation, or the
agent of an action.

• 자신 (Noun) : 바로 그 사람.
self; oneself
The person himself/herself.

• 을 : 동작이 간접적인 영향을 미치는 대상이나 목적임을 나타내는 조사.
eul
A postpositional particle used to indicate the subject or target that an action has an
indirect influence on.

• 안전하다 (Adjective) : 위험이 생기거나 사고가 날 염려가 없다.
safe
Having no worry of falling into danger or becoming the victim of an accident.

• -게 : 앞의 말이 뒤에서 가리키는 일의 목적이나 결과, 방식, 정도 등이 됨을 나타내는 연결 어미.
-ge
A connective ending used when the preceding statement is the purpose, result, method,
amount, etc., of something mentioned in the following statement.

• 인도하다 (Verb) : 길이나 장소를 안내하다.
guide
To show someone the way or usher him/her to a place.

• -여 주다 : 남을 위해 앞의 말이 나타내는 행동을 함을 나타내는 표현.
-yeo juda
An expression used to indicate that one does the act mentioned in the preceding statement
for someone.

• -ㄹ : 앞의 말이 관형어의 기능을 하게 만들고 추측, 예정, 의지, 가능성 등을 나타내는 어미.
  -l
  An ending of a word that makes the preceding statement function as an adnominal phrase and refers to assumption, prearrangement, intention, possibility, etc.

• 개 (Noun) : 냄새를 잘 맡고 귀가 매우 밝으며 영리하고 사람을 잘 따라 사냥이나 애완 등의 목적으로 기르는 동물.
  dog
  An animal raised as a pet or hunting companion, because it has a good sense of hearing and smell, is intelligent, and makes a good companion to humans.

• 와 : 어떤 일을 함께 하는 대상임을 나타내는 조사.
  wa
  A postpositional particle used to indicate the person one is doing something with.

• 함께 (Adverb) : 여럿이서 한꺼번에 같이.
  together; along with
  In the state of several people being all together.

• 지하철역 (Noun) : 지하철을 타고 내리는 곳.
  subway station
  A place where passengers get on and off the subway.

• 으로 : 움직임의 방향을 나타내는 조사.
  euro
  A postpositional particle that indicates the direction of movement.

• 향하다 (Verb) : 어떤 목적이나 목표로 나아가다.
  head; move; proceed
  To move toward a certain goal or objective.

• -고 있다 : 앞의 말이 나타내는 행동이 계속 진행됨을 나타내는 표현.
  -go itda
  An expression used to state that the act mentioned in the preceding statement is continued.

• -었- : 사건이 과거에 일어났음을 나타내는 어미.
  -eot-
  An ending of a word used to indicate that an event happened in the past.

• -다 : 어떤 사건이나 사실, 상태를 서술함을 나타내는 종결 어미.
  -da
  (formal, highly addressee-lowering) A sentence-final ending used when describing a certain event, fact, state, etc.

> 그런데 한참 길+을 걷+다가 개+가 한쪽 다리+를 들+더니 맹인+의 바지+에 오줌+을
>
> 싸+[는 것]+이+었+다.

• **그런데 (Adverb)** : 이야기를 앞의 내용과 관련시키면서 다른 방향으로 바꿀 때 쓰는 말.
  by the way
  A word used to change the direction of a story while relating it to the preceding statement.

• **한참 (Noun)** : 시간이 꽤 지나는 동안.
  long time; being a while
  A lapse of a fairly long time.

• **길 (Noun)** : 사람이나 차 등이 지나다닐 수 있게 땅 위에 일정한 너비로 길게 이어져 있는 공간.
  road; street; way
  A long stretch of ground space with a fixed width meant for people or cars to travel along.

• **을** : 동작이 직접적으로 영향을 미치는 대상을 나타내는 조사.
  eul
  A postpositional particle used to indicate the subject that an action has a direct influence on.

• **걷다 (Verb)** : 바닥에서 발을 번갈아 떼어 옮기면서 움직여 위치를 옮기다.
  walk
  To lift one's feet, one foot at a time, from the ground and change their positions.

• **-다가** : 어떤 행동이나 상태 등이 중단되고 다른 행동이나 상태로 바뀜을 나타내는 연결 어미.
  -daga
  A connective ending used when an action or state, etc., is stopped and changed to another action or state.

• **개 (Noun)** : 냄새를 잘 맡고 귀가 매우 밝으며 영리하고 사람을 잘 따라 사냥이나 애완 등의 목적으로 기르는 동물.
  dog
  An animal raised as a pet or hunting companion, because it has a good sense of hearing and smell, is intelligent, and makes a good companion to humans.

• **가** : 어떤 상태나 상황에 놓인 대상이나 동작의 주체를 나타내는 조사.
  ga
  A postpositional particle referring to a subject under a certain state or situation, or the agent of an action.

• **한쪽 (Noun)** : 어느 한 부분이나 방향.
  one side; one part
  One part of something or one direction.

• **다리 (Noun)** : 사람이나 동물의 몸통 아래에 붙어, 서고 걷고 뛰는 일을 하는 신체 부위.
leg
A body part attached to the bottom of the torso of a person or animal that is used to walk or run.

• **를** : 동작이 직접적으로 영향을 미치는 대상을 나타내는 조사.
reul
A postpositional particle used to indicate the subject that an action has a direct influence on.

• **들다 (Verb)** : 아래에 있는 것을 위로 올리다.
raise; lift
To lift something from below in an upward motion.

• **-더니** : 과거의 사실이나 상황에 뒤이어 어떤 사실이나 상황이 일어남을 나타내는 연결 어미.
-deoni
A connective ending used when a certain fact or situation happened after a fact or situation in the past.

• **맹인 (Noun)** : 눈이 먼 사람.
blind
A person who is blind.

• **의** : 앞의 말이 뒤의 말에 대하여 소유, 소속, 소재, 관계, 기원, 주체의 관계를 가짐을 나타내는 조사.
ui
A postpositional particle used to indicate that the referent of the following word is owned by, belongs to, is related to, originates from, or is the object of what the preceding word indicates.

• **바지 (Noun)** : 위는 통으로 되고 아래는 두 다리를 넣을 수 있게 갈라진, 몸의 아랫부분에 입는 옷.
pants
Clothes worn over the lower part of one's body with the upper part in one whole and the lower part divided into two so that one can put one's legs in each.

• **에** : 앞말이 어떤 행위나 작용이 미치는 대상임을 나타내는 조사.
on; in; to
A postpositional particle to indicate that the preceding statement is the subject to which a certain action or operation is applied.

• **오줌 (Noun)** : 혈액 속의 노폐물과 수분이 요도를 통하여 몸 밖으로 배출되는, 누렇고 지린내가 나는 액체.
urine
Yellowish, smelly liquid which is the discharge of waste and water in the blood from the body through the urethra.

• 을 : 동작이 직접적으로 영향을 미치는 대상을 나타내는 조사.

eul

A postpositional particle used to indicate the subject that an action has a direct influence on.

• **싸다 (Verb)** : 똥이나 오줌을 누다.

discharge

To defecate or urinate.

• -는 것 : 명사가 아닌 것을 문장에서 명사처럼 쓰이게 하거나 '이다' 앞에 쓰일 수 있게 할 때 쓰는 표현.

-neun geot

An expression used to enable a non-noun word to be used as a noun in a sentence or to be used in front of '이다' (be).

• 이다 : 주어가 지시하는 대상의 속성이나 부류를 지정하는 뜻을 나타내는 서술격 조사.

ida

A predicate particle indicating the meaning of the attribute or category of the thing that the subject of the sentence refers to.

• -었- : 사건이 과거에 일어났음을 나타내는 어미.

-eot-

An ending of a word used to indicate that an event happened in the past.

• -다 : 어떤 사건이나 사실, 상태를 서술함을 나타내는 종결 어미.

-da

(formal, highly addressee-lowering) A sentence-final ending used when describing a certain event, fact, state, etc.

| 그리하+자 그 맹인+이 갑자기 주머니+에서 과자+를 꺼내+더니 개+에게 주+[려고 하]+였+다. |
| 그러자   주려고 했다 |

• **그리하다 (verb)** : 앞에서 일어난 일이나 말한 것과 같이 그렇게 하다.

do so

To do in the same way as what occurred or was stated previously.

• -자 : 앞의 말이 나타내는 동작이 끝난 뒤 곧 뒤의 말이 나타내는 동작이 잇따라 일어남을 나타내는 연결 어미.

-ja

A connective ending used to indicate that the preceding action was completed and then the following action occurred successively

• 그 (Determiner) : 앞에서 이미 이야기한 대상을 가리킬 때 쓰는 말.
that; the
A term referring to something mentioned earlier.

• 맹인 (Noun) : 눈이 먼 사람.
blind
A person who is blind.

• 이 : 어떤 상태나 상황의 대상이나 동작의 주체를 나타내는 조사.
i
A postpositional particle referring to a subject under a certain state or situation, or the agent of an action.

• 갑자기 (Adverb) : 미처 생각할 틈도 없이 빨리.
suddenly; all of a sudden
Quickly, not allowing someone to think.

• 주머니 (Noun) : 옷에 천 등을 덧대어 돈이나 물건 등을 넣을 수 있도록 만든 부분.
pocket
A part made of cloth, etc., that is attached to a piece of garment for keeping money, things, etc., in.

• 에서 : 앞말이 어떤 일의 출처임을 나타내는 조사.
eseo
A postpositional particle used to indicate that the preceding word refers to the source of something.

• 과자 (Noun) : 밀가루나 쌀가루 등에 우유, 설탕 등을 넣고 반죽하여 굽거나 튀긴 간식.
snack
Snacks baked or fried by mixing milk, sugar, etc., into flour or rice powder.

• 를 : 동작이 직접적으로 영향을 미치는 대상을 나타내는 조사.
reul
A postpositional particle used to indicate the subject that an action has a direct influence on.

• 꺼내다 (Verb) : 안에 있는 물건을 밖으로 나오게 하다.
take out; carry out
To take out an object that is inside.

• -더니 : 과거의 사실이나 상황에 뒤이어 어떤 사실이나 상황이 일어남을 나타내는 연결 어미.
-deoni
A connective ending used when a certain fact or situation happened after a fact or situation in the past.

• **개 (Noun)** : 냄새를 잘 맡고 귀가 매우 밝으며 영리하고 사람을 잘 따라 사냥이나 애완 등의 목적으로
　　　　　　 기르는 동물.

  dog

An animal raised as a pet or hunting companion, because it has a good sense of hearing and smell, is intelligent, and makes a good companion to humans.

• **에게** : 어떤 행동이 미치는 대상임을 나타내는 조사.

  ege

A postpositional particle referring to the subject that is influenced by a certain action.

• **주다 (Verb)** : 물건 등을 남에게 건네어 가지거나 쓰게 하다.

  give

To give an item to someone else so he/she can have or use it.

• **-려고 하다** : 앞의 말이 나타내는 일이 곧 일어날 것 같거나 시작될 것임을 나타내는 표현.

  -ryeogo hada

An expression used to indicate that the incident mentioned in the preceding statement is likely to happen or begin soon.

• **-였-** : 사건이 과거에 일어났음을 나타내는 어미.

  -yeot-

An ending of a word used to indicate that an event happened in the past.

• **-다** : 어떤 사건이나 사실, 상태를 서술함을 나타내는 종결 어미.

  -da

(formal, highly addressee-lowering) A sentence-final ending used when describing a certain event, fact, state, etc.

이때 지나가+던 행인+이 그 광경+을 지켜보+다 맹인+에게 한마디 <u>하+였+다</u>.
　　　　　　　　　　　　　　　　　　　　　　　했다

• **이때 (Noun)** : 바로 지금. 또는 바로 앞에서 이야기한 때.

  this time; this moment; this instant

Just now; the time mentioned in the very previous moment.

• **지나가다 (Verb)** : 어떤 대상의 주위를 지나쳐 가다.

  pass by

To go past the surroundings of an object.

• -던 : 앞의 말이 관형어의 기능을 하게 만들고 사건이나 동작이 과거에 완료되지 않고 중단되었음을 나
    타내는 어미.
 -deon
An ending of a word that makes the preceding statement function as an adnominal phrase and implies that an event or action has not been completed in the past but has been stopped.

• 행인 (Noun) : 길을 가는 사람.
 passerby; pedestrian
A person who happens to walk by a certain place.

• 이 : 어떤 상태나 상황의 대상이나 동작의 주체를 나타내는 조사.
 i
A postpositional particle referring to a subject under a certain state or situation, or the agent of an action.

• 그 (Determiner) : 앞에서 이미 이야기한 대상을 가리킬 때 쓰는 말.
 that; the
A term referring to something mentioned earlier.

• 광경 (Noun) : 어떤 일이나 현상이 벌어지는 장면 또는 모양.
 sight; scene
A scene or sight of some event or phenomenon happening.

• 을 : 동작이 직접적으로 영향을 미치는 대상을 나타내는 조사.
 eul
A postpositional particle used to indicate the subject that an action has a direct influence on.

• 지켜보다 (Verb) : 사물이나 모습 등을 주의를 기울여 보다.
 observe
To look at an object, sight, etc., carefully.

• -다 : 어떤 행동이 진행되는 중에 다른 행동이 나타남을 나타내는 연결 어미.
 -da
A connective ending used when something happens while a certain act is ongoing.

• 맹인 (Noun) : 눈이 먼 사람.
 blind
A person who is blind.

• 에게 : 어떤 행동이 미치는 대상임을 나타내는 조사.
 ege
A postpositional particle referring to the subject that is influenced by a certain action.

• **한마디 (Noun)** : 짧고 간단한 말.
  one word; single word
  Short and simple words.

• **하다 (Verb)** : 어떤 행동이나 동작, 활동 등을 행하다.
  do; perform
  To perform a certain move, action, activity, etc.

• **-였-** : 사건이 과거에 일어났음을 나타내는 어미.
  -yeot-
  An ending of a word used to indicate that an event happened in the past.

• **-다** : 어떤 사건이나 사실, 상태를 서술함을 나타내는 종결 어미.
  -da
  A sentence-final ending used when describing a certain event, fact, state, etc.

행인 : 저기, 선생님 잠깐+만+요.

• **저기 (Interjection)** : 말을 꺼내기 어색하고 편하지 않을 때에 쓰는 말.
  um; uh; erm
  An exclamation used when one finds it awkward and uncomfortable to bring up something.

• **선생님 (Noun)** : (높이는 말로) 나이가 어지간히 든 사람을 대접하여 이르는 말.
  Sir; Madam
  (polite form) A word used to refer to an aged person respectfully.

• **잠깐 (Noun)** : 아주 짧은 시간 동안.
  while; moment
  A very short time.

• **만** : 무엇을 강조하는 뜻을 나타내는 조사.
  man
  A postpositional particle that indicates an emphasis on something.

• **요** : 높임의 대상인 상대방에게 존대의 뜻을 나타내는 조사.
  yo
  A postpositional particle used to indicate respect for the other person, the subject who is shown respect.

맹인 : 무슨 일+이+시+죠?

- **무슨 (Determiner)** : 확실하지 않거나 잘 모르는 일, 대상, 물건 등을 물을 때 쓰는 말.
  what
  An expression used to ask about a business, subject or object that one is not sure of or does not exactly know.

- **일 (Noun)** : 해결하거나 처리해야 할 문제나 사항.
  business; engagement
  A problem or thing that one should resolve or deal with.

- **이다** : 주어가 지시하는 대상의 속성이나 부류를 지정하는 뜻을 나타내는 서술격 조사.
  ida
  A predicate particle indicating the meaning of the attribute or category of the thing that the subject of the sentence refers to.

- **-시-** : 어떤 동작이나 상태의 주체를 높이는 뜻을 나타내는 어미.
  -si-
  An ending of a word used for the subject honorifics of an action or state.

- **-죠** : (두루높임으로) 말하는 사람이 듣는 사람에게 친근함을 나타내며 물을 때 쓰는 종결 어미.
  -jyo
  (informal addressee-raising) A sentence-final ending used when the speaker asks the listener something in a friendly manner.

> 행인 : 아니, 방금 개+가 선생님 바지+에 오줌+을 <u>싸+았+는데</u> 왜 과자+를 <u>주+ㅂ니까</u>?
> 　　　　　　　　　　　　　　　　　　　　　싸았는데　　　　　주ㅂ니까

- **아니 (Interjection)** : 놀라거나 감탄스러울 때, 또는 의심스럽고 이상할 때 하는 말.
  what; no way; oh no
  An exclamation uttered when the speaker is surprised, impressed, has doubts, or feels that something is strange.

- **방금 (Adverb)** : 말하고 있는 시점보다 바로 조금 전에.
  a moment ago
  Just before the time of speaking.

- **개 (Noun)** : 냄새를 잘 맡고 귀가 매우 밝으며 영리하고 사람을 잘 따라 사냥이나 애완 등의 목적으로 기르는 동물.
  dog
  An animal raised as a pet or hunting companion, because it has a good sense of hearing and smell, is intelligent, and makes a good companion to humans.

• 가 : 어떤 상태나 상황에 놓인 대상이나 동작의 주체를 나타내는 조사.

ga

A postpositional particle referring to a subject under a certain state or situation, or the agent of an action.

• 선생님 (Noun) : (높이는 말로) 나이가 어지간히 든 사람을 대접하여 이르는 말.

Sir; Madam

(polite form) A word used to refer to an aged person respectfully.

• 바지 (Noun) : 위는 통으로 되고 아래는 두 다리를 넣을 수 있게 갈라진, 몸의 아랫부분에 입는 옷.

pants

Clothes worn over the lower part of one's body with the upper part in one whole and the lower part divided into two so that one can put one's legs in each.

• 에 : 앞말이 어떤 행위나 작용이 미치는 대상임을 나타내는 조사.

on; in; to

A postpositional particle to indicate that the preceding statement is the subject to which a certain action or operation is applied.

• 오줌 (Noun) : 혈액 속의 노폐물과 수분이 요도를 통하여 몸 밖으로 배출되는, 누렇고 지린내가 나는 액체.

urine

Yellowish, smelly liquid which is the discharge of waste and water in the blood from the body through the urethra.

• 을 : 동작이 직접적으로 영향을 미치는 대상을 나타내는 조사.

eul

A postpositional particle used to indicate the subject that an action has a direct influence on.

• 싸다 (Verb) : 똥이나 오줌을 누다.

discharge

To defecate or urinate.

• -았- : 어떤 사건이 과거에 완료되었거나 그 사건의 결과가 현재까지 지속되는 상황을 나타내는 어미.

-at-

An ending of a word used to indicate that an event was completed in the past or its result continues in the present.

• -는데 : 뒤의 말을 하기 위하여 그 대상과 관련이 있는 상황을 미리 말함을 나타내는 연결 어미.

-neunde

A connective ending used to talk in advance about a situation to follow.

- 왜 (Adverb) : 무슨 이유로. 또는 어째서.
  why
  For what reason; how come.

- 과자 (Noun) : 밀가루나 쌀가루 등에 우유, 설탕 등을 넣고 반죽하여 굽거나 튀긴 간식.
  snack
  Snacks baked or fried by mixing milk, sugar, etc., into flour or rice powder.

- 를 : 동작이 직접적으로 영향을 미치는 대상을 나타내는 조사.
  reul
  A postpositional particle used to indicate the subject that an action has a direct influence on.

- 주다 (Verb) : 물건 등을 남에게 건네어 가지거나 쓰게 하다.
  give
  To give an item to someone else so he/she can have or use it.

- -ㅂ니까 : (아주높임으로) 말하는 사람이 듣는 사람에게 정중하게 물음을 나타내는 종결 어미.
  -pnikka
  (formal, highly addressee-raising) A sentence-final ending used when the speaker asks the listener politely.

행인 : 저 같+으면 개 머리+를 한 대 <u>때리+었+[을 텐데]</u> 이해+가 안 가+네요.
때렸을 텐데

- 저 (Pronoun) : 말하는 사람이 듣는 사람에게 자신을 낮추어 가리키는 말.
  I; me
  The humble form used by the speaker to refer to himself/herself for the purpose of showing humility to the listener.

- 같다 (Adjective) : '어떤 상황이나 조건이라면'의 뜻을 나타내는 말.
  if; in case
  A term used to indicate 'under a certain situation or condition'.

- -으면 : 뒤에 오는 말에 대한 근거나 조건이 됨을 나타내는 연결 어미.
  -eumyeon
  A connective ending used when the preceding statement becomes the condition of the following statement.

• **개 (Noun)** : 냄새를 잘 맡고 귀가 매우 밝으며 영리하고 사람을 잘 따라 사냥이나 애완 등의 목적으로 기르는 동물.

dog

An animal raised as a pet or hunting companion, because it has a good sense of hearing and smell, is intelligent, and makes a good companion to humans.

• **머리 (Noun)** : 사람이나 동물의 몸에서 얼굴과 머리털이 있는 부분을 모두 포함한 목 위의 부분.

head

A part of the human or animal body above the neck that includes the face and hair.

• **를** : 동작이 직접적으로 영향을 미치는 대상을 나타내는 조사.

reul

A postpositional particle used to indicate the subject that an action has a direct influence on.

• **한 (Determiner)** : 하나의.

one

One.

• **대 (Noun)** : 때리는 횟수를 세는 단위.

dae

A bound noun that serves as a unit for counting the frequency of beating.

• **때리다 (Verb)** : 손이나 손에 든 물건으로 아프게 치다.

hit; beat; strike; smack; slap; punch

To hit hard and give pain with a hand or something in hand.

• **-었-** : 사건이 과거에 일어났음을 나타내는 어미.

-eot-

An ending of a word used to indicate that an event happened in the past.

• **-을 텐데** : 앞에 오는 말에 대하여 말하는 사람의 강한 추측을 나타내면서 그와 관련되는 내용을 이어 말할 때 쓰는 표현.

-eul tende

An expression used to indicate the speaker's strong guess about the preceding statement and add other relevant content.

• **이해 (noun)** : 무엇이 어떤 것인지를 앎. 또는 무엇이 어떤 것이라고 받아들임.

understanding; comprehension

The state of knowing what something is; the process of accepting something as something else.

• 가 : 어떤 상태나 상황에 놓인 대상이나 동작의 주체를 나타내는 조사.

ga

A postpositional particle referring to a subject under a certain state or situation, or the subject of an act.

• 안 (adverb) : 부정이나 반대의 뜻을 나타내는 말.

not

An adverb that has the meaning of negation or opposite.

• 기다 (verb) : 어떤 것에 대해 생각이나 이해가 되다.

occur; inspire; become possible

To come to think of or understand a certain thing.

• -네요 : (두루높임으로) 말하는 사람이 직접 경험하여 새롭게 알게 된 사실에 대해 감탄함을 나타낼 때 쓰는 표현.

-neyo

(informal addressee-raising) An expression used to indicate that the speaker is impressed by a fact he/she learned anew from a past personal experience.

맹인 : 개+한테 과자+를 <u>주+어야</u> 머리+가 어디 있+는지 <u>알(아)+[ㄹ 수 있]</u>+잖아요.
　　　　　　　　　　　쳐야　　　　　　　　　　　　　　알 수 있잖아요

• 개 (Noun) : 냄새를 잘 맡고 귀가 매우 밝으며 영리하고 사람을 잘 따라 사냥이나 애완 등의 목적으로 기르는 동물.

dog

An animal raised as a pet or hunting companion, because it has a good sense of hearing and smell, is intelligent, and makes a good companion to humans.

• 한테 : 어떤 행동이 미치는 대상임을 나타내는 조사.

hante

A postpositional particle referring to the subject that an act has an influence on.

• 과자 (Noun) : 밀가루나 쌀가루 등에 우유, 설탕 등을 넣고 반죽하여 굽거나 튀긴 간식.

snack

Snacks baked or fried by mixing milk, sugar, etc., into flour or rice powder.

• 를 : 동작이 직접적으로 영향을 미치는 대상을 나타내는 조사.

reul

A postpositional particle used to indicate the subject that an action has a direct influence on.

- 주다 (Verb) : 물건 등을 남에게 건네어 가지거나 쓰게 하다.
  give
  To give an item to someone else so he/she can have or use it.

- -어야 : 앞에 오는 말이 뒤에 오는 말에 대한 필수적인 조건임을 나타내는 연결 어미.
  -eoya
  A connective ending used when the preceding statement is an essential condition for the following statement.

- 머리 (Noun) : 사람이나 동물의 몸에서 얼굴과 머리털이 있는 부분을 모두 포함한 목 위의 부분.
  head
  A part of the human or animal body above the neck that includes the face and hair.

- 가 : 어떤 상태나 상황에 놓인 대상이나 동작의 주체를 나타내는 조사.
  ga
  A postpositional particle referring to a subject under a certain state or situation, or the agent of an action.

- 어디 (Pronoun) : 모르는 곳을 가리키는 말.
  where
  The word that means a place which one does not know.

- 있다 (Adjective) : 무엇이 어떤 곳에 자리나 공간을 차지하고 존재하는 상태이다.
  no equivalent expression
  Something occupying a certain place or space and existing there.

- -는지 : 뒤에 오는 말의 내용에 대한 막연한 이유나 판단을 나타내는 연결 어미.
  -neunji
  A connective ending used to indicate an ambiguous reason or judgment about the following statement.

- 알다 (Verb) : 교육이나 경험, 생각 등을 통해 사물이나 상황에 대한 정보 또는 지식을 갖추다.
  know; understand
  To have information or knowledge about an object or situation through education, experience, thoughts, etc.

- -ㄹ 수 있다 : 어떤 행동이나 상태가 가능함을 나타내는 표현.
  -l su itda
  An expression used to indicate that an act or state is possible.

- -잖아요 : (두루높임으로) 어떤 상황에 대해 말하는 사람이 상대방에게 확인하거나 정정해 주듯이 말함
           을 나타내는 표현.
  -janayo
  (informal addressee-raising) An expression used to check with or correct the listener on something about a certain situation.

< 6 단원(chapter) >

제목 : 왜 아버지 직업을 수산업이라고 적었니?

● 본문 (main text)

서울의 한 초등학교에서 가정 환경 조사를 실시하였다.

담임 선생님이 학생들이 제출한 자료를 꼼꼼히 살펴보고 있었다.

잠시 후 고개를 갸우뚱거리시더니 한 학생에게 물었다.

선생님 : 아버님이 선장이시니?

학생 : 아뇨.

선생님 : 그럼 어부시니?

학생 : 아니요.

선생님 : 그럼 양식 사업하시니?

학생 : 아닌데요.

선생님 : 그런데 왜 아버지 직업을 수산업이라고 적었니?

학생 : 우리 아버지는 학교 앞에서 붕어빵을 구우시거든요.

　　　맛있어서 엄청 많이 팔려요.

　　　선생님도 한번 드셔 보실래요?

● 발음 (pronunciation)

서울의 한 초등학교에서 가정 환경 조사를 실시하였다.
서울의 한 초등학꾜에서 가정 환경 조사를 실씨하엳따.
seourui han chodeunghakgyoeseo gajeong hwangyeong josareul silsihayeotda.

담임 선생님이 학생들이 제출한 자료를 꼼꼼히 살펴보고 있었다.
다밈 선생니미 학쌩드리 제출한 자료를 꼼꼼히 살펴보고 이썯따.
damim seonsaengnimi haksaengdeuri jechulhan jaryoreul kkomkkomhi salpyeobogo isseotda.

잠시 후 고개를 갸우뚱거리시더니 한 학생에게 물었다.
잠시 후 고개를 갸우뚱거리시더니 한 학쌩에게 무럳따.
jamsi hu gogaereul gyauttunggeorisideoni han haksaengege mureotda.

선생님 : 아버님이 선장이시니?
선생님 : 아버니미 선장이시니?
seonsaengnim : abeonimi seonjangisini?

학생 : 아뇨.
학쌩 : 아뇨.
haksaeng : anyo.

선생님 : 그럼 어부시니?
선생님 : 그럼 어부시니?
seonsaengnim : geureom eobusini?

학생 : 아니요.
학쌩 : 아니요.
haksaeng : aniyo.

선생님 : 그럼 양식 사업하시니?
선생님 : 그럼 양식 사어파시니?
seonsaengnim : geureom yangsik saeopasini?

학생 : 아닌데요.
학쌩 : 아닌데요.
haksaeng : anindeyo.

선생님 : 그런데 왜 아버지 직업을 수산업이라고 적었니?
선생님 : 그런데 왜 아버지 지거블 수사너비라고 저건니?
seonsaengnim : geureonde wae abeoji jigeobeul susaneobirago jeogeonni?

학생 : 우리 아버지는 학교 앞에서 붕어빵을 구우시거든요.
학쌩 : 우리 아버지는 학꾜 아페서 붕어빵을 구우시거드뇨.
haksaeng : uri abeojineun hakgyo apeseo bungeoppangeul guusigeodeunyo.

맛있어서 엄청 많이 팔려요.
마시써서 엄청 마니 팔려요.
masisseoseo eomcheong mani pallyeoyo.

선생님도 한번 드셔 보실래요?
선생님도 한번 드셔 보실래요?
seonsaengnimdo hanbeon deusyeo bosillaeyo?

● 어휘 (vocabulary) / 문법 (grammar)

서울+의 한 초등학교+에서 가정 환경 조사+를 실시하+였+다.

담임 선생+님+이 학생+들+이 제출하+ㄴ 자료+를 꼼꼼히 살펴보+<u>고 있</u>+었+다.

잠시 후 고개+를 갸우뚱거리+시+더니 한 학생+에게 묻(물)+었+다.

선생님 : 아버님+이 선장+이+시+니?

학생: 아뇨.

선생님 : 그럼 어부+(이)+시+니?

학생 : 아니요.

선생님 : 그럼 양식 사업하+시+니?

학생 : 아니+ㄴ데요.

선생님 : 그런데 왜 아버지 직업+을 수산업+이라고 적+었+니?

학생 : 우리 아버지+는 학교 앞+에서 붕어빵+을 굽(구우)+시+거든요.

　　맛있+어서 엄청 많이 팔리+어요.

　　선생님+도 한번 들(드)+시+<u>어</u> 보+시+ㄹ래요?

서울+의 한 초등학교+에서 가정 환경 조사+를 실시하+였+다.

- **서울 (Noun)** : 한반도 중앙에 있는 특별시. 한국의 수도이자 정치, 경제, 산업, 사회, 문화, 교통의 중심
  지이다. 북한산, 관악산 등의 산에 둘러싸여 있고 가운데로는 한강이 흐른다.

  Seoul

  A metropolitan city located in the center of the Korean Peninsula, it is the capital of the Republic of Korea and the center of the country's politics, business, society, culture and transportation. It is surrounded by mountains such as Bukhansan Mountain and Gwanaksan Mountain and crossed by the Hangang River.

- **의** : 앞의 말이 뒤의 말에 대하여 소유, 소속, 소재, 관계, 기원, 주체의 관계를 가짐을 나타내는 조사.

  ui

  A postpositional particle used to indicate that the referent of the following word is owned by, belongs to, is related to, originates from, or is the object of what the preceding word indicates.

- **한 (Determiner)** : 여럿 중 하나인 어떤.

  one

  One of many.

- **초등학교 (Noun)** : 학교 교육의 첫 번째 단계로 만 여섯 살에 입학하여 육 년 동안 기본 교육을 받는
  학교.

  elementary school; primary school

  A six-year school which accepts six-year-old children, as the first level of school education, to teach them the basic curriculum.

- **에서** : 앞말이 주어임을 나타내는 조사.

  eseo

  A postpositional particle used to indicate that the preceding word refers to the subject of the sentence.

- **가정 환경 (Noun)** : 가정의 분위기나 조건.

  family background; home environment

  The atmosphere or conditions of a family.

- **조사 (Noun)** : 어떤 일이나 사물의 내용을 알기 위하여 자세히 살펴보거나 찾아봄.

  poll; survey; investigation

  The act of examining or searching to understand the details of an affair or thing.

- **를** : 동작이 직접적으로 영향을 미치는 대상을 나타내는 조사.

  reul

  A postpositional particle used to indicate the subject that an act has a direct influence on.

- **실시하다 (Verb)** : 어떤 일이나 법, 제도 등을 실제로 행하다.
  execute; enforce; implement
  To put a certain plan, law, system, etc., into practice.

- **-였-** : 어떤 사건이 과거에 완료되었거나 그 사건의 결과가 현재까지 지속되는 상황을 나타내는 어미.
  -yeot-
  An ending of a word used to indicate that an event was completed in the past or its result continues in the present.

- **-다** : 어떤 사건이나 사실, 상태를 서술함을 나타내는 종결 어미.
  -da
  A sentence-final ending used when describing a certain event, fact, state, etc.

담임 선생+님+이 학생+들+이 <u>제출하</u>+ㄴ 자료+를 꼼꼼히 살펴보+[고 있]+었+다.
제출한

- **담임 선생 (Noun)** : 한 반이나 한 학년을 책임지고 맡아서 가르치는 선생님.
  homeroom teacher
  A teacher who teaches and is in charge of a class or grade.

- **님** : '높임'의 뜻을 더하는 접미사.
  -nim
  A suffix used to mean "honorific."

- **이** : 어떤 상태나 상황의 대상이나 동작의 주체를 나타내는 조사.
  i
  A postpositional particle referring to a subject under a certain state or situation, or the agent of an action.

- **학생 (Noun)** : 학교에 다니면서 공부하는 사람.
  student; learner
  A person who studies in a school.

- **들** : '복수'의 뜻을 더하는 접미사.
  -deul
  A suffix used to mean plural.

- **이** : 어떤 상태나 상황의 대상이나 동작의 주체를 나타내는 조사.
  i
  A postpositional particle referring to a subject under a certain state or situation, or the agent of an action.

- **제출하다 (Verb)** : 어떤 안건이나 의견, 서류 등을 내놓다.
  submit
  To present an opinion, document, etc.

- **-ㄴ** : 앞의 말이 관형어의 기능을 하게 만들고 사건이나 동작이 완료되어 그 상태가 유지되고 있음을 나타내는 어미.
  -n
  An ending of a word that makes the preceding statement function as an adnominal phrase and indicates that an event or action has been completed and its state continues.

- **자료 (Noun)** : 연구나 조사를 하는 데 기본이 되는 재료.
  material; data; reference
  Material which is the basis for conducting study or research.

- **를** : 동작이 직접적으로 영향을 미치는 대상을 나타내는 조사.
  reul
  A postpositional particle used to indicate the subject that an act has a direct influence on.

- **꼼꼼히 (Adverb)** : 빈틈이 없이 자세하고 차분하게.
  elaborately; punctiliously; carefully
  In a thorough, careful, and composed manner.

- **살펴보다 (Verb)** : 여기저기 빠짐없이 자세히 보다.
  examine; check
  To examine thoroughly.

- **-고 있다** : 앞의 말이 나타내는 행동이 계속 진행됨을 나타내는 표현.
  -go itda
  An expression used to state that the act mentioned in the preceding statement is continued.

- **-었-** : 어떤 사건이 과거에 완료되었거나 그 사건의 결과가 현재까지 지속되는 상황을 나타내는 어미.
  -eot-
  An ending of a word used to indicate that an event was completed in the past or its result continues in the present.

- **-다** : 어떤 사건이나 사실, 상태를 서술함을 나타내는 종결 어미.
  -da
  A sentence-final ending used when describing a certain event, fact, state, etc.

잠시 후 고개+를 갸우뚱거리+시+더니 한 학생+에게 <u>묻(물)+었+다</u>.
물었다

• **잠시 (Noun)** : 잠깐 동안.

moment; short while

A short time.

• **후 (Noun)** : 얼마만큼 시간이 지나간 다음.

later time

A point of time following a certain passage of time.

• **고개 (Noun)** : 목을 포함한 머리 부분.

head

A word referring to one's head, including the neck.

• **를** : 동작이 직접적으로 영향을 미치는 대상을 나타내는 조사.

reul

A postpositional particle used to indicate the subject that an act has a direct influence on.

• **갸우뚱거리다 (Verb)** : 물체가 자꾸 이쪽저쪽으로 기울어지며 흔들리다. 또는 그렇게 하다.

slant; move slantwise repeatedly

For an object to swing, being slanted one way or another; or to make it move in such a manner.

• **-시-** : 어떤 동작이나 상태의 주체를 높이는 뜻을 나타내는 어미.

-si-

An ending of a word used for the subject honorifics of an action or state.

• **-더니** : 과거의 사실이나 상황에 뒤이어 어떤 사실이나 상황이 일어남을 나타내는 연결 어미.

-deoni

A connective ending used when a certain fact or situation happened after a fact or situation in the past.

• **한 (Determiner)** : 여럿 중 하나인 어떤.

one

One of many.

• **학생 (Noun)** : 학교에 다니면서 공부하는 사람.

student; learner

A person who studies in a school.

• **에게** : 어떤 행동이 미치는 대상임을 나타내는 조사.

ege

A postpositional particle referring to the subject that is influenced by a certain action.

• **묻다 (Verb)** : 대답이나 설명을 요구하며 말하다.

ask; inquire; interrogate

To say something, demanding an answer or explanation.

- -었- : 어떤 사건이 과거에 완료되었거나 그 사건의 결과가 현재까지 지속되는 상황을 나타내는 어미.

  -eot-

  An ending of a word used to indicate that an event was completed in the past or its result continues in the present.

- -다 : 어떤 사건이나 사실, 상태를 서술함을 나타내는 종결 어미.

  -da

  A sentence-final ending used when describing a certain event, fact, state, etc.

선생님 : 아버님+이 선장+이+시+니?

학생 : 아뇨.

- **아버님 (Noun)** : (높임말로) 자기를 낳아 준 남자를 이르거나 부르는 말.

  father; male parent

  (honorific) A word used to refer to or address the man who has procreated as the male parent.

- 이 : 어떤 상태나 상황의 대상이나 동작의 주체를 나타내는 조사.

  i

  A postpositional particle referring to a subject under a certain state or situation, or the agent of an action.

- **선장 (Noun)** : 배에 탄 선원들을 감독하고, 배의 항해와 사무를 책임지는 사람.

  captain

  A person who supervises the sailors on a ship and is responsible for the sailing and office work.

- 이다 : 주어가 지시하는 대상의 속성이나 부류를 지정하는 뜻을 나타내는 서술격 조사.

  ida

  A predicate particle indicating the meaning of the attribute or category of the thing that the subject of the sentence refers to.

- -시- : 어떤 동작이나 상태의 주체를 높이는 뜻을 나타내는 어미.

  -si-

  An ending of a word used for the subject honorifics of an action or state.

- -니 : (아주낮춤으로) 물음을 나타내는 종결 어미.

  -ni

  (formal, highly addressee-lowering) A sentence-final ending referring to a question.

• **아뇨 (Interjection)** : 윗사람이 묻는 말에 대하여 부정하며 대답할 때 쓰는 말.
no; no sir; no ma'am
An exclamation uttered when the speaker gives a negative answer to a question asked by his/her elder or superior.

선생님 : 그럼 <u>어부+(이)+시+니</u>?
　　　　　어부시니

학생 : 아니요.

• **그럼 (Adverb)** : 앞의 내용을 받아들이거나 그 내용을 바탕으로 하여 새로운 주장을 할 때 쓰는 말.
then
A word used when accepting the preceding statement or making a new suggestion based on it.

• **어부 (Noun)** : 물고기를 잡는 일을 직업으로 하는 사람.
fisherman
A person who catches fish as an occupation.

• **이다** : 주어가 지시하는 대상의 속성이나 부류를 지정하는 뜻을 나타내는 서술격 조사.
ida
A predicate particle indicating the meaning of the attribute or category of the thing that the subject of the sentence refers to.

• **-시-** : 어떤 동작이나 상태의 주체를 높이는 뜻을 나타내는 어미.
-si-
An ending of a word used for the subject honorifics of an action or state.

• **-니** : (아주낮춤으로) 물음을 나타내는 종결 어미.
-ni
(formal, highly addressee-lowering) A sentence-final ending referring to a question.

• **아니요 (Interjection)** : 윗사람이 묻는 말에 대하여 부정하며 대답할 때 쓰는 말.
no; no sir; no ma'am
An exclamation uttered when the speaker gives a negative answer to the question of his/her elder or superior.

> 선생님 : 그럼 양식 사업하+시+니?
>
> 학생 : <u>아니+ㄴ데요</u>.
>   아닌데요

- 그럼 (Adverb) : 앞의 내용을 받아들이거나 그 내용을 바탕으로 하여 새로운 주장을 할 때 쓰는 말.
  then
  A word used when accepting the preceding statement or making a new suggestion based on it.

- 양식 (Noun) : 물고기, 김, 미역, 버섯 등을 인공적으로 길러서 번식하게 함.
  breeding; farming; culture
  An artificial breeding and propagating of fish, laver, seaweed, mushroom, etc.

- 사업하다 (Verb) : 경제적 이익을 얻기 위하여 어떤 조직을 경영하다.
  do business; operate
  To manage a certain organization to gain an economic profit.

- -시- : 어떤 동작이나 상태의 주체를 높이는 뜻을 나타내는 어미.
  -si-
  An ending of a word used for the subject honorifics of an action or state.

- -니 : (아주낮춤으로) 물음을 나타내는 종결 어미.
  -ni
  (formal, highly addressee-lowering) A sentence-final ending referring to a question.

- 아니다 (Adjective) : 어떤 사실이나 내용을 부정하는 뜻을 나타내는 말.
  not
  Used to negate a fact or statement.

- -ㄴ데요 : (두루높임으로) 어떤 상황을 전달하여 듣는 사람의 반응을 기대함을 나타내는 표현.
  -ndeyo
  (informal addressee-raising) An expression used to tell a situation, expecting a response from the listener.

> 선생님 : 그런데 왜 아버지 직업+을 수산업+이라고 적+었+니?

- 그런데 (Adverb) : 이야기를 앞의 내용과 관련시키면서 다른 방향으로 바꿀 때 쓰는 말.
  by the way
  A word used to change the direction of a story while relating it to the preceding statement.

- **왜 (Adverb)** : 무슨 이유로. 또는 어째서.
  why
  For what reason; how come.

- **아버지 (Noun)** : 자기를 낳아 준 남자를 이르거나 부르는 말.
  father; male parent
  A word used to refer to or address the man who has procreated as the male parent.

- **직업 (Noun)** : 보수를 받으면서 일정하게 하는 일.
  occupation; job
  A regular activity done in exchange for payment.

- **을** : 동작이 직접적으로 영향을 미치는 대상을 나타내는 조사.
  eul
  A postpositional particle used to indicate the subject that an act has a direct influence on.

- **수산업 (Noun)** : 바다나 강 등의 물에서 나는 생물을 잡거나 기르거나 가공하는 등의 산업.
  fishing industry
  The industry that catches, cultivates or processes organisms from water such as rivers, the ocean, etc.

- **이라고** : 앞의 말이 원래 말해진 그대로 인용됨을 나타내는 조사.
  irago
  A postpositional particle used to indicate that the preceding statement was a quote.

- **적다 (Verb)** : 어떤 내용을 글로 쓰다.
  write; write down
  To record something in writing.

- **-었-** : 어떤 사건이 과거에 완료되었거나 그 사건의 결과가 현재까지 지속되는 상황을 나타내는 어미.
  -eot-
  An ending of a word used to indicate that an event was completed in the past or its result continues in the present.

- **-니** : (아주낮춤으로) 물음을 나타내는 종결 어미.
  -ni
  (formal, highly addressee-lowering) A sentence-final ending referring to a question.

> **학생** : 우리 아버지+는 학교 앞+에서 붕어빵+을 <u>굽(구우)</u>+시+거든요.
> 구우시거든요

• 우리 (Pronoun) : 말하는 사람이 자기보다 높지 않은 사람에게 자기와 관련된 것을 친근하게 나타낼 때 쓰는 말.

uri

we: A pronoun used when the speaker intimately refers to something related to him/her while speaking to the person junior to himself/herself.

• 아버지 (Noun) : 자기를 낳아 준 남자를 이르거나 부르는 말.

father; male parent

A word used to refer to or address the man who has procreated as the male parent.

• 는 : 문장 속에서 어떤 대상이 화제임을 나타내는 조사.

neun

A postpositional particle used to indicate that a certain subject is the topic of a sentence.

• 학교 (Noun) : 일정한 목적, 교과 과정, 제도 등에 의하여 교사가 학생을 가르치는 기관.

school

An institution where teachers teach students in accordance with a certain purpose, curriculum, or policy, etc.

• 앞 (Noun) : 향하고 있는 쪽이나 곳.

front

The direction or place one is facing.

• 에서 : 앞말이 행동이 이루어지고 있는 장소임을 나타내는 조사.

eseo

A postpositional particle used to indicate that the preceding word refers to a place where a certain action is being done.

• 붕어빵 (Noun) : 붕어 모양 풀빵

붕어

crucian carp

A freshwater fish that has a broad and flat body usually with a yellowish brown back and large scales.

모양

shape

The outer appearance or aspect.

풀빵

pulppang; in-cast baked bread

Bread made by pouring thin flour dough, bean jam, etc., into a specially-shaped mold, then baking it.

• 을 : 동작이 직접적으로 영향을 미치는 대상을 나타내는 조사.

eul

A postpositional particle used to indicate the subject that an act has a direct influence on.

- 굽다 (Verb) : 음식을 불에 익히다.
  bake; roast; grill
  To cook food over a fire.

- -시- : 어떤 동작이나 상태의 주체를 높이는 뜻을 나타내는 어미.
  -si-
  An ending of a word used for the subject honorifics of an action or state.

- -거든요 : (두루높임으로) 앞의 내용에 대해 말하는 사람이 생각한 이유나 원인, 근거를 나타내는 표현.
  -geodeunnyo
  (informal addressee-raising) An expression used to indicate the speaker's reasoning or the basis for the preceding content.

학생 : 맛있+어서 엄청 많이 팔리+어요.
팔려요

- 맛있다 (Adjective) : 맛이 좋다.
  tasty; delicious
  Tasting good.

- -어서 : 이유나 근거를 나타내는 연결 어미.
  -eoseo
  A connective ending used for a reason or cause.

- 엄청 (Adverb) : 양이나 정도가 아주 지나치게.
  very; extremely
  In an unusually large manner in size or degree.

- 많이 (Adverb) : 수나 양, 정도 등이 일정한 기준보다 넘게.
  much; in large numbers; in large amounts
  In a state in which a number, amount, degree, etc., are larger than a certain standard.

- 팔리다 (Verb) : 값을 받고 물건이나 권리가 다른 사람에게 넘겨지거나 노력 등이 제공되다.
  be sold
  For an object or a right to be given to someone or for one's effort, etc., to be provided to someone after money is received for it.

- -어요 : (두루높임으로) 어떤 사실을 서술하거나 질문, 명령, 권유함을 나타내는 종결 어미.
  -eoyo
  (informal addressee-raising) A sentence-final ending used to describe a certain fact, ask a question, give an order, or advise.

학생 : 선생님+도 한번 <u>들(드)+시+[어 보]+시+ㄹ래요</u>?
드셔 보실래요

• **선생님 (Noun)** : (높이는 말로) 학생을 가르치는 사람.
teacher; master
(polite form) A person who teaches students.

• **도** : 이미 있는 어떤 것에 다른 것을 더하거나 포함함을 나타내는 조사.
do
A postpositional particle used to indicate an addition or inclusion of another thing to something that already exists.

• **한번 (Adverb)** : 어떤 일을 시험 삼아 시도함을 나타내는 말.
no equivalent expression
An adverb used to indicate that the speaker tries something.

• **들다 (Verb)** : (높임말로) 먹다.
have; eat
(honorific) To eat.

• **-시-** : 어떤 동작이나 상태의 주체를 높이는 뜻을 나타내는 어미.
-si-
An ending of a word used for the subject honorifics of an action or state.

• **-어 보다** : 앞의 말이 나타내는 행동을 시험 삼아 함을 나타내는 표현.
-eo boda
An expression used to indicate that one does the act mentioned in the preceding statement, as a test.

• **-시-** : 어떤 동작이나 상태의 주체를 높이는 뜻을 나타내는 어미.
-si-
An ending of a word used for the subject honorifics of an action or state.

• **-ㄹ래요** : (두루높임으로) 앞으로 어떤 일을 하려고 하는 자신의 의사를 나타내거나 그 일에 대하여 듣는 사람의 의사를 물어봄을 나타내는 표현.
-llaeyo
(informal addressee-raising) An expression used to indicate the speaker's intention to do something in the future, or to ask for the listener's thoughts about that.

< 7 단원(chapter) >

제목 : 도대체 어디가 아픈지 잘 모르겠어요.

● 본문 (main text)

교통사고를 당한 사람이 진찰을 받으러 병원에 갔다.

환자 : 의사 선생님, 도대체 어디가 아픈지 잘 모르겠어요.

의사 : 일단 손가락으로 여기저기 한번 눌러 보세요.

환자 : 어디를 눌러도 까무러칠 만큼 아파요.

의사 : 제가 한번 눌러 볼게요.

　　　 어떠세요?

환자 : 그다지 아픈 것 같지 않은데요.

결국 그 환자는 다른 병원을 찾아 갔지만 역시 아픈 곳을 정확히 찾지 못했다.

답답했던 그 환자는 어느 한의원에 들어갔다.

환자 : 정확히 어디가 아픈지 잘 모르겠지만 어디를 눌러 봐도 아파 죽겠어요.

　　　 제발 좀 찾아 주세요.

한의사 선생님은 의미심장한 표정을 지으며 말했다.

한의사 : 손가락이 부러지셨군요!

● 발음 (pronunciation)

교통사고를 당한 사람이 진찰을 받으러 병원에 갔다.
교통사고를 당한 사라미 진차를 바드러 병워네 갇따.
gyotongsagoreul danghan sarami jinchareul badeureo byeongwone gatda.

환자 : 의사 선생님, 도대체 어디가 아픈지 잘 모르겠어요.
환자 : 의사 선생님, 도대체 어디가 아픈지 잘 모르게써요.
hwanja : uisa seonsaengnim, dodaeche eodiga apeunji jal moreugesseoyo.

의사 : 일단 손가락으로 여기저기 한번 눌러 보세요.
의사 : 일딴 손까라그로 여기저기 한번 눌러 보세요.
uisa : ildan songarageuro yeogijeogi hanbeon nulleo boseyo.

환자 : 어디를 눌러도 까무러칠 만큼 아파요.
환자 : 어디를 눌러도 까무러칠 만큼 아파요.
hwanja : eodireul nulleodo kkamureochil mankeum apayo.

의사 : 제가 한번 눌러 볼게요.
의사 : 제가 한번 눌러 볼께요.
uisa : jega hanbeon nulleo bolgeyo.

어떠세요?
어떠세요?
eotteoseyo?

환자 : 그다지 아픈 것 같지 않은데요.
환자 : 그다지 아픈 건 갇찌 아는데요.
hwanja : geudaji apeun geot gatji aneundeyo.

결국 그 환자는 다른 병원을 찾아 갔지만 역시 아픈 곳을 정확히 찾지 못했다.
결국 그 환자는 다른 병워늘 차자 갇찌만 역씨 아픈 고슬 정화키 찾찌 모탣따.
gyeolguk geu hwanjaneun dareun byeongwoneul chaja gatjiman yeoksi apeun goseul jeonghwaki chatji motaetda.

답답했던 그 환자는 어느 한의원에 들어갔다.
답따팯떤 그 혼자는 어느 하니워네 드러감따.
dapdapaetdeon geu hwanjaneun eoneu hanuiwone(haniwone) deureogatda.

환자 : 정확히 어디가 아픈지 잘 모르겠지만 어디를 눌러 봐도 아파 죽겠어요.
환자 : 정화키 어디가 아픈지 잘 모르겓찌만 어디를 눌러 봐도 아파 죽게써요.
hwanja : jeonghwaki eodiga apeunji jal moreugetjiman eodireul nulleo bwado apa jukgesseoyo.

제발 좀 찾아 주세요.
제발 좀 차자 주세요.
jebal jom chaja juseyo.

한의사 선생님은 의미심장한 표정을 지으며 말했다.
하니사 선생니믄 의미심장한 표정을 지으며 말핻따.
hanuisa(hanisa) seonsaengnimeun uimisimjanghan pyojeongeul jieumyeo malhaetda.

한의사 : 손가락이 부러지셨군요!
하니사 : 손까라기 부러지션꾸뇨!
hanuisa(hanisa) : songaragi bureojisyeotgunyo!

● 어휘 (vocabulary) / 문법 (grammar)

교통사고+를 당하+ㄴ 사람+이 진찰+을 받+으러 병원+에 가+았+다.

환자 : 의사 선생님, 도대체 어디+가 아프+ㄴ지 잘 모르+겠+어요.

의사 : 일단, 손가락+으로 여기저기 한번 누르(눌ㄹ)+<u>어 보</u>+세요.

환자 : 어디+를 누르(눌ㄹ)+어도 까무러치+ㄹ 만큼 아프(아ㅍ)+아요.

의사 : 그럼, 제+가 한번 누르(눌ㄹ)+<u>어 보</u>+ㄹ게요.

　　　　어떻(어떠)+세요?

환자 : 그다지 아프+<u>ㄴ 것 같</u>+<u>지 않</u>+은데요.

결국 그 환자+는 다른 병원+을 찾아가+았+지만 역시 아프+ㄴ 곳+을 정확히 찾+<u>지 못하</u>+였+다.
답답하+였던 그 환자+는 어느 한의원+에 들어가+았+다.

환자 : 정확히 어디+가 아프+ㄴ지 잘 모르+겠+지만

　　　　어디+를 누르(눌ㄹ)+<u>어 보</u>+아도 아프(아ㅍ)+<u>아 죽</u>+겠+어요.

　　　　제발 좀 찾+<u>아 주</u>+세요.

한의사 선생님+은 의미심장하+ㄴ 표정+을 짓(지)+으며 말하+였+다.

한의사 : 손가락+이 부러지+시+었+군요!

> 교통사고+를 당하+ㄴ 사람+이 진찰+을 받+으러 병원+에 가+았+다.
> 　　　　　　당한　　　　　　　　　　　　　　　　　갔다

- **교통사고 (noun)** : 자동차나 기차 등이 다른 교통 기관과 부딪치거나 사람을 치는 사고.
  traffic accident; car crash
  An accident between a car or train crashing into another vehicle or with a pedestrian.

- **를** : 동작이 직접적으로 영향을 미치는 대상을 나타내는 조사.
  reul
  A postpositional particle used to indicate the subject that an act has a direct influence on.

- **당하다 (verb)** : 좋지 않은 일을 겪다.
  experience something bad
  To experience something bad.

- **-ㄴ** : 앞의 말이 관형어의 기능을 하게 만들고 사건이나 동작이 과거에 일어났음을 나타내는 어미.
  -n
  An ending of a word that makes the preceding statement function as an adnominal phrase and indicates an event or action having occurred in the past.

- **사람 (noun)** : 생각할 수 있으며 언어와 도구를 만들어 사용하고 사회를 이루어 사는 존재.
  human; man
  A being that is capable of thinking, makes and uses languages and tools and lives by forming a society with others.

- **이** : 어떤 상태나 상황의 대상이나 동작의 주체를 나타내는 조사.
  i
  A postpositional particle referring to a subject under a certain state or situation, or the agent of an action.

- **진찰 (noun)** : 의사가 치료를 위하여 환자의 병이나 상태를 살핌.
  checkup; examination
  A doctor's act of looking at a patient in order to treat his/her illnesses.

- **을** : 동작이 직접적으로 영향을 미치는 대상을 나타내는 조사.
  eul
  A postpositional particle used to indicate the subject that an action has a direct influence on.

- **받다 (verb)** : 다른 사람이 하는 행동, 심리적인 작용 등을 당하거나 입다.
  receive; get; be affected by; be influenced by
  To be affected or influenced by someone else's behavior or psychological action.

- -으러 : 가거나 오거나 하는 동작의 목적을 나타내는 연결 어미.

  -eureo

  A connective ending used to express the purpose of an action such as going and coming.

- **병원 (noun)** : 시설을 갖추고 의사와 간호사가 병든 사람을 치료해 주는 곳.

  hospital; clinic

  A place equipped with facilities where doctors and nurses care for the sick.

- 에 : 앞말이 목적지이거나 어떤 행위의 진행 방향임을 나타내는 조사.

  to; at

  A postpositional particle to indicate that the preceding statement refers to a destination or the course of a certain action.

- **가다 (verb)** : 어떤 목적을 가지고 일정한 곳으로 움직이다.

  go

  To move to a certain place with a specific purpose.

- -았- : 사건이 과거에 일어났음을 나타내는 어미.

  -at-

  An ending of a word used to indicate that an event happened in the past.

- -다 : 어떤 사건이나 사실, 상태를 서술함을 나타내는 종결 어미.

  -da

  A sentence-final ending used when describing a certain event, fact, state, etc.

> **환자** : 의사 선생님, 도대체 어디+가 <u>아프+ㄴ지</u> 잘 모르+겠+어요.
>
> 아픈지

- **의사 (noun)** : 일정한 자격을 가지고서 병을 진찰하고 치료하는 일을 직업으로 하는 사람.

  doctor; physician

  A person with the relevant qualifications whose job it is to examine and cure patients.

- **선생님 (noun)** : 어떤 사람의 성이나 직업에 붙여 그 사람을 높이는 말.

  Mr.; Ms.

  A word attached in front of a person's family name or occupation to address him/her politely.

- **도대체 (adverb)** : 유감스럽게도 전혀.

  (not) at all

  Unfortunately never.

• **어디 (pronoun)** : 모르는 곳을 가리키는 말.

where

The word that means a place which one does not know.

• **가** : 어떤 상태나 상황에 놓인 대상이나 동작의 주체를 나타내는 조사.

ga

A postpositional particle referring to a subject under a certain state or situation, or the subject of an act.

• **아프다 (adjective)** : 다치거나 병이 생겨 통증이나 괴로움을 느끼다.

hurting; aching

Feeling pain or suffering due to an injury or illness.

• **-ㄴ지** : 뒤에 오는 말의 내용에 대한 막연한 이유나 판단을 나타내는 연결 어미.

-nji

A connective ending used to indicate an ambiguous reason or judgment about the following statement.

• **잘 (adverb)** : 분명하고 정확하게.

well

Clearly and precisely.

• **모르다 (verb)** : 사람이나 사물, 사실 등을 알지 못하거나 이해하지 못하다.

not know

To have no knowledge or understanding of a person, object or fact.

• **-겠-** : 완곡하게 말하는 태도를 나타내는 어미.

-get-

An ending of a word referring to an attitude of speaking indirectly.

• **-어요** : (두루높임으로) 어떤 사실을 서술하거나 질문, 명령, 권유함을 나타내는 종결 어미.

-eoyo

(informal addressee-raising) A sentence-final ending used to describe a certain fact, ask a question, give an order, or advise.

> 의사 : 일단, 손가락+으로 여기저기 한번 <u>누르(눌ㄹ)</u>+[어 보]+<u>세요</u>.
>
> **눌러 보세요**

• **일단 (adverb)** : 우선 먼저.

first; in the first place; to begin with

First of all.

• 손가락 (noun) : 사람의 손끝의 다섯 개로 갈라진 부분.
finger
The end of the human hand that is divided into five parts.

• 으로 : 어떤 일의 수단이나 도구를 나타내는 조사.
euro
A postpositional particle that indicates a tool or means for something.

• 여기저기 (noun) : 분명하게 정해지지 않은 여러 장소나 위치.
being here and there; being place to place; everywhere
A variety of places or locations that are not clearly specified.

• 한번 (adverb) : 어떤 일을 시험 삼아 시도함을 나타내는 말.
no equivalent expression
An adverb used to indicate that the speaker tries something.

• 누르다 (verb) : 물체의 전체나 부분에 대하여 위에서 아래로 힘을 주어 무게를 가하다.
press; push
To apply one's weight to the whole or a part of an object by applying force from top to bottom.

• -어 보다 : 앞의 말이 나타내는 행동을 시험 삼아 함을 나타내는 표현.
-eo boda
An expression used to indicate that one does the act mentioned in the preceding statement, as a test.

• -세요 : (두루높임으로) 설명, 의문, 명령, 요청의 뜻을 나타내는 종결 어미.
-seyo
(informal addressee-raising) A sentence-final ending used to describe, ask a question, order, and request.

환자 : 어디+를 누르(눌ㄹ)+어도 까무러치+ㄹ 만큼 아프(아ㅍ)+아요.
눌러도　　　까무러칠　　　아파요

• 어디 (pronoun) : 정해져 있지 않거나 정확하게 말할 수 없는 어느 곳을 가리키는 말.
anywhere
The word that means a place which is not definite or impossible to specify.

• 를 : 동작이 직접적으로 영향을 미치는 대상을 나타내는 조사.
reul
A postpositional particle used to indicate the subject that an act has a direct influence on.

• **누르다 (verb)** : 물체의 전체나 부분에 대하여 위에서 아래로 힘을 주어 무게를 가하다.
press; push
To apply one's weight to the whole or a part of an object by applying force from top to bottom.

• **-어도** : 앞에 오는 말을 가정하거나 인정하지만 뒤에 오는 말에는 관계가 없거나 영향을 끼치지 않음을 나타내는 연결 어미.
-eodo
A connective ending used when assuming or recognizing the truth of the preceding statement, although it is not related to or does not influence the following statement.

• **까무러치다 (verb)** : 정신을 잃고 쓰러지다.
faint; black out
To lose consciousness and collapse.

• **-ㄹ** : 앞의 말이 관형어의 기능을 하게 만드는 어미.
-l
An ending of a word that makes the preceding statement function as an adnominal phrase.

• **만큼 (noun)** : 앞의 내용과 같은 양이나 정도임을 나타내는 말.
mankeum
An expression used to indicate that something is of the same quantity or level as the preceding statement.

• **아프다 (adjective)** : 다치거나 병이 생겨 통증이나 괴로움을 느끼다.
hurting; aching
Feeling pain or suffering due to an injury or illness.

• **-아요** : (두루높임으로) 어떤 사실을 서술하거나 질문, 명령, 권유함을 나타내는 종결 어미.
-ayo
(informal addressee-raising) A sentence-final ending used to describe a certain fact, ask a question, give an order, or advise.

의사 : 그럼, 제+가 한번 <u>누르(눌ㄹ)+[어 보]+ㄹ게요.</u> <u>어떻(어떠)+세요?</u>
눌러 볼게요   **어떠세요**

• **그럼 (adverb)** : 앞의 내용을 받아들이거나 그 내용을 바탕으로 하여 새로운 주장을 할 때 쓰는 말.
then
A word used when accepting the preceding statement or making a new suggestion based on it.

- **제 (pronoun)** : 말하는 사람이 자신을 낮추어 가리키는 말인 '저'에 조사 '가'가 붙을 때의 형태.
  I
  A form of '저' (I), the humble form used by the speaker to show humility, when the postpositional particle '가' is attached to it.

- **가** : 어떤 상태나 상황에 놓인 대상이나 동작의 주체를 나타내는 조사.
  ga
  A postpositional particle referring to a subject under a certain state or situation, or the subject of an act.

- **한번 (adverb)** : 어떤 일을 시험 삼아 시도함을 나타내는 말.
  no equivalent expression
  An adverb used to indicate that the speaker tries something.

- **누르다 (verb)** : 물체의 전체나 부분에 대하여 위에서 아래로 힘을 주어 무게를 가하다.
  press; push
  To apply one's weight to the whole or a part of an object by applying force from top to bottom.

- **-어 보다** : 앞의 말이 나타내는 행동을 시험 삼아 함을 나타내는 표현.
  -eo boda
  An expression used to indicate that one does the act mentioned in the preceding statement, as a test.

- **-ㄹ게요** : (두루높임으로) 말하는 사람이 어떤 행동을 할 것을 듣는 사람에게 약속하거나 의지를 나타내는 표현.
  -lgeyo
  (informal addressee-raising) An expression used when the speaker promises or notifies the listener that he/she will do something.

- **어떻다 (adjective)** : 생각, 느낌, 상태, 형편 등이 어찌 되어 있다.
  such
  Being such in one's thoughts, feelings, state, situation, etc.

- **-세요** : (두루높임으로) 설명, 의문, 명령, 요청의 뜻을 나타내는 종결 어미.
  -seyo
  (informal addressee-raising) A sentence-final ending used to describe, ask a question, order, and request.

환자 : 그다지 <u>아프</u>+[ㄴ 것 같]+[지 않]+은데요.
　　　　　　　아픈 것 같지 않은데요

• 그다지 (adverb) : 대단한 정도로는. 또는 그렇게까지는.
little; not greatly
Not to a great degree, or not that much.

• 아프다 (adjective) : 다치거나 병이 생겨 통증이나 괴로움을 느끼다.
hurting; aching
Feeling pain or suffering due to an injury or illness.

• -ㄴ 것 같다 : 추측을 나타내는 표현.
-n geot gatda
An expression used to indicate that the statement is a guess.

• -지 않다 : 앞의 말이 나타내는 행위나 상태를 부정하는 뜻을 나타내는 표현.
-ji anta
An expression used to deny the act or state indicated in the preceding statement.

• -은데요 : (두루높임으로) 의외라 느껴지는 어떤 사실을 감탄하여 말할 때 쓰는 표현.
-eundeyo
(informal addressee-raising) An expression used to tell an unexpected fact with wonder.

결국 그 환자+는 다른 병원+을 <u>찾아가</u>+았+<u>지만</u> 역시 <u>아프</u>+ㄴ 곳+을 정확히 <u>찾</u>+[지 못하]+였+다.
<u>찾아갔지만</u>　　　　　　　 <u>아픈</u>　　　　　 <u>찾지 못했다</u>

• 결국 (adverb) : 일의 결과로.
eventually; finally
As the result of something.

• 그 (determiner) : 앞에서 이미 이야기한 대상을 가리킬 때 쓰는 말.
that; the
A term referring to something mentioned earlier.

• 환자 (noun) : 몸에 병이 들거나 다쳐서 아픈 사람.
patient; sick person
A person who is ill due to a disease or injury.

• 는 : 문장 속에서 어떤 대상이 화제임을 나타내는 조사.
neun
A postpositional particle used to indicate that a certain subject is the topic of a sentence.

• 다른 (determiner) : 해당하는 것 이외의.
different; other
Other than the one concerned.

• **병원 (noun)** : 시설을 갖추고 의사와 간호사가 병든 사람을 치료해 주는 곳.
hospital; clinic
A place equipped with facilities where doctors and nurses care for the sick.

• 을 : 동작의 도착지나 동작이 이루어지는 장소를 나타내는 조사.
eul
A postpositional particle used to indicate a place where an action finishes or occurs.

• **찾아가다 (verb)** : 사람을 만나거나 어떤 일을 하러 가다.
go visiting
To go to a place to meet someone or do something.

• -았- : 사건이 과거에 일어났음을 나타내는 어미.
-at-
An ending of a word used to indicate that an event happened in the past.

• -지만 : 앞에 오는 말을 인정하면서 그와 반대되거나 다른 사실을 덧붙일 때 쓰는 연결 어미.
-jiman
A connective ending used to recognize the truth of the preceding statement and add facts that are the opposite of it or different.

• **역시 (adverb)** : 이전과 마찬가지로.
as always
As usual.

• **아프다 (adjective)** : 다치거나 병이 생겨 통증이나 괴로움을 느끼다.
hurting; aching
Feeling pain or suffering due to an injury or illness.

• -ㄴ : 앞의 말이 관형어의 기능을 하게 만들고 현재의 상태를 나타내는 어미.
-n
An ending of a word that makes the preceding statement function as an adnominal phrase and refers to the present state.

• **곳 (noun)** : 일정한 장소나 위치.
place; spot; location
A certain spot or location.

• 을 : 동작이 직접적으로 영향을 미치는 대상을 나타내는 조사.
eul
A postpositional particle used to indicate the subject that an action has a direct influence on.

• 정확히 (adverb) : 바르고 확실하게.
  accurately
  Correctly and certainly.

• 찾다 (verb) : 모르는 것을 알아내려고 노력하다. 또는 모르는 것을 알아내다.
  find
  To figure out something one does not know, or to make an effort to do so.

• -지 못하다 : 앞의 말이 나타내는 행동을 할 능력이 없거나 주어의 의지대로 되지 않음을 나타내는 표현.
  -ji motada
  An expression used to indicate that the speaker cannot do the act mentioned in the preceding statement, or that things did not work out as the subject intended.

• -였- : 사건이 과거에 일어났음을 나타내는 어미.
  -at-
  An ending of a word used to indicate that an event happened in the past.

• -다 : 어떤 사건이나 사실, 상태를 서술함을 나타내는 종결 어미.
  -da
  A sentence-final ending used when describing a certain event, fact, state, etc.

답답하+였던 그 환자+는 어느 한의원+에 들어가+았+다.
답답했던   **들어갔다**

• 답답하다 (adjective) : 근심이나 걱정으로 마음이 초조하고 속이 시원하지 않다.
  feeling heavy; feeling uneasy
  Nervous and uncomfortable due to worry or anxiety.

• -였던 : 과거의 사건이나 상태를 다시 떠올리거나 그 사건이나 상태가 완료되지 않고 중단되었다는 의미를 나타내는 표현.
  -yeotdeon
  An expression used to recall a past incident or state, and indicate that the incident or state is suspended, not completed.

• 그 (determiner) : 앞에서 이미 이야기한 대상을 가리킬 때 쓰는 말.
  that; the
  A term referring to something mentioned earlier.

• 환자 (noun) : 몸에 병이 들거나 다쳐서 아픈 사람.
  patient; sick person
  A person who is ill due to a disease or injury.

• 는 : 문장 속에서 어떤 대상이 화제임을 나타내는 조사.

neun

A postpositional particle used to indicate that a certain subject is the topic of a sentence.

• **어느 (determiner)** : 확실하지 않거나 분명하게 말할 필요가 없는 사물, 사람, 때, 곳 등을 가리키는 말.

certain

Meaning a thing, person, time, place, etc., that is not certain or does not need to be specified.

• **한의원 (noun)** : 우리나라 전통 의술로 환자를 치료하는 의원.

herbal medicine clinic

A clinic that treats patients by using traditional Korean medical therapies.

• 에 : 앞말이 목적지이거나 어떤 행위의 진행 방향임을 나타내는 조사.

to; at

A postpositional particle to indicate that the preceding statement refers to a destination or the course of a certain action.

• **들어가다 (verb)** : 밖에서 안으로 향하여 가다.

enter; go into

To go inside from outside.

• -았- : 사건이 과거에 일어났음을 나타내는 어미.

-at-

An ending of a word used to indicate that an event happened in the past.

• -다 : 어떤 사건이나 사실, 상태를 서술함을 나타내는 종결 어미.

-da

A sentence-final ending used when describing a certain event, fact, state, etc.

환자 : 정확히 어디+가 <u>아프+ㄴ지</u> 잘 모르+겠+지만
아픈지

<u>어디+를 누르(눌ㄹ)+[어 보]+아도 아프(아ㅍ)+[아 죽]+겠+어요.</u>
눌러 보아도   아파 죽겠어요

• **정확히 (adverb)** : 바르고 확실하게.

accurately

Correctly and certainly.

• **어디 (pronoun)** : 모르는 곳을 가리키는 말.
  where
  The word that means a place which one does not know.

• **가** : 어떤 상태나 상황에 놓인 대상이나 동작의 주체를 나타내는 조사.
  ga
  A postpositional particle referring to a subject under a certain state or situation, or the subject of an act.

• **아프다 (adjective)** : 다치거나 병이 생겨 통증이나 괴로움을 느끼다.
  hurting; aching
  Feeling pain or suffering due to an injury or illness.

• **-ㄴ지** : 뒤에 오는 말의 내용에 대한 막연한 이유나 판단을 나타내는 연결 어미.
  -nji
  A connective ending used to indicate an ambiguous reason or judgment about the following statement.

• **잘 (adverb)** : 분명하고 정확하게.
  well
  Clearly and precisely.

• **모르다 (verb)** : 사람이나 사물, 사실 등을 알지 못하거나 이해하지 못하다.
  not know
  To have no knowledge or understanding of a person, object or fact.

• **-겠-** : 완곡하게 말하는 태도를 나타내는 어미.
  -get-
  An ending of a word referring to an attitude of speaking indirectly.

• **-지만** : 앞에 오는 말을 인정하면서 그와 반대되거나 다른 사실을 덧붙일 때 쓰는 연결 어미.
  -jiman
  A connective ending used to recognize the truth of the preceding statement and add facts that are the opposite of it or different.

• **어디 (pronoun)** : 정해져 있지 않거나 정확하게 말할 수 없는 어느 곳을 가리키는 말.
  anywhere
  The word that means a place which is not definite or impossible to specify.

• **를** : 동작이 직접적으로 영향을 미치는 대상을 나타내는 조사.
  reul
  A postpositional particle used to indicate the subject that an act has a direct influence on.

• **누르다 (verb)** : 물체의 전체나 부분에 대하여 위에서 아래로 힘을 주어 무게를 가하다.
  press; push
  To apply one's weight to the whole or a part of an object by applying force from top to bottom.

• **-어 보다** : 앞의 말이 나타내는 행동을 시험 삼아 함을 나타내는 표현.
  -eo boda
  An expression used to indicate that one does the act mentioned in the preceding statement, as a test.

• **-아도** : 앞에 오는 말을 가정하거나 인정하지만 뒤에 오는 말에는 관계가 없거나 영향을 끼치지 않음을 나타내는 연결 어미.
  -ado
  A connective ending used when assuming or recognizing the truth of the preceding statement, although it is not related to or does not influence the following statement.

• **아프다 (adjective)** : 다치거나 병이 생겨 통증이나 괴로움을 느끼다.
  hurting; aching
  Feeling pain or suffering due to an injury or illness.

• **-아 죽다** : 앞의 말이 나타내는 상태의 정도가 매우 심함을 나타내는 표현.
  -a jukda
  An expression used to indicate that the state mentioned in the preceding statement is very severe.

• **-겠-** : 완곡하게 말하는 태도를 나타내는 어미.
  -get-
  An ending of a word referring to an attitude of speaking indirectly.

• **-어요** : (두루높임으로) 어떤 사실을 서술하거나 질문, 명령, 권유함을 나타내는 종결 어미.
  -eoyo
  (informal addressee-raising) A sentence-final ending used to describe a certain fact, ask a question, give an order, or advise.

환자 : 제발 좀 찾+[아 주]+세요.
                찾아 주세요

• **제발 (adverb)** : 간절히 부탁하는데.
  please
  Beg or request with a desperate plea.

• **좀 (adverb)** : 주로 부탁이나 동의를 구할 때 부드러운 느낌을 주기 위해 넣는 말.
  please
  A word chiefly used to soften a request for a favor or agreement.

• **찾다 (verb)** : 모르는 것을 알아내려고 노력하다. 또는 모르는 것을 알아내다.
  find
  To figure out something one does not know, or to make an effort to do so.

• **-아 주다** : 남을 위해 앞의 말이 나타내는 행동을 함을 나타내는 표현.
  -a juda
  An expression used to indicate that one does the act mentioned in the preceding statement for someone.

• **-세요** : (두루높임으로) 설명, 의문, 명령, 요청의 뜻을 나타내는 종결 어미.
  -seyo
  (informal addressee-raising) A sentence-final ending used to describe, ask a question, order, and request.

한의사 선생님+은 <u>의미심장하</u>+ㄴ 표정+을 <u>짓(지)</u>+으며 <u>말하</u>+였+다.
의미심장한   **지으며**   **말했다**

• **한의사 (noun)** : 우리나라 전통 의술로 치료하는 의사.
  doctor of traditional Korean medicine
  A doctor who practices traditional Korean medicine.

• **선생님 (noun)** : 어떤 사람의 성이나 직업에 붙여 그 사람을 높이는 말.
  Mr.; Ms.
  A word attached in front of a person's family name or occupation to address him/her politely.

• **은** : 문장 속에서 어떤 대상이 화제임을 나타내는 조사.
  eun
  A postpositional particle used to indicate that a certain subject is the topic of a sentence.

• **의미심장하다 (adjective)** : 뜻이 매우 깊다.
  meaningful; significant; full of meaning
  Having a profound meaning.

• **-ㄴ** : 앞의 말이 관형어의 기능을 하게 만들고 현재의 상태를 나타내는 어미.
  -n
  An ending of a word that makes the preceding statement function as an adnominal phrase and refers to the present state.

- **표정 (noun)** : 마음속에 품은 감정이나 생각 등이 얼굴에 드러남. 또는 그런 모습.
  facial expression
  The state of one's face showing one's feeling, thought, etc., or such a face.

- **을** : 동작이 직접적으로 영향을 미치는 대상을 나타내는 조사.
  eul
  A postpositional particle used to indicate the subject that an action has a direct influence on.

- **짓다 (verb)** : 어떤 표정이나 태노 등을 얼굴이나 몸에 나타내다.
  put on; wear
  To express a certain expression, attitude, etc., through one's face or body.

- **-으며** : 두 가지 이상의 동작이나 상태가 함께 일어남을 나타내는 연결 어미.
  -eumyeo
  A connective ending used when more than two actions or states happen at the same time.

- **말하다 (verb)** : 어떤 사실이나 자신의 생각 또는 느낌을 말로 나타내다.
  say; tell; speak; talk
  To verbally present a fact or one's thoughts or feelings.

- **-였-** : 사건이 과거에 일어났음을 나타내는 어미.
  -at-
  An ending of a word used to indicate that an event happened in the past.

- **-다** : 어떤 사건이나 사실, 상태를 서술함을 나타내는 종결 어미.
  -da
  A sentence-final ending used when describing a certain event, fact, state, etc.

한의사 : 손가락+이 <u>부러지+시+었+군요</u>!
부러지셨군요

- **손가락 (noun)** : 사람의 손끝의 다섯 개로 갈라진 부분.
  finger
  The end of the human hand that is divided into five parts.

- **이** : 어떤 상태나 상황의 대상이나 동작의 주체를 나타내는 조사.
  i
  A postpositional particle referring to a subject under a certain state or situation, or the agent of an action.

• **부러지다 (verb)** : 단단한 물체가 꺾여 둘로 겹쳐지거나 동강이 나다.

break; be broken; fracture

For a hard thing to snap and be folded or break into two.

• **-시-** : 높이고자 하는 인물과 관계된 소유물이나 신체의 일부가 문장의 주어일 때 그 인물을 높이는 뜻
을 나타내는 어미.

-si-

An ending of a word used to show respect to a person when that person's possession or body part is the subject of the sentence.

• **-었-** : 어떤 사건이 과거에 완료되었거나 그 사건의 결과가 현재까지 지속되는 상황을 나타내는 어미.

-eot-

An ending of a word used to indicate that an event was completed in the past or its result continues in the present.

• **-군요** : (두루높임으로) 새롭게 알게 된 사실에 주목하거나 감탄함을 나타내는 표현.

-gunyo

(informal addressee-raising) An expression used to indicate that the speaker notices or is impressed by a newly learned fact.

< 8 단원(chapter) >

제목 : 소는 왜 안 보이니?

● 본문 (main text)

어느 초등학교 미술 시간이었다.

선생님 : 여러분! 지금은 미술 시간이에요.

　　　　오늘은 목장 풍경을 한번 그려 보세요.

시간이 한참 지난 후에 선생님께서는 아이들 자리를 돌아다니며 그림을 살펴보았다.

선생님 : 소가 참 한가로워 보이네요.

　　　　잘 그렸어요.

이렇게 선생님께서는 학생들의 그림을 보면서 칭찬을 해 주셨다.

그런데 한 학생의 스케치북은 백지상태 그대로였다.

선생님 : 넌 어떤 그림을 그린 거니?

학생 : 풀을 뜯고 있는 소를 그렸어요.

선생님 : 그런데 풀은 어디 있니?

학생 : 소가 이미 다 먹어 버렸어요.

선생님 : 그럼 소는 왜 안 보이니?

학생 : 선생님도 참, 소가 풀을 다 먹었는데 여기에 있겠어요?

● 발음 (pronunciation)

어느 초등학교 미술 시간이었다.
어느 초등학꾜 미술 시가니얻따.
eoneu chodeunghaggyo misul siganieotda.

선생님 : 여러분! 지금은 미술 시간이에요.
선생님 : 여러분! 지그믄 미술 시가니에요.
seonsaengnim : yeoreobun! jigeumeun misul siganieyo.

오늘은 목장 풍경을 한번 그려 보세요.
오느른 목짱 풍경을 한번 그려 보세요.
oneureun mokjang punggyeongeul hanbeon geuryeo boseyo.

시간이 한참 지난 후에 선생님께서는 아이들 자리를 돌아다니며 그림을 살펴보았다.
시가니 한참 지난 후에 선생님께서는 아이들 자리를 도라다니며 그리믈 살펴보앋따.
sigani hancham jinan hue seonsaengnimkkeseoneun aideul jarireul doradanimyeo geurimeul salpyeoboatda.

선생님 : 소가 참 한가로워 보이네요.
선생님 : 소가 참 한가로워 보이네요.
seonsaengnim : soga cham hangarowo boineyo.

잘 그렸어요.
잘 그려써요.
jal geuryeosseoyo.

이렇게 선생님께서는 학생들의 그림을 보면서 칭찬을 해 주셨다.
이러케 선생님께서는 학쌩드레 그리믈 보면서 칭차늘 해 주셛따.
ireoke seonsaengnimkkeseoneun haksaengdeurui(haksaengdeure) geurimeul bomyeonseo chingchaneul hae jusyeotda.

그런데 한 학생의 스케치북은 백지상태 그대로였다.
그런데 한 학쌩에 스케치부근 백찌상태 그대로엳따.
geureonde han haksaengui(haksaenge) seukechibugeun baekjisangtae geudaeroyeotda.

선생님 : 넌 어떤 그림을 그린 거니?
선생님 : 넌 어떤 그리믈 그린 거니?
seonsaengnim : neon eotteon geurimeul geurin geoni?

학생 : 풀을 뜯고 있는 소를 그렸어요.
학쌩 : 푸를 뜯꼬 인는 소를 그려써요.
haksaeng : pureul tteutgo inneun soreul geuryeosseoyo.

선생님 : 그런데 풀은 어디 있니?
선생님 : 그런데 푸른 어디 인니?
seonsaengnim : geureonde pureun eodi inni?

학생 : 소가 이미 다 먹어 버렸어요.
학쌩 : 소가 이미 다 머거 버려써요.
haksaeng : soga imi da meogeo beoryeosseoyo.

선생님 : 그럼 소는 왜 안 보이니?
선생님 : 그럼 소는 왜 안 보이니?
seonsaengnim : geureom soneun wae an boini?

학생 : 선생님도 참, 소가 풀을 다 먹었는데 여기에 있겠어요?
학쌩 : 선생님도 참, 소사 푸를 다 머건는데 여기에 읻께써요?
haksaeng : seonsaengnimdo cham, soga pureul da meogeonneunde yeogie itgesseoyo?

● 어휘 (vocabulary) / 문법 (grammar)

어느 초등학교 미술 시간+이+었+다.

선생님 : 여러분! 지금+은 미술 시간+이+에요.

오늘+은 목장 풍경+을 한번 그리+<u>어 보</u>+세요.

시간+이 한참 지나+<u>ㄴ 후에</u> 선생님+께서+는 아이+들 자리+를 돌아다니+며 그림+을 살펴보+았+다.

선생님 : 소+가 참 한가롭(한가로우)+<u>어 보이</u>+네요.

잘 그리+었+어요.

이렇+게 선생님+께서+는 학생+들+의 그림+을 보+면서 칭찬+을 하+<u>여 주</u>+시+었+다.

그런데 한 학생+의 스케치북+은 백지상태 그대로+이+었+다.

선생님 : 너+는 어떤 그림+을 그리+<u>ㄴ 것(거)</u>+(이)+니?

학생 : 풀+을 뜯+<u>고 있</u>+는 소+를 그리+었+어요.

선생님 : 그런데 풀+은 어디 있+니?

학생 : 소+가 이미 다 먹+<u>어 버리</u>+었+어요.

선생님 : 그럼 소+는 왜 안 보이+니?

학생 : 선생님+도 참, 소+가 풀+을 다 먹+었+는데 여기+에 있+겠+어요?

어느 초등학교 미술 시간+이+었+다.

- **어느 (determiner)** : 확실하지 않거나 분명하게 말할 필요가 없는 사물, 사람, 때, 곳 등을 가리키는 말.
  certain
  Meaning a thing, person, time, place, etc., that is not certain or does not need to be specified.

- **초등학교 (noun)** : 학교 교육의 첫 번째 단계로 만 여섯 살에 입학하여 육 년 동안 기본 교육을 받는 학교.
  elementary school; primary school
  A six-year school which accepts six-year-old children, as the first level of school education, to teach them the basic curriculum.

- **미술 (noun)** : 그림이나 조각처럼 눈으로 볼 수 있는 아름다움을 표현한 예술.
  art; fine art
  The visual expression of beauty like a painting or sculpture.

- **시간 (noun)** : 어떤 일이 시작되어 끝날 때까지의 동안.
  time; hours
  An interval from the time something starts to the time it ends.

- **이다** : 주어가 지시하는 대상의 속성이나 부류를 지정하는 뜻을 나타내는 서술격 조사.
  ida
  A predicate particle indicating the meaning of the attribute or category of the thing that the subject of the sentence refers to.

- **-었-** : 사건이 과거에 일어났음을 나타내는 어미.
  -eot-
  An ending of a word used to indicate that an event happened in the past.

- **-다** : 어떤 사건이나 사실, 상태를 서술함을 나타내는 종결 어미.
  -da
  A sentence-final ending used when describing a certain event, fact, state, etc.

선생님 : 여러분! 지금+은 미술 시간+이+에요.

- **여러분 (pronoun)** : 듣는 사람이 여러 명일 때 그 사람들을 높여 이르는 말.
  everyone; everybody
  A pronoun used to respectfully address multiple listeners.

• **지금 (noun)** : 말을 하고 있는 바로 이때.
  now
  The present moment as one speaks.

• **은** : 문장 속에서 어떤 대상이 화제임을 나타내는 조사.
  eun
  A postpositional particle used to indicate that a certain subject is the topic of a sentence.

• **미술 (noun)** : 그림이나 조각처럼 눈으로 볼 수 있는 아름다움을 표현한 예술.
  art; fine art
  The visual expression of beauty like a painting or sculpture.

• **시간 (noun)** : 어떤 일이 시작되어 끝날 때까지의 동안.
  time; hours
  An interval from the time something starts to the time it ends.

• **이다** : 주어가 지시하는 대상의 속성이나 부류를 지정하는 뜻을 나타내는 서술격 조사.
  ida
  A predicate particle indicating the meaning of the attribute or category of the thing that the subject of the sentence refers to.

• **-에요** : (두루높임으로) 어떤 사실을 서술하거나 질문함을 나타내는 종결 어미.
  -eyo
  (informal addressee-raising) A sentence-final ending used when describing a certain fact or asking a question.

선생님 : 오늘+은 목장 풍경+을 한번 <u>그리+[어 보]</u>+세요.

그려 보세요

• **오늘 (noun)** : 지금 지나가고 있는 이날.
  today
  The day that is passing at the present time.

• **은** : 문장 속에서 어떤 대상이 화제임을 나타내는 조사.
  eun
  A postpositional particle used to indicate that a certain subject is the topic of a sentence.

• **목장 (noun)** : 우리와 풀밭 등을 갖추어 소나 말이나 양 등을 놓아 기르는 곳.
  farm
  A place with pens, grass, etc., for raising cows, horses, sheep, etc.

• **풍경 (noun)** : 감정을 불러일으키는 경치나 상황.

scene; situation

A special scene or situation that evokes an emotion.

• **을** : 동작이 직접적으로 영향을 미치는 대상을 나타내는 조사.

eul

A postpositional particle used to indicate the subject that an action has a direct influence on.

• **한번 (adverb)** : 어떤 일을 시험 삼아 시도함을 나타내는 말.

no equivalent expression

An adverb used to indicate that the speaker tries something.

• **그리다 (verb)** : 연필이나 붓 등을 이용하여 사물을 선이나 색으로 나타내다.

draw; paint

To express an object in lines or colors by using a pencil, brush, etc.

• **-어 보다** : 앞의 말이 나타내는 행동을 시험 삼아 함을 나타내는 표현.

-eo boda

An expression used to indicate that one does the act mentioned in the preceding statement, as a test.

• **-세요** : (두루높임으로) 설명, 의문, 명령, 요청의 뜻을 나타내는 종결 어미.

-seyo

(informal addressee-raising) A sentence-final ending used to describe, ask a question, order, and request.

시간+이 한참 <u>지나+[ㄴ 후에]</u> 선생님+께서+는 아이+들 자리+를 돌아다니+며 그림+을 살펴보+았+다.
지난 후에

• **시간 (noun)** : 자연히 지나가는 세월.

time

Time that passes naturally.

• **이** : 어떤 상태나 상황의 대상이나 동작의 주체를 나타내는 조사.

i

A postpositional particle referring to a subject under a certain state or situation, or the agent of an action.

• **한참 (noun)** : 시간이 꽤 지나는 동안.

long time; being a while

A lapse of a fairly long time.

• **지나다 (verb)** : 시간이 흘러 그 시기에서 벗어나다.

pass; elapse

To get out of a period as time passes.

• **-ㄴ 후에** : 앞에 오는 말이 나타내는 행동을 하고 시간적으로 뒤에 다른 행동을 함을 나타내는 표현.

-n hue

An expression used to indicate that one does a certain act mentioned in the preceding statement and a while later, does another thing.

• **신생님 (noun)** : (높이는 말로) 학생을 가르치는 사람.

teacher; master

(polite form) A person who teaches students.

• **께서** : (높임말로) 가. 이. 어떤 동작의 주체가 높여야 할 대상임을 나타내는 조사.

kkeseo

(honorific) '가,' '이'; a postpositional particle used to indicate that the subject of an act is elevated.

• **는** : 문장 속에서 어떤 대상이 화제임을 나타내는 조사.

neun

A postpositional particle used to indicate that a certain subject is the topic of a sentence.

• **아이 (noun)** : 나이가 어린 사람.

child; kid

A young person.

• **들** : '복수'의 뜻을 더하는 접미사.

-deul

A suffix used to mean plural.

• **자리 (noun)** : 사람이 앉을 수 있도록 만들어 놓은 곳.

seat

A place where a person can sit.

• **를** : 동작의 도착지나 동작이 이루어지는 장소를 나타내는 조사.

reul

A postpositional particle used to indicate a place where an action finishes or occurs.

• **돌아다니다 (verb)** : 여기저기를 두루 다니다.

wander; stroll

To travel around to lots of places.

• **-며** : 두 가지 이상의 동작이나 상태가 함께 일어남을 나타내는 연결 어미.

-myeo

A connective ending used when more than two actions or states happen at the same time.

• 그림 (noun) : 선이나 색채로 사물의 모양이나 이미지 등을 평면 위에 나타낸 것.

drawing; painting; sketch

Shapes, images, etc., that are expressed on a flat surface with lines or colors.

• 을 : 동작이 직접적으로 영향을 미치는 대상을 나타내는 조사.

eul

A postpositional particle used to indicate the subject that an action has a direct influence on.

• **살펴보다 (verb)** : 여기저기 빠짐없이 자세히 보다.

examine; check

To examine thoroughly.

• -았- : 사건이 과거에 일어났음을 나타내는 어미.

-at-

An ending of a word used to indicate that an event happened in the past.

• -다 : 어떤 사건이나 사실, 상태를 서술함을 나타내는 종결 어미.

-da

A sentence-final ending used when describing a certain event, fact, state, etc.

> **선생님** : 소+가 참 <u>한가롭(한가로우)</u>+[어 보이]+네요.
> ## 한가로워 보이네요

• **소 (noun)** : 몸집이 크고 갈색이나 흰색과 검은색의 털이 있으며, 젖을 짜 먹거나 고기를 먹기 위해 기르는 짐승.

cow

A big domestic animal with a brown or black-and-white coat that is raised to produce milk or for its meat.

• 가 : 어떤 상태나 상황에 놓인 대상이나 동작의 주체를 나타내는 조사.

ga

A postpositional particle referring to a subject under a certain state or situation, or the subject of an act.

• **참 (adverb)** : 사실이나 이치에 조금도 어긋남이 없이 정말로.

truly

In the manner of being not contrary to a fact or reason.

• **한가롭다 (adjective)** : 바쁘지 않고 여유가 있는 듯하다.

leisurely; unhurried; relaxed

Looking leisurely without haste.

- -어 보이다 : 겉으로 볼 때 앞의 말이 나타내는 것처럼 느껴지거나 추측됨을 나타내는 표현.
  -eo boida
  An expression used to indicate that one feels or guesses something by appearance as mentioned in the preceding statement.

- -네요 : (두루높임으로) 말하는 사람이 직접 경험하여 새롭게 알게 된 사실에 대해 감탄함을 나타낼 때 쓰는 표현.
  -neyo
  (informal addressee-raising) An expression used to indicate that the speaker is impressed by a fact he/she learned anew from a past personal experience.

선생님 : 잘 <u>그리+었+어요</u>.
　　　　　 그렸어요

- 잘 (adverb) : 익숙하고 솜씨 있게.
  well
  In a familiar and skillful manner.

- 그리다 (verb) : 연필이나 붓 등을 이용하여 사물을 선이나 색으로 나타내다.
  draw; paint
  To express an object in lines or colors by using a pencil, brush, etc.

- -었- : 어떤 사건이 과거에 완료되었거나 그 사건의 결과가 현재까지 지속되는 상황을 나타내는 어미.
  -eot-
  An ending of a word used to indicate that an event was completed in the past or its result continues in the present.

- -어요 : (두루높임으로) 어떤 사실을 서술하거나 질문, 명령, 권유함을 나타내는 종결 어미.
  -eoyo
  (informal addressee-raising) A sentence-final ending used to describe a certain fact, ask a question, give an order, or advise.

이렇+게 선생님+께서+는 학생+들+의 그림+을 보+면서 칭찬+을 <u>하+[여 주]+시+었+다</u>.
　　　　　　　　　　　　　　　　　　　　　　　　　　 해 주셨다

- 이렇다 (adjective) : 상태, 모양, 성질 등이 이와 같다.
  such; of this kind; of this sort
  A state, shape, property, etc., being like this.

- -게 : 앞의 말이 뒤에서 가리키는 일의 목적이나 결과, 방식, 정도 등이 됨을 나타내는 연결 어미.
  -ge
  A connective ending used when the preceding statement is the purpose, result, method, amount, etc., of something mentioned in the following statement.

- 선생님 (noun) : (높이는 말로) 학생을 가르치는 사람.
  teacher; master
  (polite form) A person who teaches students.

- 께서 : (높임말로) 가. 이. 어떤 동작의 주체가 높여야 할 대상임을 나타내는 조사.
  kkeseo
  (honorific) '가,' '이'; a postpositional particle used to indicate that the subject of an act is elevated.

- 는 : 문장 속에서 어떤 대상이 화제임을 나타내는 조사.
  neun
  A postpositional particle used to indicate that a certain subject is the topic of a sentence.

- 학생 (noun) : 학교에 다니면서 공부하는 사람.
  student; learner
  A person who studies in a school.

- 들 : '복수'의 뜻을 더하는 접미사.
  -deul
  A suffix used to mean plural.

- 의 : 앞의 말이 뒤의 말에 대하여 소유, 소속, 소재, 관계, 기원, 주체의 관계를 가짐을 나타내는 조사.
  ui
  A postpositional particle used to indicate that the referent of the following word is owned by, belongs to, is related to, originates from, or is the object of what the preceding word indicates.

- 그림 (noun) : 선이나 색채로 사물의 모양이나 이미지 등을 평면 위에 나타낸 것.
  drawing; painting; sketch
  Shapes, images, etc., that are expressed on a flat surface with lines or colors.

- 을 : 동작이 직접적으로 영향을 미치는 대상을 나타내는 조사.
  eul
  A postpositional particle used to indicate the subject that an action has a direct influence on.

- 보다 (verb) : 책이나 신문, 지도 등의 글자나 그림, 기호 등을 읽고 내용을 이해하다.
  read; look at; take a look at
  To read and understand the words, pictures and symbols in a book, newspaper, map, etc.

• -면서 : 두 가지 이상의 동작이나 상태가 함께 일어남을 나타내는 연결 어미.
  -myeonseo
  A connective ending used when more than two actions or states happen at the same time.

• 칭찬 (noun) : 좋은 점이나 잘한 일 등을 매우 훌륭하게 여기는 마음을 말로 나타냄. 또는 그런 말.
  praise; compliment
  An act of expressing one's appreciation of someone's strength or achievement, etc., or such a remark.

• 을 : 동작이 직집직으로 영향을 미치는 대상을 나타내는 조사.
  eul
  A postpositional particle used to indicate the subject that an action has a direct influence on.

• 하다 (verb) : 어떤 행동이나 동작, 활동 등을 행하다.
  do; perform
  To perform a certain move, action, activity, etc.

• -여 주다 : 남을 위해 앞의 말이 나타내는 행동을 함을 나타내는 표현.
  -yeo juda
  An expression used to indicate that one does the act mentioned in the preceding statement for someone.

• -시- : 어떤 동작이나 상태의 주체를 높이는 뜻을 나타내는 어미.
  -si-
  An ending of a word used for the subject honorifics of an action or state.

• -었- : 사건이 과거에 일어났음을 나타내는 어미.
  -eot-
  An ending of a word used to indicate that an event happened in the past.

• -다 : 어떤 사건이나 사실, 상태를 서술함을 나타내는 종결 어미.
  -da
  A sentence-final ending used when describing a certain event, fact, state, etc.

> 그런데 한 학생+의 스케치북+은 백지상태 <u>그대로+이+었+다</u>.
> **그대로였다**

• 그런데 (adverb) : 이야기를 앞의 내용과 관련시키면서 다른 방향으로 바꿀 때 쓰는 말.
  by the way
  A word used to change the direction of a story while relating it to the preceding statement.

• **한** (determiner) : 여럿 중 하나인 어떤.
one
One of many.

• **학생** (noun) : 학교에 다니면서 공부하는 사람.
student; learner
A person who studies in a school.

• **의** : 앞의 말이 뒤의 말에 대하여 소유, 소속, 소재, 관계, 기원, 주체의 관계를 가짐을 나타내는 조사.
ui
A postpositional particle used to indicate that the referent of the following word is owned by, belongs to, is related to, originates from, or is the object of what the preceding word indicates.

• **스케치북** (noun) : 그림을 그릴 수 있는 하얀 도화지를 여러 장 묶어 놓은 책.
sketchbook
A book that consists of several sheets of white drawing paper.

• **은** : 문장 속에서 어떤 대상이 화제임을 나타내는 조사.
eun
A postpositional particle used to indicate that a certain subject is the topic of a sentence.

• **백지상태** (noun) : 종이에 아무것도 쓰지 않은 상태.
blank paper
A state in which nothing is written on a piece of paper.

• **그대로** (noun) : 그것과 똑같은 것.
being as something was
The state of being identical to something.

• **이다** : 주어가 지시하는 대상의 속성이나 부류를 지정하는 뜻을 나타내는 서술격 조사.
ida
A predicate particle indicating the meaning of the attribute or category of the thing that the subject of the sentence refers to.

• **-었-** : 사건이 과거에 일어났음을 나타내는 어미.
-eot-
An ending of a word used to indicate that an event happened in the past.

• **-다** : 어떤 사건이나 사실, 상태를 서술함을 나타내는 종결 어미.
-da
A sentence-final ending used when describing a certain event, fact, state, etc.

선생님 : 너+는 어떤 그림+을 그리+[ㄴ 것(거)]+(이)+니?
넌   그린 거니

- **너 (pronoun)** : 듣는 사람이 친구나 아랫사람일 때, 그 사람을 가리키는 말.
  no equivalent expression
  A pronoun used to indicate the listener when he/she is the same age or younger.

- **는** : 문장 속에서 어떤 대상이 화제임을 나타내는 조사.
  neun
  A postpositional particle used to indicate that a certain subject is the topic of a sentence.

- **어떤 (determiner)** : 사람이나 사물의 특징, 내용, 성격, 성질, 모양 등이 무엇인지 물을 때 쓰는 말.
  what
  A word used when asking what characteristic, content, personality, quality, shape, etc., a person or object has.

- **그림 (noun)** : 선이나 색채로 사물의 모양이나 이미지 등을 평면 위에 나타낸 것.
  drawing; painting; sketch
  Shapes, images, etc., that are expressed on a flat surface with lines or colors.

- **을** : 서술어의 명사형 목적어임을 나타내는 조사.
  no equivalent expression
  A postpositional particle that indicates the noun object of the predicate.

- **그리다 (verb)** : 연필이나 붓 등을 이용하여 사물을 선이나 색으로 나타내다.
  draw; paint
  To express an object in lines or colors by using a pencil, brush, etc.

- **-ㄴ 것** : 명사가 아닌 것을 문장에서 명사처럼 쓰이게 하거나 '이다' 앞에 쓰일 수 있게 할 때 쓰는 표현.
  -neun geot
  An expression used to enable a non-noun word to be used as a noun in a sentence or to be used in front of '이다' (be).

- **이다** : 주어가 지시하는 대상의 속성이나 부류를 지정하는 뜻을 나타내는 서술격 조사.
  ida
  A predicate particle indicating the meaning of the attribute or category of the thing that the subject of the sentence refers to.

- **-니** : (아주낮춤으로) 물음을 나타내는 종결 어미.
  -ni
  (formal, highly addressee-lowering) A sentence-final ending referring to a question.

학생 : 풀+을 뜯+[고 있]+는 소+를 <u>그리+었+어요</u>.
그렸어요

- 풀 (noun) : 줄기가 연하고, 대개 한 해를 지내면 죽는 식물.
  grass; herb; weed
  A plant with a tender stem that usually dies after one year.

- 을 : 동작이 직접적으로 영향을 미치는 대상을 나타내는 조사.
  eul
  A postpositional particle used to indicate the subject that an action has a direct influence on.

- 뜯다 (verb) : 풀이나 질긴 음식을 입에 물고 떼어서 먹다.
  bite
  To bite off and eat grass or other tough food.

- -고 있다 : 앞의 말이 나타내는 행동이 계속 진행됨을 나타내는 표현.
  -go itda
  An expression used to state that the act mentioned in the preceding statement is continued.

- -는 : 앞의 말이 관형어의 기능을 하게 만들고 사건이나 동작이 현재 일어남을 나타내는 어미.
  -neun
  An ending of a word that makes the preceding statement function as an adnominal phrase and implies that an event or action is happening in the present.

- 소 (noun) : 몸집이 크고 갈색이나 흰색과 검은색의 털이 있으며, 젖을 짜 먹거나 고기를 먹기 위해 기르는 짐승.
  cow
  A big domestic animal with a brown or black-and-white coat that is raised to produce milk or for its meat.

- 를 : 동작이 직접적으로 영향을 미치는 대상을 나타내는 조사.
  reul
  A postpositional particle used to indicate the subject that an action has a direct influence on.

- 그리다 (verb) : 연필이나 붓 등을 이용하여 사물을 선이나 색으로 나타내다.
  draw; paint
  To express an object in lines or colors by using a pencil, brush, etc.

- -었- : 어떤 사건이 과거에 완료되었거나 그 사건의 결과가 현재까지 지속되는 상황을 나타내는 어미.

  -eot-

  An ending of a word used to indicate that an event was completed in the past or its result continues in the present.

- -어요 : (두루높임으로) 어떤 사실을 서술하거나 질문, 명령, 권유함을 나타내는 종결 어미.

  -eoyo

  (informal addressee-raising) A sentence-final ending used to describe a certain fact, ask a question, give an order, or advise.

선생님 : 그런데 풀+은 어디 있+니?

- 그런데 (adverb) : 이야기를 앞의 내용과 관련시키면서 다른 방향으로 바꿀 때 쓰는 말.

  by the way

  A word used to change the direction of a story while relating it to the preceding statement.

- 풀 (noun) : 줄기가 연하고, 대개 한 해를 지내면 죽는 식물.

  grass; herb; weed

  A plant with a tender stem that usually dies after one year.

- 은 : 문장 속에서 어떤 대상이 화제임을 나타내는 조사.

  eun

  A postpositional particle used to indicate that a certain subject is the topic of a sentence.

- 어디 (pronoun) : 모르는 곳을 가리키는 말.

  where

  The word that means a place which one does not know.

- 있다 (adjective) : 무엇이 어떤 곳에 자리나 공간을 차지하고 존재하는 상태이다.

  no equivalent expression

  Something occupying a certain place or space and existing there.

- -니 : (아주낮춤으로) 물음을 나타내는 종결 어미.

  -ni

  (formal, highly addressee-lowering) A sentence-final ending referring to a question.

학생 : 소+가 이미 다 먹+[어 버리]+었+어요.
먹어 버렸어요

- **소 (noun)** : 몸집이 크고 갈색이나 흰색과 검은색의 털이 있으며, 젖을 짜 먹거나 고기를 먹기 위해 기르는 짐승.

  cow

  A big domestic animal with a brown or black-and-white coat that is raised to produce milk or for its meat.

- **가** : 어떤 상태나 상황에 놓인 대상이나 동작의 주체를 나타내는 조사.

  ga

  A postpositional particle referring to a subject under a certain state or situation, or the subject of an act.

- **이미 (adverb)** : 어떤 일이 이루어진 때가 지금 시간보다 앞서.

  already

  In a state in which something was done before the present.

- **다 (adverb)** : 남거나 빠진 것이 없이 모두.

  all; everything

  With nothing left over or missing.

- **먹다 (verb)** : 음식 등을 입을 통하여 배 속에 들여보내다.

  eat; have; consume; take

  To put food into one's mouth and take it in one's stomach.

- **-어 버리다** : 앞의 말이 나타내는 행동이 완전히 끝났음을 나타내는 표현.

  -eo beorida

  An expression used to indicate that the act mentioned in the preceding statement is completely done.

- **-었-** : 어떤 사건이 과거에 완료되었거나 그 사건의 결과가 현재까지 지속되는 상황을 나타내는 어미.

  -eot-

  An ending of a word used to indicate that an event was completed in the past or its result continues in the present.

- **-어요** : (두루높임으로) 어떤 사실을 서술하거나 질문, 명령, 권유함을 나타내는 종결 어미.

  -eoyo

  (informal addressee-raising) A sentence-final ending used to describe a certain fact, ask a question, give an order, or advise.

선생님 : 그럼 소+는 왜 안 보이+니?

• **그럼 (adverb)** : 앞의 내용을 받아들이거나 그 내용을 바탕으로 하여 새로운 주장을 할 때 쓰는 말.

then

A word used when accepting the preceding statement or making a new suggestion based on it.

• **소 (noun)** : 몸집이 크고 갈색이나 흰색과 검은색의 털이 있으며, 젖을 짜 먹거나 고기를 먹기 위해 기르는 짐승.

cow

A big domestic animal with a brown or black-and-white coat that is raised to produce milk or for its meat.

• **는** : 문장 속에서 어떤 대상이 화제임을 나타내는 조사.

neun

A postpositional particle used to indicate that a certain subject is the topic of a sentence.

• **왜 (adverb)** : 무슨 이유로. 또는 어째서.

why

For what reason; how come.

• **안 (adverb)** : 부정이나 반대의 뜻을 나타내는 말.

not

An adverb that has the meaning of negation or opposite.

• **보이다 (verb)** : 눈으로 대상의 존재나 겉모습을 알게 되다.

be viewed; be visible; be in sight

To come to know the presence or outward appearance of an object by looking at it.

• **-니** : (아주낮춤으로) 물음을 나타내는 종결 어미.

-ni

(formal, highly addressee-lowering) A sentence-final ending referring to a question.

학생 : 선생님+도 참, 소+가 풀+을 다 먹+었+는데 여기+에 있+겠+어요?

• **선생님 (noun)** : (높이는 말로) 학생을 가르치는 사람.

teacher; master

(polite form) A person who teaches students.

• **도** : 놀라움, 감탄, 실망 등의 감정을 강조함을 나타내는 조사.

do

A postpositional particle used to emphasize emotions such as a surprise, exclamation, disappointment, etc.

• **참** (interjection) : 어이가 없거나 난처할 때 내는 소리.
alas
An exclamation uttered when the speaker is baffled or embarrassed.

• **소** (noun) : 몸집이 크고 갈색이나 흰색과 검은색의 털이 있으며, 젖을 짜 먹거나 고기를 먹기 위해 기
르는 짐승.
cow
A big domestic animal with a brown or black-and-white coat that is raised to produce milk
or for its meat.

• **가** : 어떤 상태나 상황에 놓인 대상이나 동작의 주체를 나타내는 조사.
ga
A postpositional particle referring to a subject under a certain state or situation, or the
subject of an act.

• **풀** (noun) : 줄기가 연하고, 대개 한 해를 지내면 죽는 식물.
grass; herb; weed
A plant with a tender stem that usually dies after one year.

• **을** : 동작이 직접적으로 영향을 미치는 대상을 나타내는 조사.
eul
A postpositional particle used to indicate the subject that an action has a direct influence
on.

• **다** (adverb) : 남거나 빠진 것이 없이 모두.
all; everything
With nothing left over or missing.

• **먹다** (verb) : 음식 등을 입을 통하여 배 속에 들여보내다.
eat; have; consume; take
To put food into one's mouth and take it in one's stomach.

• **-었-** : 어떤 사건이 과거에 완료되었거나 그 사건의 결과가 현재까지 지속되는 상황을 나타내는 어미.
-eot-
An ending of a word used to indicate that an event was completed in the past or its result
continues in the present.

• **-는데** : 뒤의 말을 하기 위하여 그 대상과 관련이 있는 상황을 미리 말함을 나타내는 연결 어미.
-neunde
A connective ending used to talk in advance about a situation to follow.

• **여기** (pronoun) : 말하는 사람에게 가까운 곳을 가리키는 말.
here; this
A pronoun used to indicate a place close to the speaker.

• 에 : 앞말이 어떤 장소나 자리임을 나타내는 조사.

on; in; at

A postpositional particle to indicate that the preceding statement refers to a certain place or space.

• **있다 (verb)** : 사람이나 동물이 어느 곳에서 떠나거나 벗어나지 않고 머물다.

be; stay

For a person or animal to remain in a certain place without leaving or getting out of it.

• -겠- : 완곡하게 말하는 태도를 나타내는 어미.

-get-

An ending of a word referring to an attitude of speaking indirectly.

• -어요 : (두루높임으로) 어떤 사실을 서술하거나 질문, 명령, 권유함을 나타내는 종결 어미.

-eoyo

(informal addressee-raising) A sentence-final ending used to describe a certain fact, ask a question, give an order, or advise.

< 9 단원(chapter) >

제목 : 가장 큰 장애 요소는 무엇일까요?

● 본문 (main text)

한 중학교에서 선생님이 꿈의 중요성에 대해 이야기하고 있었다.

선생님 : 자, 여러분들에게 질문 하나 할게요.

　　　　여러분들이 꿈을 펼치려고 할 때 가장 큰 장애 요소는 무엇일까요?

　　　　잘 생각해 보세요.

　　　　힌트를 하나 줄게요.

　　　　답은 '자'로 시작하는 네 글자예요.

학생 1 : 정답은 자기 비하라고 생각합니다.

학생 2 : 정답은 자기 부정이라고 생각합니다.

선생님 : 맞아요.

　　　　자기 비하 또는 자기 부정은 꿈을 이루는 데 장애 요소가 돼요.

그때 한 학생이 천연덕스럽게 대답했다.

학생 3 : 정답은 자기 부모라고 생각합니다.

● 발음 (pronunciation)

한 중학교에서 선생님이 꿈의 중요성에 대해 이야기하고 있었다.
한 중학꾜에서 선생니미 꾸메 중요성에 대해 이야기하고 이썰따.
han junghakgyoeseo seonsaengnimi kkumui(kkume) jungyoseonge daehae iyagihago isseotda.

선생님 : 자, 여러분들에게 질문 하나 할게요.
선생님 : 자, 여러분드레게 질문 하나 할께요.
seonsaengnim : ja, yeoreobundeurege jilmun hana halgeyo.

여러분들이 꿈을 펼치려고 할 때 가장 큰 장애 요소는 무엇일까요?
여러분드리 꾸믈 펼치려고 할 때 가장 큰 장애 요소는 무어실까요?
yeoreobundeuri kkumeul pyeolchiryeogo hal ttae gajang keun jangae yosoneun mueosilkkayo?

잘 생각해 보세요.
잘 생가캐 보세요.
jal saenggakae boseyo.

힌트를 하나 줄게요.
힌트를 하나 줄께요.
hinteureul hana julgeyo.

답은 '자'로 시작하는 네 글자예요.
다븐 '자'로 시자카는 네 글자예요.
dabeun 'ja'ro sijakaneun ne geuljayeyo.

학생 1 : 정답은 자기 비하라고 생각합니다.
학쌩 1 : 정다븐 자기 비하라고 생가캄니다.
haksaeng 1 : jeongdabeun jagi biharago saenggakamnida.

학생 2 : 정답은 자기 부정이라고 생각합니다.
학생 2 : 정다븐 자기 부정이라고 생가캄니다.
haksaeng 2 : jeongdabeun jagi bujeongirago saenggakamnida.

선생님 : 맞아요.
선생님 : 마자요.
seonsaengnim : majayo.

자기 비하 또는 자기 부정은 꿈을 이루는 데 장애 요소가 돼요.
자기 비하 또는 자기 부정은 꾸믈 이루는 데 장애 요소가 돼요.
jagi biha ttoneun jagi bujeongeun kkumeul iruneun de jangae yosoga
dwaeyo.

그때 한 학생이 천연덕스럽게 대답했다.
그때 한 학쌩이 처년덕쓰럽께 대다팯따.
geuttae han haksaengi cheonyeondeokseureopge daedapaetda.

학생 3 : 정답은 자기 부모라고 생각합니다.
학쌩 3 : 정다븐 자기 부모라고 생가캄니다.
haksaeng 3 : jeongdabeun jagi bumorago saenggakamnida.

● 어휘 (vocabulary) / 문법 (grammar)

한 중학교+에서 선생님+이 꿈+의 중요성+에 대하+여 이야기하+고 있+었+다.

선생님 : 자, 여러분+들+에게 질문 하나 하+ㄹ게요.

여러분+들+이 꿈+을 펼치+려고 하+ㄹ 때 가장 크+ㄴ 장애 요소+는

무엇+이+ㄹ까요?

잘 생각하+여 보+세요.

힌트+를 하나 주+ㄹ게요.

답+은 '자'+로 시작하+는 네 글자+이+에요.

학생 1 : 정답+은 자기 비하+(이)+라고 생각하+ㅂ니다.

학생 2 : 정답+은 자기 부정+이+라고 생각하+ㅂ니다.

선생님 : 맞+아요.

자기 비하 또는 자기 부정+은 꿈+을 이루+는 데 장애 요소+가 되+어요.

그때 한 학생+이 천연덕스럽+게 대답하+였+다.

학생 3 : 정답+은 자기 부모+(이)+라고 생각하+ㅂ니다.

한 중학교+에서 선생님+이 꿈+의 중요성+에 대하+여 이야기하+[고 있]+었+다.
대해

- **한 (determiner)** : 여럿 중 하나인 어떤.
  one
  One of many.

- **중학교 (noun)** : 초등학교를 졸업하고 중등 교육을 받기 위해 다니는 학교.
  middle school
  A school one goes to for secondary education after graduating from elementary school.

- **에서** : 앞말이 행동이 이루어지고 있는 장소임을 나타내는 조사.
  eseo
  A postpositional particle used to indicate that the preceding word refers to a place where a certain action is being done.

- **선생님 (noun)** : (높이는 말로) 학생을 가르치는 사람.
  teacher; master
  (polite form) A person who teaches students.

- **이** : 어떤 상태나 상황의 대상이나 동작의 주체를 나타내는 조사.
  i
  A postpositional particle referring to a subject under a certain state or situation, or the agent of an action.

- **꿈 (noun)** : 앞으로 이루고 싶은 희망이나 목표.
  goal; wish
  A wish or goal one wants to accomplish in the future.

- **의** : 앞의 말이 뒤의 말에 대하여 속성이나 수량을 한정하거나 같은 자격임을 나타내는 조사.
  ui
  A postpositional particle used to indicate that the referent of the preceding word limits the properties or amount of the referent of the following word or that two words are on an equal footing.

- **중요성 (noun)** : 귀중하고 꼭 필요한 요소나 성질.
  importance
  An element or quality that is valuable and indispensable.

- **에** : 앞말이 말하고자 하는 특정한 대상임을 나타내는 조사.
  about; of; on; as
  A postpositional particle to indicate that the preceding statement refers to a particular subject to be talked about.

• **대하다 (verb)** : 대상이나 상대로 삼다.
no equivalent expression
To consider as a counterpart or opponent.

• **-여** : 앞의 말이 뒤의 말보다 먼저 일어났거나 뒤의 말에 대한 방법이나 수단이 됨을 나타내는 연결 어미.
-yeo
A connective ending used when the preceding statement happened before the following statement, or was the ways or means to the following statement.

• **이야기하다 (verb)** : 어떠한 사실이나 상태, 현상, 경험, 생각 등에 관해 누군가에게 말을 하다.
tell; say; speak
To talk to someone about a certain fact, state, phenomenon, experience, thought, etc.

• **-고 있다** : 앞의 말이 나타내는 행동이 계속 진행됨을 나타내는 표현.
-go itda
An expression used to state that the act mentioned in the preceding statement is continued.

• **-었-** : 사건이 과거에 일어났음을 나타내는 어미.
-eot-
An ending of a word used to indicate that an event happened in the past.

• **-다** : 어떤 사건이나 사실, 상태를 서술함을 나타내는 종결 어미.
-da
A sentence-final ending used when describing a certain event, fact, state, etc.

> **선생님 : 자, 여러분+들+에게 질문 하나 <u>하+ㄹ게요</u>.**
> **할게요**

• **자 (interjection)** : 남의 주의를 끌려고 할 때에 하는 말.
okay; here
An exclamation uttered when the speaker attracts someone's attention.

• **여러분 (pronoun)** : 듣는 사람이 여러 명일 때 그 사람들을 높여 이르는 말.
everyone; everybody
A pronoun used to respectfully address multiple listeners.

• **들** : '복수'의 뜻을 더하는 접미사.
-deul
A suffix used to mean plural.

- 에게 : 어떤 행동이 미치는 대상임을 나타내는 조사.
  ege
  A postpositional particle referring to the subject that is influenced by a certain action.

- 질문 (noun) : 모르는 것이나 알고 싶은 것을 물음.
  question
  An act of asking something one does not know or wants to know.

- 하나 (numeral) : 숫자를 셀 때 맨 처음의 수.
  one
  The very first number when counting numbers.

- 하다 (verb) : 어떤 행동이나 동작, 활동 등을 행하다.
  do; perform
  To perform a certain move, action, activity, etc.

- -ㄹ게요 : (두루높임으로) 말하는 사람이 어떤 행동을 할 것을 듣는 사람에게 약속하거나 의지를 나타내는 표현.
  -lgeyo
  (informal addressee-raising) An expression used when the speaker promises or notifies the listener that he/she will do something.

선생님 : 여러분+들+이 꿈+을 펼치+[려고 하]+[ㄹ 때] 가장 크+ㄴ 장애 요소+는
　　　　　　　　　　　　　펼치려고 할 때　　　　　　큰

무엇+이+ㄹ까요?
무엇일까요

- 여러분 (pronoun) : 듣는 사람이 여러 명일 때 그 사람들을 높여 이르는 말.
  everyone; everybody
  A pronoun used to respectfully address multiple listeners.

- 들 : '복수'의 뜻을 더하는 접미사.
  -deul
  A suffix used to mean plural.

- 이 : 어떤 상태나 상황의 대상이나 동작의 주체를 나타내는 조사.
  i
  A postpositional particle referring to a subject under a certain state or situation, or the agent of an action.

• 꿈 (noun) : 앞으로 이루고 싶은 희망이나 목표.

goal; wish

A wish or goal one wants to accomplish in the future.

• 을 : 동작이 직접적으로 영향을 미치는 대상을 나타내는 조사.

eul

A postpositional particle used to indicate the subject that an act has a direct influence on.

• 펼치다 (verb) : 꿈이나 계획 등을 실제로 행하다.

realize; carry out

To put a dream, plan, etc., into action.

• -려고 하다 : 앞의 말이 나타내는 행동을 할 의도나 의향이 있음을 나타내는 표현.

-ryeogo hada

An expression used to indicate that one has the intention or wish to do the act mentioned in the preceding statement.

• -ㄹ 때 : 어떤 행동이나 상황이 일어나는 동안이나 그 시기 또는 그러한 일이 일어난 경우를 나타내는 표현.

-l ttae

An expression used to indicate the duration, period, or occasion of a certain act or situation.

• 가장 (adverb) : 여럿 가운데에서 제일로.

best

In a way that is better than any other.

• 크다 (adjective) : 길이, 넓이, 높이, 부피 등이 보통 정도를 넘다.

big; large

A length, width, height, volume, etc., exceeding an ordinary degree.

• -ㄴ : 앞의 말이 관형어의 기능을 하게 만들고 현재의 상태를 나타내는 어미.

-n

An ending of a word that makes the preceding statement function as an adnominal phrase and refers to the present state.

• 장애 (noun) : 가로막아서 어떤 일을 하는 데 거슬리거나 방해가 됨. 또는 그런 일이나 물건.

obstacle

The act of getting in one's way and hindering or impeding one's work, or such hindrance or something that serves as a hindrance.

• 요소 (noun) : 무엇을 이루는 데 반드시 있어야 할 중요한 성분이나 조건.

element; component; factor; requisite

An important element or condition necessary for achieving something.

• 는 : 문장 속에서 어떤 대상이 화제임을 나타내는 조사.
 neun
 A postpositional particle used to indicate that a certain subject is the topic of a sentence.

• 무엇 (pronoun) : 모르는 사실이나 사물을 가리키는 말.
 what
 A word indicating an unknown fact or thing.

• 이다 : 주어가 지시하는 대상의 속성이나 부류를 지정하는 뜻을 나타내는 서술격 조사.
 ida
 A predicate particle indicating the meaning of the attribute or category of the thing that the subject of the sentence refers to.

• -ㄹ까요 : (두루높임으로) 아직 일어나지 않았거나 모르는 일에 대해서 말하는 사람이 추측하며 질문할 때 쓰는 표현.
 -l-kkayo
 (informal addressee-raising) An expression used by the speaker to guess and ask about something not happening yet, or unknown.

선생님 : 잘 생각하+[여 보]+세요.
　　　　 생각해 보세요

　　　 힌트+를 하나 주+ㄹ게요.
　　　　 줄게요

• 잘 (adverb) : 생각이 매우 깊고 조심스럽게.
 carefully; hard; prudently
 In a very thoughtful and and careful manner.

• 생각하다 (verb) : 사람이 머리를 써서 판단하거나 인식하다.
 think
 To judge or perceive something by using one's brain.

• -여 보다 : 앞의 말이 나타내는 행동을 시험 삼아 함을 나타내는 표현.
 -yeo boda
 An expression used to indicate that one does the act mentioned in the preceding statement, as a test.

• -세요 : (두루높임으로) 설명, 의문, 명령, 요청의 뜻을 나타내는 종결 어미.
 -seyo
 (informal addressee-raising) A sentence-final ending used to describe, ask a question, order, and request.

• **힌트 (noun)** : 문제를 풀거나 일을 해결하는 데 도움이 되는 것.
hint; clue; tip
Something that helps solve a problem or resolve an issue.

• **를** : 동작이 직접적으로 영향을 미치는 대상을 나타내는 조사.
reul
A postpositional particle used to indicate the subject that an act has a direct influence on.

• **하나 (numeral)** : 숫자를 셀 때 맨 처음의 수.
one
The very first number when counting numbers.

• **주다 (verb)** : 남에게 경고, 암시 등을 하여 어떤 내용을 알 수 있게 하다.
warn
To give someone a warning or hint, so that he/she understands something.

• **-ㄹ게요** : (두루높임으로) 말하는 사람이 어떤 행동을 할 것을 듣는 사람에게 약속하거나 의지를 나타내는 표현.
-lgeyo
(informal addressee-raising) An expression used when the speaker promises or notifies the listener that he/she will do something.

선생님 : 답+은 '**자**'+로 시작하+는 네 글자+이+에요.

글자예요

• **답 (noun)** : 질문이나 문제가 요구하는 것을 밝혀 말함. 또는 그런 말.
answer
The act of speaking in a way that reveals what is required by a question or problem, or words spoken in such a manner.

• **은** : 문장 속에서 어떤 대상이 화제임을 나타내는 조사.
eun
A postpositional particle used to indicate that a certain subject is the topic of a sentence.

• **로** : 움직임의 방향을 나타내는 조사.
ro
A postpositional particle that indicates the direction of a movement.

• **시작하다 (verb)** : 어떤 일이나 행동의 처음 단계를 이루거나 이루게 하다.
start; begin; initiate
To constitute or cause to constitute the initial phase of an affair or action.

• -는 : 앞의 말이 관형어의 기능을 하게 만들고 사건이나 동작이 현재 일어남을 나타내는 어미.

-neun

An ending of a word that makes the preceding statement function as an adnominal phrase and implies that an event or action is happening in the present.

• 네 (determiner) : 넷의.

four

Being the number four.

• 글사 (noun) : 말을 적는 기호.

letter; character

A sign used to write down a spoken word.

• 이다 : 주어가 지시하는 대상의 속성이나 부류를 지정하는 뜻을 나타내는 서술격 조사.

ida

A predicate particle indicating the meaning of the attribute or category of the thing that the subject of the sentence refers to.

• -에요 : (두루높임으로) 어떤 사실을 서술하거나 질문함을 나타내는 종결 어미.

-eyo

(informal addressee-raising) A sentence-final ending used when describing a certain fact or asking a question.

> 학생 1 : 정답+은 자기 비하+(이)+라고 생각하+ㅂ니다.
> 　　　　　　　　　　　비하라고　　　생각합니다

• 정답 (noun) : 어떤 문제나 질문에 대한 옳은 답.

correct answer

The right answer to a problem or question.

• 은 : 문장 속에서 어떤 대상이 화제임을 나타내는 조사.

eun

A postpositional particle used to indicate that a certain subject is the topic of a sentence.

• 자기 (noun) : 그 사람 자신.

himself; herself; ego

The person himself/herself.

• 비하 (noun) : 자기 자신을 낮춤.

self-deprecation

The act of belittling oneself.

• 이다 : 주어가 지시하는 대상의 속성이나 부류를 지정하는 뜻을 나타내는 서술격 조사.

  ida

A predicate particle indicating the meaning of the attribute or category of the thing that the subject of the sentence refers to.

• -라고 : 다른 사람에게서 들은 내용을 간접적으로 전달하거나 주어의 생각, 의견 등을 나타내는 표현.

  -rago

An expression used to pass along what the speaker heard from another person, or to present the subject's thoughts, opinions, etc.

• **생각하다 (verb)** : 사람이 머리를 써서 판단하거나 인식하다.

  think

To judge or perceive something by using one's brain.

• -ㅂ니다 : (아주높임으로) 현재의 동작이나 상태, 사실을 정중하게 설명함을 나타내는 종결 어미.

  -pnida

(formal, highly addressee-raising) A sentence-final ending used to explain the present action, state, or fact politely.

> **학생 2 : 정답+은 자기 부정+이+라고 생각하+ㅂ니다.**
> **생각합니다**

• **정답 (noun)** : 어떤 문제나 질문에 대한 옳은 답.

  correct answer

The right answer to a problem or question.

• 은 : 문장 속에서 어떤 대상이 화제임을 나타내는 조사.

  eun

A postpositional particle used to indicate that a certain subject is the topic of a sentence.

• **자기 (noun)** : 그 사람 자신.

  himself; herself; ego

The person himself/herself.

• **부정 (noun)** : 그렇지 않다고 판단하여 결정하거나 옳지 않다고 반대함.

  negation

The act of concluding that something is not true or right; the act of objecting to something because it is not right.

- 이다 : 주어가 지시하는 대상의 속성이나 부류를 지정하는 뜻을 나타내는 서술격 조사.
  ida
  A predicate particle indicating the meaning of the attribute or category of the thing that the subject of the sentence refers to.

- -라고 : 다른 사람에게서 들은 내용을 간접적으로 전달하거나 주어의 생각, 의견 등을 나타내는 표현.
  -rago
  An expression used to pass along what the speaker heard from another person, or to present the subject's thoughts, opinions, etc.

- 생각하다 (verb) : 사람이 머리를 써서 판단하거나 인식하다.
  think
  To judge or perceive something by using one's brain.

- -ㅂ니다 : (아주높임으로) 현재의 동작이나 상태, 사실을 정중하게 설명함을 나타내는 종결 어미.
  -pnida
  (formal, highly addressee-raising) A sentence-final ending used to explain the present action, state, or fact politely.

선생님 : 맞+아요.

- 맞다 (verb) : 문제에 대한 답이 틀리지 않다.
  be correct
  For the answer to a problem to be correct.

- -아요 : (두루높임으로) 어떤 사실을 서술하거나 질문, 명령, 권유함을 나타내는 종결 어미.
  -ayo
  (informal addressee-raising) A sentence-final ending used to describe a certain fact, ask a question, give an order, or advise.

선생님 : 자기 비하 또는 자기 부정+은 꿈+을 이루+는 데 장애 요소+가 되+어요.
　　　　　　　　　　　　　　　　　　　　　　　　　　　　　　　　　　　돼요

- 자기 (noun) : 그 사람 자신.
  himself; herself; ego
  The person himself/herself.

- 비하 (noun) : 자기 자신을 낮춤.
  self-deprecation
  The act of belittling oneself.

- **또는** (adverb) : 그렇지 않으면.
  or
  If it is not.

- **자기** (noun) : 그 사람 자신.
  himself; herself; ego
  The person himself/herself.

- **부정** (noun) : 그렇지 않다고 판단하여 결정하거나 옳지 않다고 반대함.
  negation
  The act of concluding that something is not true or right; the act of objecting to something because it is not right.

- **은** : 문장 속에서 어떤 대상이 화제임을 나타내는 조사.
  eun
  A postpositional particle used to indicate that a certain subject is the topic of a sentence.

- **꿈** (noun) : 앞으로 이루고 싶은 희망이나 목표.
  goal; wish
  A wish or goal one wants to accomplish in the future.

- **을** : 동작이 직접적으로 영향을 미치는 대상을 나타내는 조사.
  eul
  A postpositional particle used to indicate the subject that an act has a direct influence on.

- **이루다** (verb) : 뜻대로 되어 바라는 결과를 얻다.
  achieve; accomplish
  To obtain a result that one has wanted.

- **-는** : 앞의 말이 관형어의 기능을 하게 만들고 사건이나 동작이 현재 일어남을 나타내는 어미.
  -neun
  An ending of a word that makes the preceding statement function as an adnominal phrase and implies that an event or action is happening in the present.

- **데** (noun) : 일이나 것.
  de
  A bound noun meaning a piece of work or object.

- **장애** (noun) : 가로막아서 어떤 일을 하는 데 거슬리거나 방해가 됨. 또는 그런 일이나 물건.
  obstacle
  The act of getting in one's way and hindering or impeding one's work, or such hindrance or something that serves as a hindrance.

- **요소 (noun)** : 무엇을 이루는 데 반드시 있어야 할 중요한 성분이나 조건.
  element; component; factor; requisite
  An important element or condition necessary for achieving something.

- **가** : 바뀌게 되는 대상이나 부정하는 대상임을 나타내는 조사.
  ga
  A postpositional particle referring to the subject that is to be changed, or the subject that one denies.

- **되다 (verb)** : 어떤 특별한 뜻을 가지는 상태에 놓이다.
  become; constitute; make
  To be in a state that has a special meaning.

- **-어요** : (두루높임으로) 어떤 사실을 서술하거나 질문, 명령, 권유함을 나타내는 종결 어미.
  -eoyo
  (informal addressee-raising) A sentence-final ending used to describe a certain fact, ask a question, give an order, or advise.

그때 한 학생+이 천연덕스럽+게 <u>대답하+였+다</u>.
대답했다

- **그때 (noun)** : 앞에서 이야기한 어떤 때.
  that time; that moment; then
  The previously-mentioned time.

- **한 (determiner)** : 여럿 중 하나인 어떤.
  one
  One of many.

- **학생 (noun)** : 학교에 다니면서 공부하는 사람.
  student; learner
  A person who studies in a school.

- **이** : 어떤 상태나 상황의 대상이나 동작의 주체를 나타내는 조사.
  i
  A postpositional particle referring to a subject under a certain state or situation, or the agent of an action.

- **천연덕스럽다 (adjective)** : 생긴 그대로 조금도 거짓이나 꾸밈이 없고 자연스러운 데가 있다.
  casual
  Natural without deceptiveness or airs.

- **-게** : 앞의 말이 뒤에서 가리키는 일의 목적이나 결과, 방식, 정도 등이 됨을 나타내는 연결 어미.

  -ge

  A connective ending used when the preceding statement is the purpose, result, method, amount, etc., of something mentioned in the following statement.

- **대답하다 (verb)** : 묻거나 요구하는 것에 해당하는 것을 말하다.

  answer

  To say something about a question or demand.

- **-였-** : 사건이 과거에 일어났음을 나타내는 어미.

  -yeot-

  An ending of a word used to indicate that an event happened in the past.

- **-다** : 어떤 사건이나 사실, 상태를 서술함을 나타내는 종결 어미.

  -da

  A sentence-final ending used when describing a certain event, fact, state, etc.

> **학생 3 : 정답+은 자기 부모+(이)+라고 생각하+ㅂ니다.**
> **부모라고   생각합니다**

- **정답 (noun)** : 어떤 문제나 질문에 대한 옳은 답.

  correct answer

  The right answer to a problem or question.

- **은** : 문장 속에서 어떤 대상이 화제임을 나타내는 조사.

  eun

  A postpositional particle used to indicate that a certain subject is the topic of a sentence.

- **자기 (noun)** : 그 사람 자신.

  himself; herself; ego

  The person himself/herself.

- **부모 (noun)** : 아버지와 어머니.

  parents

  Father and mother.

- **이다** : 주어가 지시하는 대상의 속성이나 부류를 지정하는 뜻을 나타내는 서술격 조사.

  ida

  A predicate particle indicating the meaning of the attribute or category of the thing that the subject of the sentence refers to.

• -라고 : 다른 사람에게서 들은 내용을 간접적으로 전달하거나 주어의 생각, 의견 등을 나타내는 표현.
 -rago

An expression used to pass along what the speaker heard from another person, or to present the subject's thoughts, opinions, etc.

• **생각하다 (verb)** : 사람이 머리를 써서 판단하거나 인식하다.
 think

To judge or perceive something by using one's brain.

• -ㅂ니다 : (아주높임으로) 현재의 동작이나 상태, 사실을 정중하게 설명함을 나타내는 종결 어미.
 -pnida

(formal, highly addressee-raising) A sentence-final ending used to explain the present action, state, or fact politely.

< 10 단원(chapter) >

제목 : 뭐, 없어진 물건이라도 있으세요?

● 본문 (main text)

북적거리는 쇼핑몰에서 한 여성이 핸드백을 잃어버렸다.

핸드백을 주운 정직한 소년은 그 여성에게 가방을 돌려줬다.

건네받은 핸드백 안을 이리저리 살펴보던 여자가 말했다.

여자 : 핸드백에 중요한 것이 많아서 못 찾을까 봐 걱정했는데 너무 고맙구나.

　　　그런데 음, 이상한 일이구나.

소년 : 뭐, 없어진 물건이라도 있으세요?

여자 : 그건 아니고, 지갑 안에 분명히 오만 원짜리 지폐 한 장이 들어 있었는데

　　　지금은 만 원짜리 다섯 장이 들어 있네.

　　　거참, 신기하네.

소년 : 아, 그거요.

　　　저번에 제가 어떤 여자분 지갑을 찾아 줬는데 그분이 잔돈이 없다고

　　　사례금을 안 주셨거든요.

● 발음 (pronunciation)

북적거리는 쇼핑몰에서 한 여성이 핸드백을 잃어버렸다.
북쩍꺼리는 쇼핑모레서 한 여성이 핸드배글 이러버렫따.
bukjeokgeorineun syopingmoreseo han yeoseongi haendeubaegeul ireobeoryeotda.

핸드백을 주운 정직한 소년은 그 여성에게 가방을 돌려줬다.
핸드배글 주운 정지칸 소녀는 그 여성에게 가방을 돌려줟따.
haendeubaegeul juun jeongjikan sonyeoneun geu yeoseongege gabangeul dollyeojwotda.

건네받은 핸드백 안을 이리저리 살펴보던 여자가 말했다.
건네바든 핸드백 아늘 이리저리 살펴보던 여자가 말핻따.
geonnebadeun haendeubaek aneul irijeori salpyeobodeon yeojaga malhaetda.

여자 : 핸드백에 중요한 것이 많아서 못 찾을까 봐 걱정했는데 너무 고맙구나.
여자 : 핸드배게 중요한 거시 마나서 몯 차즐까 봐 걱쩡핸는데 너무 고맙꾸나.
yeoja : haendeubaege jungyohan geosi manaseo mot chajeulkka bwa geokjeonghaenneunde neomu gomapguna.

그런데 음, 이상한 일이구나.
그런데 음, 이상한 이리구나.
geureonde eum, isanghan iriguna.

소년 : 뭐, 없어진 물건이라도 있으세요?
소년 : 뭐, 업써진 물거니라도 이쓰세요?
sonyeon : mwo, eopseojin mulgeonirado isseuseyo?

여자 : 그건 아니고, 지갑 안에 분명히 오만 원짜리 지폐 한 장이 들어 있었는데
여자 : 그건 아니고, 지갑 아네 분명히 오만 원짜리 지폐 한 장이 드러 이썬는데
yeoja : geugeon anigo, jigap ane bunmyeonghi oman wonjjari jipye(jipe) han jangi deureo isseonneunde

지금은 만 원짜리 다섯 장이 들어 있네.
지그믄 만 원짜리 다섣 장이 드러 인네.
jigeumeun man wonjjari daseot jangi deureo inne.

거참, 신기하네.
거참, 신기하네.
geocham, singihane.

소년 : 아, 그거요.
소년 : 아, 그거요.
sonyeon : a, geugeoyo.

저번에 제가 어떤 여자분 지갑을 찾아 줬는데 그분이 잔돈이 없다고
저버네 제가 어떤 여자분 지가블 차자 줜는데 그부니 잔도니 업따고
jeobeone jega eotteon yeojabun jigabeul chaja jwonneunde geubuni
jandoni eopdago

사례금을 안 주셨거든요.
사례그믈 안 주셛꺼드뇨.
saryegeumeul an jusyeotgeodeunyo.

● 어휘 (vocabulary) / 문법 (grammar)

북적거리+는 쇼핑몰+에서 한 여성+이 핸드백+을 잃어버리+었+다.

핸드백+을 줍(주우)+ㄴ 정직하+ㄴ 소년+은 그 여성+에게 가방+을 돌려주+었+다.

건네받+은 핸드백 안+을 이리저리 살펴보+던 여자+가 말하+였+다.

여자 : 핸드백+에 중요하+ㄴ 것+이 많+아서 못 찾+을까 보+아 걱정하+였+는데 너무

고맙+구나.

그런데 음, 이상하+ㄴ 일+이+구나.

소년 : 뭐, 없어지+ㄴ 물건+이라도 있+으세요?

여자 : 그것(그거)+은 아니+고, 지갑 안+에 분명히 오만 원+짜리 지폐 한 장+이

들+어 있+었+는데 지금+은 만 원+짜리 다섯 장+이 들+어 있+네.

거참, 신기하+네.

소년 : 아, 그거+요.

저번+에 제+가 어떤 여자+분 지갑+을 찾+아 주+었+는데 그분+이 잔돈+이

없+다고 사례금+을 안 주+시+었+거든요.

> 북적거리+는 쇼핑몰+에서 한 여성+이 핸드백+을 <u>잃어버리+었+다</u>.
> **잃어버렸다**

- **북적거리다 (verb)** : 많은 사람이 한곳에 모여 매우 어수선하고 시끄럽게 자꾸 떠들다.
  bustle; crowd
  For many people to gather in one place and keep talking very loudly and chaotically.

- **-는** : 앞의 말이 관형어의 기능을 하게 만들고 사건이나 동작이 현재 일어남을 나타내는 어미.
  -neun
  An ending of a word that makes the preceding statement function as an adnominal phrase and implies that an event or action is happening in the present.

- **쇼핑몰 (noun)** : 여러 가지 물건을 파는 상점들이 모여 있는 곳.
  shopping mall
  A place where stores that sell a variety of goods are concentrated.

- **에서** : 앞말이 행동이 이루어지고 있는 장소임을 나타내는 조사.
  eseo
  A postpositional particle used to indicate that the preceding word refers to a place where a certain action is being done.

- **한 (determiner)** : 여럿 중 하나인 어떤.
  one
  One of many.

- **여성 (noun)** : 어른이 되어 아이를 낳을 수 있는 여자.
  woman
  A grown-up woman capable of having a baby.

- **이** : 어떤 상태나 상황의 대상이나 동작의 주체를 나타내는 조사.
  i
  A postpositional particle referring to a subject under a certain state or situation, or the agent of an action.

- **핸드백 (noun)** : 여자들이 손에 들거나 한쪽 어깨에 메는 작은 가방.
  handbag; purse
  A small bag carried by a woman in one hand or over the shoulder.

- **을** : 동작이 직접적으로 영향을 미치는 대상을 나타내는 조사.
  eul
  A postpositional particle used to indicate the subject that an action has a direct influence on.

• **잃어버리다 (verb)** : 가졌던 물건을 흘리거나 놓쳐서 더 이상 갖지 않게 되다.
lose
To not have something anymore because it has slipped from one's grasp or one has failed to notice it.

• **-었-** : 사건이 과거에 일어났음을 나타내는 어미.
-eot-
An ending of a word used to indicate that an event happened in the past.

• **-다** : 어떤 사건이나 사실, 상태를 서술함을 나타내는 종결 어미.
da
(formal, highly addressee-lowering) A sentence-final ending used when describing a certain event, fact, state, etc.

핸드백+을 줍(주우)+ㄴ 정직하+ㄴ 소년+은 그 여성+에게 가방+을 돌려주+었+다.
주운   정직한   돌려줬다

• **핸드백 (noun)** : 여자들이 손에 들거나 한쪽 어깨에 메는 작은 가방.
handbag; purse
A small bag carried by a woman in one hand or over the shoulder.

• **을** : 동작이 직접적으로 영향을 미치는 대상을 나타내는 조사.
eul
A postpositional particle used to indicate the subject that an action has a direct influence on.

• **줍다 (verb)** : 남이 잃어버린 물건을 집다.
find
To pick up an item that someone has lost.

• **-ㄴ** : 앞의 말이 관형어의 기능을 하게 만들고 사건이나 동작이 완료되어 그 상태가 유지되고 있음을 나타내는 어미.
-n
An ending of a word that makes the preceding statement function as an adnominal phrase and indicates that an event or action has been completed and its state continues.

• **정직하다 (adjective)** : 마음에 거짓이나 꾸밈이 없고 바르고 곧다.
honest
Virtuous and truthful without being deceptive or two-faced.

- -ㄴ : 앞의 말이 관형어의 기능을 하게 만들고 현재의 상태를 나타내는 어미.
  -n
  An ending of a word that makes the preceding statement function as an adnominal phrase and refers to the present state.

- 소년 (noun) : 아직 어른이 되지 않은 어린 남자아이.
  boy
  A young boy that has not become an adult yet.

- 은 : 문장 속에서 어떤 대상이 화제임을 나타내는 조사.
  eun
  A postpositional particle used to indicate that a certain subject is the topic of a sentence.

- 그 (determiner) : 앞에서 이미 이야기한 대상을 가리킬 때 쓰는 말.
  that; the
  A term referring to something mentioned earlier.

- 여성 (noun) : 어른이 되어 아이를 낳을 수 있는 여자.
  woman
  A grown-up woman capable of having a baby.

- 에게 : 어떤 행동이 미치는 대상임을 나타내는 조사.
  ege
  A postpositional particle referring to the subject that is influenced by a certain action.

- 가방 (noun) : 물건을 넣어 손에 들거나 어깨에 멜 수 있게 만든 것.
  bag
  A container for storing a person's belongings, which can be held with a hand or hung on a shoulder.

- 을 : 동작이 직접적으로 영향을 미치는 대상을 나타내는 조사.
  eul
  A postpositional particle used to indicate the subject that an action has a direct influence on.

- 돌려주다 (verb) : 빌리거나 뺏거나 받은 것을 주인에게 도로 주거나 갚다.
  give back; return
  To give back or pay back something borrowed, taken, or received from the owner.

- -었- : 사건이 과거에 일어났음을 나타내는 어미.
  -eot-
  An ending of a word used to indicate that an event happened in the past.

- -다 : 어떤 사건이나 사실, 상태를 서술함을 나타내는 종결 어미.
  da
  A sentence-final ending used when describing a certain event, fact, state, etc.

> 건네받+은 핸드백 안+을 이리저리 살펴보+던 여자+가 말하+였+다.
> **말했다**

- **건네받다 (verb)** : 다른 사람으로부터 어떤 것을 옮기어 받다.
  be passed; be handed
  Be given something from another person.

- -은 : 앞의 말이 관형어의 기능을 하게 만들고 사건이나 동작이 완료되어 그 상태가 유지되고 있음을 나타내는 어미.
  -n
  An ending of a word that makes the preceding statement function as an adnominal phrase and indicates that an event or action has been completed and its state continues.

- **핸드백 (noun)** : 여자들이 손에 들거나 한쪽 어깨에 메는 작은 가방.
  handbag; purse
  A small bag carried by a woman in one hand or over the shoulder.

- **안 (noun)** : 어떤 물체나 공간의 둘레에서 가운데로 향한 쪽. 또는 그러한 부분.
  inside
  The side that faces the center from the circumference of an object or space; such a part.

- 을 : 동작이 직접적으로 영향을 미치는 대상을 나타내는 조사.
  eul
  A postpositional particle used to indicate the subject that an action has a direct influence on.

- **이리저리 (adverb)** : 방향을 정하지 않고 이쪽저쪽으로.
  this way and that; here and there; from place to place
  This way and that without a definite destination.

- **살펴보다 (verb)** : 무엇을 찾거나 알아보다.
  search; check
  To search for or look into something.

• -던 : 앞의 말이 관형어의 기능을 하게 만들고 사건이나 동작이 과거에 완료되지 않고 중단되었음을 나
　　타내는 어미.

-deon

An ending of a word that makes the preceding statement function as an adnominal phrase and implies that an event or action has not been completed in the past but has been stopped.

• **여자 (noun)** : 여성으로 태어난 사람.

woman

A person who was born a female.

• 가 : 어떤 상태나 상황에 놓인 대상이나 동작의 주체를 나타내는 조사.

ga

A postpositional particle referring to a subject under a certain state or situation, or the agent of an action.

• **말하다 (verb)** : 어떤 사실이나 자신의 생각 또는 느낌을 말로 나타내다.

say; tell; speak; talk

To verbally present a fact or one's thoughts or feelings.

• -였- : 사건이 과거에 일어났음을 나타내는 어미.

-yeot-

An ending of a word used to indicate that an event happened in the past.

• -다 : 어떤 사건이나 사실, 상태를 서술함을 나타내는 종결 어미.

da

(formal, highly addressee-lowering) A sentence-final ending used when describing a certain event, fact, state, etc.

여자 : 핸드백+에 중요하+[ㄴ 것]+이 많+아서 못 찾+[을까 보]+아 걱정하+였+는데
　　　　　　　　중요한 것이　　　　　　　　　찾을까 봐　　　걱정했는데

　　　너무 고맙+구나.

• **핸드백 (noun)** : 여자들이 손에 들거나 한쪽 어깨에 메는 작은 가방.

handbag; purse

A small bag carried by a woman in one hand or over the shoulder.

• 에 : 앞말이 어떤 장소나 자리임을 나타내는 조사.

on; in; at

A postpositional particle to indicate that the preceding statement refers to a certain place or space.

• **중요하다 (adjective)** : 귀중하고 꼭 필요하다.
  important
  Valuable and indispensable.

• **-ㄴ 것** : 명사가 아닌 것을 문장에서 명사처럼 쓰이게 하거나 '이다' 앞에 쓰일 수 있게 할 때 쓰는 표현.
  -n geot
  An expression used to enable a non-noun word to be used as a noun in a sentence or to be used in front of '이다' (be).

• **이** : 어떤 상태나 상황의 대상이나 동작의 주체를 나타내는 조사.
  i
  A postpositional particle referring to a subject under a certain state or situation, or the agent of an action.

• **많다 (adjective)** : 수나 양, 정도 등이 일정한 기준을 넘다.
  plentiful; many; a lot of
  A number, amount, etc., exceeding a certain standard.

• **-아서** : 이유나 근거를 나타내는 연결 어미.
  -aseo
  A connective ending used for a reason or cause.

• **못 (adverb)** : 동사가 나타내는 동작을 할 수 없게.
  not
  The word that negates the action represented by the verb.

• **찾다 (verb)** : 무엇을 얻거나 누구를 만나려고 여기저기를 살피다. 또는 그것을 얻거나 그 사람을 만나다.
  find; look for
  To look here and there in order to gain something or find someone, or to gain something or find someone.

• **-을까 보다** : 앞에 오는 말이 나타내는 상황이 될 것을 걱정하거나 두려워함을 나타내는 표현.
  -eulkka boda
  An expression used to indicate that the speaker is worried or afraid that the situation mentioned in the preceding statement may happen.

• **-아** : 앞에 오는 말이 뒤에 오는 말에 대한 원인이나 이유임을 나타내는 연결 어미.
  -a
  A connective ending used when the preceding statement is the cause or reason for the following statement.

- **걱정하다 (verb)** : 좋지 않은 일이 있을까 봐 두려워하고 불안해하다.
  worry; be worried; be concerned
  To feel fearful and anxious that something bad might happen.

- **-였-** : 어떤 사건이 과거에 완료되었거나 그 사건의 결과가 현재까지 지속되는 상황을 나타내는 어미.
  -yeot-
  An ending of a word used to indicate that an event was completed in the past or its result continues in the present.

- **-는네** : 뒤의 말을 하기 위하여 그 대상과 관련이 있는 상황을 미리 말함을 나타내는 연결 어미.
  -neunde
  A connective ending used to talk in advance about a situation to follow.

- **너무 (adverb)** : 일정한 정도나 한계를 훨씬 넘어선 상태로.
  too
  To an excessive degree.

- **고맙다 (adjective)** : 남이 자신을 위해 무엇을 해주어서 마음이 흐뭇하고 보답하고 싶다.
  thankful; grateful
  Pleased and wanting to return a favor to someone.

- **-구나** : (아주낮춤으로) 새롭게 알게 된 사실에 어떤 느낌을 실어 말함을 나타내는 종결 어미.
  -guna
  (formal, highly addressee-lowering) A sentence-final ending used to imply a certain feeling in a newly learned fact.

> 여자 : 그런데 음, <u>이상하+ㄴ</u> 일+이+구나.
>   **이상한**

- **그런데 (adverb)** : 이야기를 앞의 내용과 관련시키면서 다른 방향으로 바꿀 때 쓰는 말.
  by the way
  A word used to change the direction of a story while relating it to the preceding statement.

- **음 (interjection)** : 믿지 못할 때 내는 소리.
  hm; um
  An exclamation uttered when the speaker cannot believe something.

- **이상하다 (adjective)** : 원래 알고 있던 것과 달리 별나거나 색다르다.
  unusual; strange; peculiar
  Something being uncommon or odd because it is different from what one knows about it.

• -ㄴ : 앞의 말이 관형어의 기능을 하게 만들고 현재의 상태를 나타내는 어미.

-n

An ending of a word that makes the preceding statement function as an adnominal phrase and refers to the present state.

• 일 (noun) : 어떤 내용을 가진 상황이나 사실.

matter; affair

A certain situation or fact.

• 이다 : 주어가 지시하는 대상의 속성이나 부류를 지정하는 뜻을 나타내는 서술격 조사.

ida

A predicate particle indicating the meaning of the attribute or category of the thing that the subject of the sentence refers to.

• -구나 : (아주낮춤으로) 새롭게 알게 된 사실에 어떤 느낌을 실어 말함을 나타내는 종결 어미.

-guna

(formal, highly addressee-lowering) A sentence-final ending used to imply a certain feeling in a newly learned fact.

소년 : 뭐, 없어지+ㄴ 물건+이라도 있+으세요?
　　　　　　 없어진

• 뭐 (interjection) : 놀랐을 때 내는 소리.

what; oh my goodness; oh my gosh

An exclamation used when the speaker is surprised.

• 없어지다 (verb) : 사람, 사물, 현상 등이 어떤 곳에 자리나 공간을 차지하고 존재하지 않게 되다.

be lost; be missing

For a person, object, phenomenon, etc., to not occupy or exist in a certain place or space anymore.

• -ㄴ : 앞의 말이 관형어의 기능을 하게 만들고 사건이나 동작이 완료되어 그 상태가 유지되고 있음을 나타내는 어미.

-n

An ending of a word that makes the preceding statement function as an adnominal phrase and indicates that an event or action has been completed and its state continues.

• 물건 (noun) : 일정한 모양을 갖춘 어떤 물질.

article; thing; item; goods

A certain substance in a specific form.

- 이라도 : 불확실한 사실에 대한 말하는 이의 의심이나 의문을 나타내는 조사.
  irado
  A postpositional particle that indicates the speaker's doubt or question about an unclear fact.

- **있다 (adjective)** : 무엇이 어떤 곳에 자리나 공간을 차지하고 존재하는 상태이다.
  no equivalent expression
  Something occupying a certain place or space and existing there.

- **-으세요** : (두루높임으로) 설명, 의문, 명령, 요청의 뜻을 나타내는 종결 어미.
  -euseyo
  (informal addressee-raising) A sentence-final ending used to describe, ask a question, order, and request.

여자 : <u>그것(그거)</u>+은 아니+고, 지갑 안+에 분명히 오만 원+짜리 지폐 한 장+이
　　　 그건

　　　 들+[어 있]+었+는데 지금+은 만 원+짜리 다섯 장+이 들+[어 있]+네.

- **그것 (pronoun)** : 앞에서 이미 이야기한 대상을 가리키는 말.
  no equivalent expression
  A pronoun used to indicate the previously-mentioned object.

- **은** : 문장 속에서 어떤 대상이 화제임을 나타내는 조사.
  neun
  A postpositional particle used to indicate that a certain subject is the topic of a sentence.

- **아니다 (adjective)** : 어떤 사실이나 내용을 부정하는 뜻을 나타내는 말.
  not
  Used to negate a fact or statement.

- **-고** : 두 가지 이상의 대등한 사실을 나열할 때 쓰는 연결 어미.
  -go
  A connective ending used when listing more than two equal facts.

- **지갑 (noun)** : 돈, 카드, 명함 등을 넣어 가지고 다닐 수 있게 가죽이나 헝겊 등으로 만든 물건.
  wallet; purse
  An object made of leather, cloth, etc., for carrying money, credit cards, business cards, etc.

• **안 (noun)** : 어떤 물체나 공간의 둘레에서 가운데로 향한 쪽. 또는 그러한 부분.

inside

The side that faces the center from the circumference of an object or space; such a part.

• **에** : 앞말이 어떤 장소나 자리임을 나타내는 조사.

on; in; at

A postpositional particle to indicate that the preceding statement refers to a certain place or space.

• **분명히 (adverb)** : 어떤 사실이 틀림이 없이 확실하게.

surely

(a fact being confirmed) Certainly and accurately.

• **오만** : 50,000

• **원 (noun)** : 한국의 화폐 단위.

won

A Korean monetary unit.

• **짜리** : '그만한 수나 양을 가진 것' 또는 '그만한 가치를 가진 것'의 뜻을 더하는 접미사.

-jjari

A suffix used to mean "something of such a number or amount" or "something of such a value."

• **지폐 (noun)** : 종이로 만든 돈.

bill

Money made of paper.

• **한 (determiner)** : 하나의.

one

One.

• **장 (noun)** : 종이나 유리와 같이 얇고 넓적한 물건을 세는 단위.

piece; sheet

A bound noun that serves as a unit for counting thin, wide objects such as a sheet of paper or glass.

• **이** : 어떤 상태나 상황의 대상이나 동작의 주체를 나타내는 조사.

i

A postpositional particle referring to a subject under a certain state or situation, or the agent of an action.

• **들다 (verb)** : 안에 담기거나 그 일부를 이루다.

be contained; fill

To be contained inside or consist of something.

- -어 있다 : 앞의 말이 나타내는 상태가 계속됨을 나타내는 표현.
  -eo itda
  An expression used to indicate that the state mentioned in the preceding statement is continued.

- -었- : 어떤 사건이 과거에 완료되었거나 그 사건의 결과가 현재까지 지속되는 상황을 나타내는 어미.
  -eot-
  An ending of a word used to indicate that an event was completed in the past or its result continues in the present.

- -는데 : 뒤의 말을 하기 위하여 그 대상과 관련이 있는 상황을 미리 말함을 나타내는 연결 어미.
  -neunde
  A connective ending used to talk in advance about a situation to follow.

- **지금 (noun)** : 말을 하고 있는 바로 이때.
  now
  The present moment as one speaks.

- 은 : 문장 속에서 어떤 대상이 화제임을 나타내는 조사.
  eun
  A postpositional particle used to indicate that a certain subject is the topic of a sentence.

- **만** : 10,000

- **원 (noun)** : 한국의 화폐 단위.
  won
  A Korean monetary unit.

- 짜리 : '그만한 수나 양을 가진 것' 또는 '그만한 가치를 가진 것'의 뜻을 더하는 접미사.
  -jjari
  A suffix used to mean "something of such a number or amount" or "something of such a value."

- **다섯 (determiner)** : 넷에 하나를 더한 수의.
  five
  Of the number that is the sum of four and one.

- **장 (noun)** : 종이나 유리와 같이 얇고 넓적한 물건을 세는 단위.
  piece; sheet
  A bound noun that serves as a unit for counting thin, wide objects such as a sheet of paper or glass.

• 이 : 어떤 상태나 상황의 대상이나 동작의 주체를 나타내는 조사.

 i

 A postpositional particle referring to a subject under a certain state or situation, or the agent of an action.

• 들다 (verb) : 안에 담기거나 그 일부를 이루다.

 be contained; fill

 To be contained inside or consist of something.

• -어 있다 : 앞의 말이 나타내는 상태가 계속됨을 나타내는 표현.

 -eo itda

 An expression used to indicate that the state mentioned in the preceding statement is continued.

• -네 : (아주낮춤으로) 지금 깨달은 일에 대하여 말함을 나타내는 종결 어미.

 -ne

 (formal, highly addressee-lowering) A sentence-final ending used when talking about something that one just learned.

여자 : 거참, 신기하+네.

• 거참 (interjection) : 안타까움이나 아쉬움, 놀라움의 뜻을 나타낼 때 하는 말.

 alas; oh; wow

 An exclamation used to express the feelings of contrition, regret, or surprise.

• 신기하다 (adjective) : 믿을 수 없을 정도로 색다르고 이상하다.

 amazing; marvelous; mysterious

 Unbelievably unusual and strange.

• -네 : (아주낮춤으로) 지금 깨달은 일에 대하여 말함을 나타내는 종결 어미.

 -ne

 (formal, highly addressee-lowering) A sentence-final ending used when talking about something that one just learned.

소년 : 아, 그거+요.

• 아 (interjection) : 남에게 말을 걸거나 주의를 끌 때, 말에 앞서 내는 소리.

 umm; ahem

 An exclamation uttered before the speaker begins his/her words when he/she talks to someone or attracts someone's attention.

• 그거 (pronoun) : 앞에서 이미 이야기한 대상을 가리키는 말.
no equivalent expression
A pronoun used to indicate the previously-mentioned object.

• 요 : 높임의 대상인 상대방에게 존대의 뜻을 나타내는 조사.
yo
A postpositional particle used to indicate respect for the other person, the subject who is shown respect.

소년 : 저번+에 제+가 어떤 여자+분 지갑+을 <u>찾+[아 주]+었+는데</u> 그분+이 잔돈+이
찾아 줬는데

없+다고 사례금+을 안 <u>주+시+었+거든요</u>.
주셨거든요

• 저번 (noun) : 말하고 있는 때 이전의 지나간 차례나 때.
the other time
A turn or time that was in the past at the time of speaking.

• 에 : 앞말이 시간이나 때임을 나타내는 조사.
in; at
A postpositional particle to indicate that the preceding statement refers to the time.

• 제 (pronoun) : 말하는 사람이 자신을 낮추어 가리키는 말인 '저'에 조사 '가'가 붙을 때의 형태.
I
A form of '저' (I), the humble form used by the speaker to show humility, when the postpositional particle '가' is attached to it.

• 가 : 어떤 상태나 상황에 놓인 대상이나 동작의 주체를 나타내는 조사.
ga
A postpositional particle referring to a subject under a certain state or situation, or the agent of an action.

• 어떤 (determiner) : 굳이 말할 필요가 없는 대상을 뚜렷하게 밝히지 않고 나타낼 때 쓰는 말.
certain; some
A word used to indirectly refer to a subject which does not need to be mentioned.

• 여자 (noun) : 여성으로 태어난 사람.
woman
A person who was born a female.

• 분 : '높임'의 뜻을 더하는 접미사.

  -bun

  A suffix used to mean "showing respect."

• 지갑 (noun) : 돈, 카드, 명함 등을 넣어 가지고 다닐 수 있게 가죽이나 헝겊 등으로 만든 물건.

  wallet; purse

  An object made of leather, cloth, etc., for carrying money, credit cards, business cards, etc.

• 을 : 동작이 직접적으로 영향을 미치는 대상을 나타내는 조사.

  eul

  A postpositional particle used to indicate the subject that an action has a direct influence on.

• 찾다 (verb) : 무엇을 얻거나 누구를 만나려고 여기저기를 살피다. 또는 그것을 얻거나 그 사람을 만나다.

  find; look for

  To look here and there in order to gain something or find someone, or to gain something or find someone.

• -아 주다 : 남을 위해 앞의 말이 나타내는 행동을 함을 나타내는 표현.

  -a juda

  An expression used to indicate that one does the act mentioned in the preceding statement for someone.

• -었- : 사건이 과거에 일어났음을 나타내는 어미.

  -eot-

  An ending of a word used to indicate that an event happened in the past.

• -는데 : 뒤의 말을 하기 위하여 그 대상과 관련이 있는 상황을 미리 말함을 나타내는 연결 어미.

  -neunde

  A connective ending used to talk in advance about a situation to follow.

• 그분 (pronoun) : (아주 높이는 말로) 그 사람.

  geubun

  (very polite form) The person.

• 이 : 어떤 상태나 상황의 대상이나 동작의 주체를 나타내는 조사.

  i

  A postpositional particle referring to a subject under a certain state or situation, or the agent of an action.

• 잔돈 (noun) : 단위가 작은 돈.

  small money; small change

  A small unit of money.

- 이 : 어떤 상태나 상황의 대상이나 동작의 주체를 나타내는 조사.

  i

  A postpositional particle referring to a subject under a certain state or situation, or the agent of an action.

- 없다 (adjective) : 사람, 사물, 현상 등이 어떤 곳에 자리나 공간을 차지하고 존재하지 않는 상태이다.

  being not

  (for a person, thing, phenomenon, etc. to be) Not occupying a spot or space at a certain location.

- -다고 : 어떤 행위의 목적, 의도를 나타내거나 어떤 상황의 이유, 원인을 나타내는 연결 어미.

  -dago

  A connective ending referring to the purpose or intention of a certain action, or the reason or cause of a certain situation.

- 사례금 (noun) : 고마운 뜻을 나타내려고 주는 돈.

  reward; compensation; bounty

  A sum of money paid to express gratitude.

- 을 : 동작이 직접적으로 영향을 미치는 대상을 나타내는 조사.

  eul

  A postpositional particle used to indicate the subject that an action has a direct influence on.

- 안 (adverb) : 부정이나 반대의 뜻을 나타내는 말.

  not

  An adverb that has the meaning of negation or opposite.

- 주다 (verb) : 물건 등을 남에게 건네어 가지거나 쓰게 하다.

  give

  To give an item to someone else so he/she can have or use it.

- -시- : 어떤 동작이나 상태의 주체를 높이는 뜻을 나타내는 어미.

  -si-

  An ending of a word used for the subject honorifics of an action or state.

- -었- : 사건이 과거에 일어났음을 나타내는 어미.

  -eot-

  An ending of a word used to indicate that an event happened in the past.

- -거든요 : (두루높임으로) 앞의 내용에 대해 말하는 사람이 생각한 이유나 원인, 근거를 나타내는 표현.

  -geodeunnyo

  (informal addressee-raising) An expression used to indicate the speaker's reasoning or the basis for the preceding content.

< 11 단원(chapter) >

제목 : 새에 대한 논문을 쓰고 계시나 보죠?

● 본문 (main text)

강의 준비를 하기 위해 교수님 한 분이 컴퓨터를 켜고 있었다.

그런데 컴퓨터가 바이러스에 걸렸는지 작동되지 않아 수리 기사를 부르게 되었다.

수리공이 컴퓨터를 고치다가 저장된 파일을 보니 독수리, 참새, 앵무새, 까치, 비둘기, 제비 등 모두 새 이름으로 되어 있었다.

수리 기사는 궁금증을 참다못해 교수님에게 물었다.

수리 기사 : 교수님, 파일 이름을 모두 새 이름으로 지으셨네요.

　　　　　　요즘 새에 대한 논문을 쓰고 계시나 보죠?

교수님이 울상을 지으면서 말했다.

교수님 : 아니에요.

　　　　실은 그것 때문에 짜증이 나서 미치겠어요.

　　　　파일 저장할 때마다 '새 이름으로 저장'이라고 나오는데 이제 생각나는

　　　　새 이름도 없는데.

● 발음 (pronunciation)

강의 준비를 하기 위해 교수님 한 분이 컴퓨터를 켜고 있었다.
강의 준비를 하기 위해 교수님 한 부니 컴퓨터를 켜고 이썯따.
gangui junbireul hagi wihae gyosunim han buni keompyuteoreul kyeogo isseotda.

그런데 컴퓨터가 바이러스에 걸렸는지 작동되지 않아 수리 기사를 부르게 되었다.
그런데 컴퓨터가 바이러스에 걸련는지 작똥되지 아나 수리 기사를 부르게 되얻따.
geureonde keompyuteoga baireoseue geollyeonneunji jakdongdoeji ana suri gisareul bureuge doeeotda.

수리공이 컴퓨터를 고치다가 저장된 파일을 보니 독수리, 참새, 앵무새, 까치, 비둘기, 제비 등 모두 새
수리공이 컴퓨터를 고치다가 저장된 파이를 보니 독쑤리, 참새, 앵무새, 까치, 비둘기, 제비 등 모두 새
surigongi keompyuteoreul gochidaga jeojangdoen paireul boni doksuri, chamsae, aengmusae, kkachi, bidulgi, jebi deung modu sae

이름으로 되어 있었다.
이르므로 되어 이썯따.
ireumeuro doeeo isseotda.

수리 기사는 궁금증을 참다못해 교수님에게 물었다.
수리 기사는 궁금쯩을 참따모태 교수니메게 무럳따.
suri gisaneun gunggeumjeungeul chamdamotae gyosunimege mureotda.

수리 기사 : 교수님, 파일 이름을 모두 새 이름으로 지으셨네요.
수리 기사 : 교수님, 파일 이르믈 모두 새 이르므로 지으셔네요.
suri gisa : gyosunim, pail ireumeul modu sae ireumeuro jieusyeonneyo.

요즘 새에 대한 논문을 쓰고 계시나 보죠?
요즘 새에 대한 논무늘 쓰고 게시나 보죠?
yojeum saee daehan nonmuneul sseugo gyesina(gesina) bojyo?

교수님이 울상을 지으면서 말했다.
교수니미 울쌍을 지으면서 말핻따.
gyosunimi ulsangeul jieumyeonseo malhaetda.

교수님 : 아니에요.
교수님 : 아니에요.
gyosunim : anieyo.

실은 그것 때문에 짜증이 나서 미치겠어요.
시른 그걷 때무네 짜증이 나서 미치게써요.
sireun geugeot ttaemune jjajeungi naseo michigesseoyo.

파일 저장할 때마다 '새 이름으로 저장'이라고 나오는데 이제 생각나는
파일 저장할 때마다 '새 이르므로 저장'이라고 나오는데 이제 생강나는
pail jeojanghal ttaemada 'sae ireumeuro jeojang'irago naoneunde ije
saenggangnaneun

새 이름도 없는데.
새 이름도 엄는데.
sae ireumdo eomneunde.

● 어휘 (vocabulary) / 문법 (grammar)

강의 준비+를 하+<u>기 위해서</u> 교수+님 한 분+이 컴퓨터+를 켜+<u>고 있</u>+었+다.

그런데 컴퓨터+가 바이러스+에 걸리+었+는지 작동되+<u>지 않</u>+아 수리 기사+를 부르+<u>게 되</u>+었+다.

수리공+이 컴퓨터+를 고치+다가 저장되+ㄴ 파일+을 보+니 독수리, 참새, 앵무새, 까치, 비둘기, 제비 등

모두 새 이름+으로 되+<u>어 있</u>+었+다.

수리 기사+는 궁금증+을 참다못하+여 교수+님+에게 묻(물)+었+다.

수리 기사 : 교수+님, 파일 이름+을 모두 새 이름+으로 짓(지)+으시+었+네요.

　　　　　　요즘 새+<u>에 대한</u> 논문+을 쓰+<u>고 계시</u>+<u>나 보</u>+지요?

교수+님+이 울상+을 짓(지)+으면서 말하+였+다.

교수님 : 아니+에요.

　　　　　실은 그것 때문+에 짜증+이 나+(아)서 미치+겠+어요.

　　　　　파일 저장하+<u>ㄹ 때</u>+마다 '새 이름+으로 저장'+이라고 나오+는데

　　　　　이제 생각나+는 새 이름+도 없+는데.

강의 준비+를 하+[기 위해서] 교수+님 한 분+이 컴퓨터+를 켜+[고 있]+었+다.

- **강의 (noun)** : 대학이나 학원, 기관 등에서 지식이나 기술 등을 체계적으로 가르침.
  lecture
  An act of teaching knowledge or technology systematically at a university, cram school, or an institute.

- **준비 (noun)** : 미리 마련하여 갖춤.
  preparation
  The act of having something in place with advance preparations.

- **를** : 동작이 직접적으로 영향을 미치는 대상을 나타내는 조사.
  reul
  A postpositional particle used to indicate the subject that an act has a direct influence on.

- **하다 (verb)** : 어떤 행동이나 동작, 활동 등을 행하다.
  do; perform
  To perform a certain move, action, activity, etc.

- **-기 위해서** : 어떤 일을 하는 목적인 의도를 나타내는 표현.
  -gi wihaeseo
  An expression used to indicate the intention, which is the goal for doing a certain thing.

- **교수 (noun)** : 대학에서 학문을 연구하고 가르치는 일을 하는 사람. 또는 그 직위.
  professor
  A person who researches and teaches in colleges; or such a position.

- **님** : '높임'의 뜻을 더하는 접미사.
  -nim
  A suffix used to mean "honorific."

- **한 (determiner)** : 하나의.
  one
  One.

- **분 (noun)** : 사람을 높여서 세는 단위.
  person
  A bound noun that is an honorific form of a unit for counting the number of persons.

- **이** : 어떤 상태나 상황의 대상이나 동작의 주체를 나타내는 조사.
  i
  A postpositional particle referring to a subject under a certain state or situation, or the agent of an action.

• **컴퓨터 (noun)** : 전자 회로를 이용하여 문서, 사진, 영상 등의 대량의 데이터를 빠르고 정확하게 처리하는 기계.

computer

A machine made from electronic circuits that quickly and accurately processes mass data such as documents, photographs, videos, etc.

• **를** : 동작이 직접적으로 영향을 미치는 대상을 나타내는 조사.

reul

A postpositional particle used to indicate the subject that an act has a direct influence on.

• **켜다 (verb)** : 전기 제품 등을 작동하게 만들다.

turn on

To make an electric appliance, etc., start working.

• **-고 있다** : 앞의 말이 나타내는 행동이 계속 진행됨을 나타내는 표현.

-go itda

An expression used to state that the act mentioned in the preceding statement is continued.

• **-었-** : 사건이 과거에 일어났음을 나타내는 어미.

-eot-

An ending of a word used to indicate that an event happened in the past.

• **-다** : 어떤 사건이나 사실, 상태를 서술함을 나타내는 종결 어미.

-da

A sentence-final ending used when describing a certain event, fact, state, etc.

그런데 컴퓨터+가 바이러스+에 <u>걸리+었+는지</u> 작동되+[지 않]+아 수리 기사+를
걸렸는지

부르+[게 되]+었+다.

• **그런데 (adverb)** : 이야기를 앞의 내용과 관련시키면서 다른 방향으로 바꿀 때 쓰는 말.

by the way

A word used to change the direction of a story while relating it to the preceding statement.

• **컴퓨터 (noun)** : 전자 회로를 이용하여 문서, 사진, 영상 등의 대량의 데이터를 빠르고 정확하게 처리하는 기계.

computer

A machine made from electronic circuits that quickly and accurately processes mass data such as documents, photographs, videos, etc.

• 가 : 어떤 상태나 상황에 놓인 대상이나 동작의 주체를 나타내는 조사.

 ga

 A postpositional particle referring to a subject under a certain state or situation, or the agent of an action.

• 바이러스 (noun) : 컴퓨터를 비정상적으로 작용하게 만드는 프로그램.

 virus

 A program that makes a computer work abnormally.

• 에 : 앞말이 무엇의 조건, 환경, 상태 등임을 나타내는 조사.

 in; for; as; according to; depending on

 A postpositional particle to indicate that the preceding statement is the condition, environment, state, etc., of something.

• 걸리다 (verb) : 어떤 상태에 빠지게 되다.

 be put; fall under

 To be put in a certain state.

• -었- : 사건이 과거에 일어났음을 나타내는 어미.

 -eot-

 An ending of a word used to indicate that an event happened in the past.

• -는지 : 뒤에 오는 말의 내용에 대한 막연한 이유나 판단을 나타내는 연결 어미.

 -neunji

 A connective ending used to indicate an ambiguous reason or judgment about the following statement.

• 작동되다 (verb) : 기계 등이 움직여 일하다.

 run; operate

 For a machine, etc., to work.

• -지 않다 : 앞의 말이 나타내는 행위나 상태를 부정하는 뜻을 나타내는 표현.

 -ji anta

 An expression used to deny the act or state indicated in the preceding statement.

• -아 : 앞에 오는 말이 뒤에 오는 말에 대한 원인이나 이유임을 나타내는 연결 어미.

 -a

 A connective ending used when the preceding statement is the cause or reason for the following statement.

• 수리 (noun) : 고장 난 것을 손보아 고침.

 repair; fixing

 The act of fixing a broken thing.

• **기사** (noun) : 국가나 단체가 인정한 기술 자격증을 가진 기술자.
  engineer
  A technical expert with with certification recognized by the state or an organization.

• **를** : 동작이 직접적으로 영향을 미치는 대상을 나타내는 조사.
  reul
  A postpositional particle used to indicate the subject that an act has a direct influence on.

• **부르다** (verb) : 부탁하여 오게 하다.
  call in; summon; fetch
  To ask for someone to come.

• **-게 되다** : 앞의 말이 나타내는 상태나 상황이 됨을 나타내는 표현.
  -ge doeda
  An expression used to indicate that something will become the state or situation mentioned in the preceding statement.

• **-었-** : 사건이 과거에 일어났음을 나타내는 어미.
  -eot-
  An ending of a word used to indicate that an event happened in the past.

• **-다** : 어떤 사건이나 사실, 상태를 서술함을 나타내는 종결 어미.
  -da
  A sentence-final ending used when describing a certain event, fact, state, etc.

수리공+이 컴퓨터+를 고치+다가 <u>저장되+ㄴ</u> 파일+을 보+니 독수리, 참새, 앵무새, 까치, 비둘기, 제비
                              저장된

등 모두 새 이름+으로 되+[어 있]+었+다.

• **수리공** (noun) : 고장 난 것을 고치는 일을 하는 사람.
  repairman; mechanic
  A person whose job it is to fix broken things.

• **이** : 어떤 상태나 상황의 대상이나 동작의 주체를 나타내는 조사.
  i
  A postpositional particle referring to a subject under a certain state or situation, or the agent of an action.

• **컴퓨터 (noun)** : 전자 회로를 이용하여 문서, 사진, 영상 등의 대량의 데이터를 빠르고 정확하게 처리하
는 기계.

computer

A machine made from electronic circuits that quickly and accurately processes mass data
such as documents, photographs, videos, etc.

• **를** : 동작이 직접적으로 영향을 미치는 대상을 나타내는 조사.

reul

A postpositional particle used to indicate the subject that an act has a direct influence on.

• **고치다 (verb)** : 고장이 나거나 못 쓰게 된 것을 손질하여 쓸 수 있게 하다.

repair; mend

To fix something broken so that it can be used again.

• **-다가** : 어떤 행동이 진행되는 중에 다른 행동이 나타남을 나타내는 연결 어미.

-daga

A connective ending used when something happens while a certain act is ongoing.

• **저장되다 (verb)** : 물건이나 재화 등이 모아져서 보관되다.

be stored

For items, goods, etc., to be collected and kept.

• **-ㄴ** : 앞의 말이 관형어의 기능을 하게 만들고 사건이나 동작이 완료되어 그 상태가 유지되고 있음을
나타내는 어미.

-n

An ending of a word that makes the preceding statement function as an adnominal phrase
and indicates that an event or action has been completed and its state continues.

• **파일 (noun)** : 컴퓨터의 기억 장치에 일정한 단위로 저장된 정보의 묶음.

file

A bunch of data, stored in a certain unit, in the memory device of a computer.

• **을** : 동작이 직접적으로 영향을 미치는 대상을 나타내는 조사.

eul

A postpositional particle used to indicate the subject that an act has a direct influence on.

• **보다 (verb)** : 대상의 내용이나 상태를 알기 위하여 살피다.

look at; take a look at; look in

To inspect an object to understand its content or state.

• **-니** : 앞에서 이야기한 내용과 관련된 다른 사실을 이어서 설명할 때 쓰는 연결 어미.

-ni

A connective ending used when adding another fact related to the preceding statement.

• **독수리** (noun) : 갈고리처럼 굽은 날카로운 부리와 발톱을 가지고 있으며 빛깔이 검은 큰 새.
eagle
A large, blackish bird with a sharp, hook-shaped beak and sharp talons.

• **참새** (noun) : 주로 사람이 사는 곳 근처에 살며, 몸은 갈색이고 배는 회백색인 작은 새.
sparrow
A small bird with a brown back and a grayish-white breast that usually lives near human settlements.

• **앵무새** (noun) : 사람의 말을 잘 흉내 내며 여러 빛깔을 가진 새.
parrot
A multiple-colored bird that mimics the words of people.

• **까치** (noun) : 머리에서 등까지는 검고 윤이 나며 어깨와 배는 흰, 사람의 집 근처에 사는 새.
magpie
A bird which has a shiny black head and back and white shoulders and stomach, and lives near people.

• **비둘기** (noun) : 공원이나 길가 등에서 흔히 볼 수 있는, 다리가 짧고 날개가 큰 회색 혹은 하얀색의 새.
dove; pigeon
A gray or white bird with short legs and large wings, often spotted in a park, along the street, etc.

• **제비** (noun) : 등은 검고 배는 희며 매우 빠르게 날고, 봄에 한국에 날아왔다가 가을에 남쪽으로 날아가는 작은 여름 철새.
swallow
A small, fast summer migratory bird with a black back and white underside which flies to Korea in spring and moves southward in autumn.

• **등** (noun) : 앞에서 말한 것 외에도 같은 종류의 것이 더 있음을 나타내는 말.
et cetera
A bound noun used to indicate that there are other things of the same kind as the thing that was just mentioned.

• **모두** (adverb) : 빠짐없이 다.
all of
Everyone or everything without exception.

• **새** (noun) : 몸에 깃털과 날개가 있고 날 수 있으며 다리가 둘인 동물.
bird
A two-legged flying animal with feathers and wings on its body.

- **이름 (noun)** : 다른 것과 구별하기 위해 동물, 사물, 현상 등에 붙여서 부르는 말.
  name
  A word used to refer to or address an animal, object, phenomenon, etc., to distinguish it from others.

- **으로** : 어떤 일의 방법이나 방식을 나타내는 조사.
  euro
  A postpositional particle that indicates a method or way to do something.

- **되다 (verb)** : 어떤 형태나 구조로 이루어지다.
  be made up of; be composed of; consist of
  To consist of a certain shape or structure.

- **-어 있다** : 앞의 말이 나타내는 상태가 계속됨을 나타내는 표현.
  -eo itda
  An expression used to indicate that the state mentioned in the preceding statement is continued.

- **-었-** : 사건이 과거에 일어났음을 나타내는 어미.
  -eot-
  An ending of a word used to indicate that an event happened in the past.

- **-다** : 어떤 사건이나 사실, 상태를 서술함을 나타내는 종결 어미.
  -da
  A sentence-final ending used when describing a certain event, fact, state, etc.

수리 기사+는 궁금증+을 <u>참다못하</u>+여 교수+님+에게 <u>묻(물)</u>+었+다.
참다못해   물었다

- **수리 (noun)** : 고장 난 것을 손보아 고침.
  repair; fixing
  The act of fixing a broken thing.

- **기사 (noun)** : 국가나 단체가 인정한 기술 자격증을 가진 기술자.
  engineer
  A technical expert with with certification recognized by the state or an organization.

- **는** : 문장 속에서 어떤 대상이 화제임을 나타내는 조사.
  neun
  A postpositional particle used to indicate that a certain subject is the topic of a sentence.

• **궁금증 (noun)** : 몹시 궁금한 마음.

curiosity

A state of being very curious.

• **을** : 동작이 직접적으로 영향을 미치는 대상을 나타내는 조사.

eul

A postpositional particle used to indicate the subject that an act has a direct influence on.

• **참다못하다 (verb)** : 참을 수 있는 만큼 참다가 더 이상 참지 못하다.

lose patience

To be no longer capable of enduring.

• **-여** : 앞의 말이 뒤의 말보다 먼저 일어났거나 뒤의 말에 대한 방법이나 수단이 됨을 나타내는 연결 어미.

-yeo

A connective ending used when the preceding statement happened before the following statement, or was the ways or means to the following statement.

• **교수 (noun)** : 대학에서 학문을 연구하고 가르치는 일을 하는 사람. 또는 그 직위.

professor

A person who researches and teaches in colleges; or such a position.

• **님** : '높임'의 뜻을 더하는 접미사.

-nim

A suffix used to mean "honorific."

• **에게** : 어떤 행동이 미치는 대상임을 나타내는 조사.

ege

A postpositional particle referring to the subject that is influenced by a certain action.

• **묻다 (verb)** : 대답이나 설명을 요구하며 말하다.

ask; inquire; interrogate

To say something, demanding an answer or explanation.

• **-었-** : 사건이 과거에 일어났음을 나타내는 어미.

-eot-

An ending of a word used to indicate that an event happened in the past.

• **-다** : 어떤 사건이나 사실, 상태를 서술함을 나타내는 종결 어미.

-da

A sentence-final ending used when describing a certain event, fact, state, etc.

> **수리 기사 :** 교수+님, 파일 이름+을 모두 새 이름+으로 <u>짓(지)+으시</u>+었+네요.
> **지으셨네요**

- **교수 (noun) :** 대학에서 학문을 연구하고 가르치는 일을 하는 사람. 또는 그 직위.
  professor
  A person who researches and teaches in colleges; or such a position.

- **님 :** '높임'의 뜻을 더하는 접미사.
  -nim
  A suffix used to mean "honorific."

- **파일 (noun) :** 컴퓨터의 기억 장치에 일정한 단위로 저장된 정보의 묶음.
  file
  A bunch of data, stored in a certain unit, in the memory device of a computer.

- **이름 (noun) :** 다른 것과 구별하기 위해 동물, 사물, 현상 등에 붙여서 부르는 말.
  name
  A word used to refer to or address an animal, object, phenomenon, etc., to distinguish it from others.

- **을 :** 동작이 직접적으로 영향을 미치는 대상을 나타내는 조사.
  eul
  A postpositional particle used to indicate the subject that an act has a direct influence on.

- **모두 (adverb) :** 빠짐없이 다.
  all of
  Everyone or everything without exception.

- **새 (noun) :** 몸에 깃털과 날개가 있고 날 수 있으며 다리가 둘인 동물.
  bird
  A two-legged flying animal with feathers and wings on its body.

- **이름 (noun) :** 다른 것과 구별하기 위해 동물, 사물, 현상 등에 붙여서 부르는 말.
  name
  A word used to refer to or address an animal, object, phenomenon, etc., to distinguish it from others.

- **으로 :** 어떤 일의 방법이나 방식을 나타내는 조사.
  euro
  A postpositional particle that indicates a method or way to do something.

- **짓다 (verb)** : 이름 등을 정하다.
  name
  To decide on a name, etc.

- **-으시-** : 어떤 동작이나 상태의 주체를 높이는 뜻을 나타내는 어미.
  -eusi-
  An ending of a word used to indicate the subject honorifics of an action or state.

- **-었-** : 어떤 사건이 과거에 완료되었거나 그 사건의 결과가 현재까지 지속되는 상황을 나타내는 어미.
  -eot-
  An ending of a word used to indicate that an event was completed in the past or its result continues in the present.

- **-네요** : (두루높임으로) 말하는 사람이 직접 경험하여 새롭게 알게 된 사실에 대해 감탄함을 나타낼 때 쓰는 표현.
  -neyo
  (informal addressee-raising) An expression used to indicate that the speaker is impressed by a fact he/she learned anew from a past personal experience.

> 수리 기사 : 요즘 새+[에 대한] 논문+을 쓰+[고 계시]+[나 보]+지요?
>   쓰고 계시나 보죠

- **요즘 (noun)** : 아주 가까운 과거부터 지금까지의 사이.
  nowadays; these days
  A period from a while ago to the present.

- **새 (noun)** : 몸에 깃털과 날개가 있고 날 수 있으며 다리가 둘인 동물.
  bird
  A two-legged flying animal with feathers and wings on its body.

- **에 대한** : 뒤에 오는 명사를 수식하며 앞에 오는 명사를 뒤에 오는 명사의 대상으로 함을 나타내는 표현.
  e daehan
  An expression that modifies the following noun and indicates that the preceding noun is the subject of the following noun.

- **논문 (noun)** : 어떠한 주제에 대한 학술적인 연구 결과를 일정한 형식에 맞추어 체계적으로 쓴 글.
  dissertation; paper; thesis
  An article in which the author has written the results of academic research on a subject systematically following established research norms.

• 을 : 동작이 직접적으로 영향을 미치는 대상을 나타내는 조사.
  eul
  A postpositional particle used to indicate the subject that an act has a direct influence on.

• 쓰다 (verb) : 머릿속의 생각이나 느낌 등을 종이 등에 글로 적어 나타내다.
  write; compose; put down
  To express one's thoughts, feelings, etc., by writing them on paper, etc.

• -고 계시다 : (높임말로) 앞의 말이 나타내는 행동이 계속 진행됨을 나타내는 표현.
  -go gyesida
  (honorific) An expression used to indicate that the act mentioned in the preceding statement
  continues to occur.

• -나 보다 : 앞의 말이 나타내는 사실을 추측함을 나타내는 표현.
  -na boda
  An expression used to guess about a fact mentioned in the preceding statement.

• -지요 : (두루높임으로) 말하는 사람이 듣는 사람에게 친근함을 나타내며 물을 때 쓰는 종결 어미.
  -jiyo
  (informal addressee-raising) A sentence-final ending used when the speaker asks the
  listener in a friendly manner.

교수+님+이 울상+을 짓(지)+으면서 말하+였+다.
　　　　　　　지으면서　　　말했다

• 교수 (noun) : 대학에서 학문을 연구하고 가르치는 일을 하는 사람. 또는 그 직위.
  professor
  A person who researches and teaches in colleges; or such a position.

• 님 : '높임'의 뜻을 더하는 접미사.
  -nim
  A suffix used to mean "honorific."

• 이 : 어떤 상태나 상황의 대상이나 동작의 주체를 나타내는 조사.
  i
  A postpositional particle referring to a subject under a certain state or situation, or the
  agent of an action.

• 울상 (noun) : 울려고 하는 얼굴 표정.
  tearful face; long face
  A state of looking like one is about to cry.

• 을 : 동작이 직접적으로 영향을 미치는 대상을 나타내는 조사.
eul
A postpositional particle used to indicate the subject that an act has a direct influence on.

• 짓다 (verb) : 어떤 표정이나 태도 등을 얼굴이나 몸에 나타내다.
put on; wear
To express a certain expression, attitude, etc., through one's face or body.

• -으면서 : 두 가지 이상의 동작이나 상태가 함께 일어남을 나타내는 연결 어미.
-eumyeonseo
A connective ending used when more than two actions or states happen at the same time.

• 말하다 (verb) : 어떤 사실이나 자신의 생각 또는 느낌을 말로 나타내다.
say; tell; speak; talk
To verbally present a fact or one's thoughts or feelings.

• -였- : 사건이 과거에 일어났음을 나타내는 어미.
-yeot-
An ending of a word used to indicate that an event happened in the past.

• -다 : 어떤 사건이나 사실, 상태를 서술함을 나타내는 종결 어미.
-da
A sentence-final ending used when describing a certain event, fact, state, etc.

교수님 : 아니+에요.

실은 그것 때문+에 짜증+이 나+(아)서 미치+겠+어요.
나서

• 아니다 (adjective) : 어떤 사실이나 내용을 부정하는 뜻을 나타내는 말.
not
Used to negate a fact or statement.

• -에요 : (두루높임으로) 어떤 사실을 서술하거나 질문함을 나타내는 종결 어미.
-eyo
(informal addressee-raising) A sentence-final ending used when describing a certain fact or asking a question.

• 실은 (adverb) : 사실을 말하자면. 실제로는.
in fact; to speak honestly
To tell the truth; in reality.

• **그것 (pronoun)** : 앞에서 이미 이야기한 대상을 가리키는 말.
no equivalent expression
A pronoun used to indicate the previously-mentioned object.

• **때문 (noun)** : 어떤 일의 원인이나 이유.
because; because of
A cause or reason for a certain incident.

• **에** : 앞말이 어떤 일의 원인임을 나타내는 조사.
for; due to; because of
A postpositional particle to indicate that the preceding statement is the cause for something.

• **짜증 (noun)** : 마음에 들지 않아서 화를 내거나 싫은 느낌을 겉으로 드러내는 일. 또는 그런 성미.
irritation; annoyance
An act of expressing one's anger or dislike towards something because one is dissatisfied, or such a disposition.

• **이** : 어떤 상태나 상황의 대상이나 동작의 주체를 나타내는 조사.
i
A postpositional particle referring to a subject under a certain state or situation, or the agent of an action.

• **나다 (verb)** : 어떤 감정이나 느낌이 생기다.
feel
To feel a certain emotion or sensation.

• **-아서** : 이유나 근거를 나타내는 연결 어미.
-aseo
A connective ending used for a reason or cause.

• **미치다 (verb)** : 어떤 상태가 너무 심해서 정신이 없어질 정도로 괴로워하다.
go crazy; be desperate
To suffer to the point of being at a loss because of a very serious state.

• **-겠-** : 완곡하게 말하는 태도를 나타내는 어미.
-get-
An ending of a word referring to an attitude of speaking indirectly.

• **-어요** : (두루높임으로) 어떤 사실을 서술하거나 질문, 명령, 권유함을 나타내는 종결 어미.
-eoyo
(informal addressee-raising) A sentence-final ending used to describe a certain fact, ask a question, give an order, or advise.

교수님 : 파일 <u>저장하</u>+[ㄹ 때]+마다 '새 이름+으로 저장'+이라고 나오+는데
          저장할 때

이제 생각나+는 새 이름+도 없+는데.

- **파일 (noun)** : 컴퓨터의 기억 장치에 일정한 단위로 저장된 정보의 묶음.
  file
  A bunch of data, stored in a certain unit, in the memory device of a computer.

- **저장하다 (verb)** : 물건이나 재화 등을 모아서 보관하다.
  store
  To collect and keep items, goods, etc.

- **-ㄹ 때** : 어떤 행동이나 상황이 일어나는 동안이나 그 시기 또는 그러한 일이 일어난 경우를 나타내는 표현.
  -l ttae
  An expression used to indicate the duration, period, or occasion of a certain act or situation.

- **마다** : 하나하나 빠짐없이 모두의 뜻을 나타내는 조사.
  mada
  A postpositional particle that means "everything without exception."

- **새 (determiner)** : 생기거나 만든 지 얼마 되지 않은.
  new
  Having recently been created or made.

- **이름 (noun)** : 다른 것과 구별하기 위해 동물, 사물, 현상 등에 붙여서 부르는 말.
  name
  A word used to refer to or address an animal, object, phenomenon, etc., to distinguish it from others.

- **으로** : 어떤 일의 방법이나 방식을 나타내는 조사.
  euro
  A postpositional particle that indicates a method or way to do something.

- **저장 (noun)** : 물건이나 재화 등을 모아서 보관함.
  storage
  The act of collecting and keeping items, goods, etc.

- **이라고** : 앞의 말이 원래 말해진 그대로 인용됨을 나타내는 조사.
  irago
  A postpositional particle used to indicate that the preceding statement was a quote.

• **나오다 (verb)** : 책, 신문, 방송 등에 글이나 그림 등이 실리거나 어떤 내용이 나타나다.
appear; be published
For writings, pictures, stories, etc., to appear in a newspaper, magazine, broadcast, etc.

• **-는데** : 뒤의 말을 하기 위하여 그 대상과 관련이 있는 상황을 미리 말함을 나타내는 연결 어미.
-neunde
A connective ending used to talk in advance about a situation to follow.

• **이제 (adverb)** : 말하고 있는 바로 이때에.
now
At this moment of speaking.

• **생각나다 (verb)** : 새로운 생각이 머릿속에 떠오르다.
occur
For a new idea to come to one's head.

• **-는** : 앞의 말이 관형어의 기능을 하게 만들고 사건이나 동작이 현재 일어남을 나타내는 어미.
-neun
An ending of a word that makes the preceding statement function as an adnominal phrase and implies that an event or action is happening in the present.

• **새 (noun)** : 몸에 깃털과 날개가 있고 날 수 있으며 다리가 둘인 동물.
bird
A two-legged flying animal with feathers and wings on its body.

• **이름 (noun)** : 다른 것과 구별하기 위해 동물, 사물, 현상 등에 붙여서 부르는 말.
name
A word used to refer to or address an animal, object, phenomenon, etc., to distinguish it from others.

• **도** : 이미 있는 어떤 것에 다른 것을 더하거나 포함함을 나타내는 조사.
do
A postpositional particle used to indicate an addition or inclusion of another thing to something that already exists.

• **없다 (adjective)** : 어떤 물건을 가지고 있지 않거나 자격이나 능력 등을 갖추지 않은 상태이다.
lacking
Not having something or not possessing a credential, ability, etc.

• **-는데** : (두루낮춤으로) 듣는 사람의 반응을 기대하며 어떤 일에 대해 감탄함을 나타내는 종결 어미.
-neunde
(informal addressee-lowering) A sentence-final ending used to admire something while anticipating the listener's response.

< 12 단원(chapter) >

제목 : 이 늦은 시간에 여기서 뭐 하고 계세요?

● 본문 (main text)

늦은 밤 담력 훈련에 참가한 두 여자가 마지막 코스인 공동묘지를 지나가고 있었다.

그녀들은 무서웠지만 애써 태연한 모습으로 걸어가고 있었는데 갑자기 '톡탁톡탁' 하는 소리가 들려오기 시작했다.

깜짝 놀란 두 여자는 공포에 질려 가까스로 천천히 발걸음을 내딛고 있었다.

그때 눈앞에 망치를 들고 정으로 묘비를 쪼고 있는 노인의 모습이 희미하게 보였다.

순간 두 여자는 안도의 한숨을 내쉬며 말했다.

여자 1 : 할아버지, 귀신인 줄 알고 깜짝 놀랐잖아요.

　　　　그런데 이 늦은 시간에 여기서 뭐 하고 계세요?

여자 2 : 내일 밝을 때 하시는 게 좋을 것 같아요.

　　　　지금은 어두워서 위험하세요.

할아버지 : 음, 오늘 안에 빨리 끝내야 돼.

여자 1 : 그런데 묘비에 무슨 문제라도 있나요?

할아버지 : 글쎄, 어떤 멍청한 녀석들이 묘비에 내 이름을 잘못 써 놨잖아.

● 발음 (pronunciation)

늦은 밤 담력 훈련에 참가한 두 여자가 마지막 코스인 공동묘지를 지나가고 있었다.
느즌 밤 담녁 훌려네 참가한 두 여자가 마지막 코스인 공동묘지를 지나가고 이썯따.
neujeun bam damnyeok hullyeone chamgahan du yeojaga majimak koseuin gongdongmyojireul
jinagago isseotda.

그녀들은 무서웠지만 애써 태연한 모습으로 걸어가고 있었는데 갑자기 '톡탁톡탁' 하는 소리가 들려오기
그녀드른 무서월찌만 애써 태연한 모스브로 거러가고 이썬는데 갑짜기 '톡탁톡탁' 하는 소리가 들려오기
geunyeodeureun museowotjiman aesseo taeyeonhan moseubeuro georeogago isseonneunde
gapjagi 'toktaktoktak' haneun soriga deullyeoogi

시작했다.
시자캗따.
sijakaetda.

깜짝 놀란 두 여자는 공포에 질려 가까스로 천천히 발걸음을 내딛고 있었다.
깜짝 놀란 두 여자는 공포에 질려 가까스로 천천히 발꺼르믈 내딛꼬 이썯따.
kkamjjak nollan du yeojaneun gongpoe jillyeo gakkaseuro cheoncheonhi balgeoreumeul
naeditgo isseotda.

그때 눈앞에 망치를 들고 정으로 묘비를 쪼고 있는 노인의 모습이 희미하게 보였다.
그때 누나페 망치를 들고 정으로 묘비를 쪼고 인는 노이네 모스비 히미하게 보엳따.
geuttae nunape mangchireul deulgo jeongeuro myobireul jjogo inneun noinui(noine) moseubi
huimihage(himihage) boyeotda.

순간 두 여자는 안도의 한숨을 내쉬며 말했다.
순간 두 여자는 안도에 한수믈 내쉬며 말핻따.
sungan du yeojaneun andoui(andoe) hansumeul naeswimyeo malhaetda.

여자 1 : 할아버지, 귀신인 줄 알고 깜짝 놀랐잖아요.
여자 1 : 하라버지, 귀시닌 줄 알고 깜짝 놀랃짜나요.
yeoja 1 : harabeoji, gwisinin jul algo kkamjjak nollatjanayo.

      그런데 이 늦은 시간에 여기서 뭐 하고 계세요?
      그런데 이 느즌 시가네 여기서 뭐 하고 게세요?
      geureonde i neujeun sigane yeogiseo mwo hago gyeseyo(geseyo)?

여자 2 : 내일 밝을 때 하시는 게 좋을 것 같아요.

여자 2 : 내일 발글 때 하시는 게 조을 껃 가타요.

yeoja 2 : naeil balgeul ttae hasineun ge joeul geot gatayo.

지금은 어두워서 위험하세요.

지그믄 어두워서 위험하세요.

jigeumeun eoduwoseo wiheomhaseyo.

할아버지 : 음, 오늘 안에 빨리 끝내야 돼.

하라버지 : 음, 오늘 아네 빨리 끈내에 돼.

harabeoji : eum, oneul ane ppalli kkeunnaeya dwae.

여자 1 : 그런데 묘비에 무슨 문제라도 있나요?

여자 1 : 그런데 묘비에 무슨 문제라도 인나요?

yeoja 1 : geureonde myobie museun munjerado innayo?

할아버지 : 글쎄, 어떤 멍청한 녀석들이 묘비에 내 이름을 잘못 써 놨잖아.

하라버지 : 글쎄, 어떤 멍청한 녀석드리 묘비에 내 이르믈 잘몯 써 날짜나.

harabeoji : geulsse, eotteon meongcheonghan nyeoseokdeuri myobie nae ireumeul jalmot sseo nwatjana.

● 어휘 (vocabulary) / 문법 (grammar)

늦+은 밤 담력 훈련+에 참가하+ㄴ 두 여자+가 마지막 코스+이+ㄴ 공동묘지+를 지나가+<u>고 있</u>+었+다.

그녀+들+은 무섭(무서우)+었+지만 애쓰(애쓰)+어 태연하+ㄴ 모습+으로 걸어가+<u>고 있</u>+었+는데 갑자기

'톡탁톡탁' 하+는 소리+가 들려오+기 시작하+였+다.

깜짝 놀라+ㄴ 두 여자+는 공포+에 질리+어 가까스로 천천히 발걸음+을 내딛+<u>고 있</u>+었+다.

그때 눈앞+에 망치+를 들+고 정+으로 묘비+를 쪼+<u>고 있</u>+는 노인+의 모습+이 희미하+게 보이+었+다.

순간 두 여자+는 안도+의 한숨+을 내쉬+며 말하+였+다.

여자 1 : 할아버지, 귀신+이+<u>ㄴ 줄 알</u>+고 깜짝 놀라+았+잖아요.

　　　　　그런데 이 늦+은 시간+에 여기+서 뭐 하+<u>고 계시</u>+어요?

여자 2 : 내일 밝+<u>을 때</u> 하+시+<u>는 것(거)</u>+이 좋+<u>을 것 같</u>+아요.

　　　　　지금+은 어둡(어두우)+어서 위험하+세요.

할아버지 : 음, 오늘 안+에 빨리 끝내+<u>(어)야 되</u>+어.

여자 1 : 그런데 묘비+에 무슨 문제+라도 있+나요?

할아버지 : 글쎄, 어떤 멍청하+ㄴ 녀석+들+이 묘비+에 나+의 이름+을 잘못

　　　　　쓰(쓰)+<u>어 놓</u>+았+잖아.

늦+은 밤 담력 훈련+에 <u>참가하+ㄴ</u> 두 여자+가 마지막 <u>코스+이+ㄴ</u> 공동묘지+를 지나가+[고 있]+었+다.
　　　　　　　　　　　참가한　　　　　　　　　　　코스인

- **늦다 (adjective)** : 적당한 때를 지나 있다. 또는 시기가 한창인 때를 지나 있다.
  late; later
  Being past the right time, or being past the peak of something.

- **-은** : 앞의 말이 관형어의 기능을 하게 만들고 현재의 상태를 나타내는 어미.
  -eun
  An ending of a word that makes the preceding word function as an adnominal phrase and refers to the present state.

- **밤 (noun)** : 해가 진 후부터 다음 날 해가 뜨기 전까지의 어두운 동안.
  night; evening
  The period of dark hours from sunset to sunrise the next day.

- **담력 (noun)** : 겁이 없고 용감한 기운.
  courage; nerve; guts
  A courageous attitude, not knowing fear.

- **훈련 (noun)** : 가르쳐서 익히게 함.
  training
  An act of teaching another to help him/her learn a skill, task, etc.

- **에** : 앞말이 목적지이거나 어떤 행위의 진행 방향임을 나타내는 조사.
  to; at
  A postpositional particle to indicate that the preceding statement refers to a destination or the course of a certain action.

- **참가하다 (verb)** : 모임이나 단체, 경기, 행사 등의 자리에 가서 함께하다.
  participate
  To take part in a meeting, organization, game, event, etc.

- **-ㄴ** : 앞의 말이 관형어의 기능을 하게 만들고 사건이나 동작이 과거에 일어났음을 나타내는 어미.
  -n
  An ending of a word that makes the preceding statement function as an adnominal phrase and indicates an event or action having occurred in the past.

- **두 (determiner)** : 둘의.
  two
  Two

• **여자 (noun)** : 여성으로 태어난 사람.
woman
A person who was born a female.

• **가** : 어떤 상태나 상황에 놓인 대상이나 동작의 주체를 나타내는 조사.
ga
A postpositional particle referring to a subject under a certain state or situation, or the subject of an act.

• **마지막 (noun)** : 시간이나 순서의 맨 끝.
last
The very end of a time or order.

• **코스 (noun)** : 어떤 목적에 따라 정해진 길.
course
A route fixed to serve a certain purpose.

• **이다** : 주어가 지시하는 대상의 속성이나 부류를 지정하는 뜻을 나타내는 서술격 조사.
ida
A predicate particle indicating the meaning of the attribute or category of the thing that the subject of the sentence refers to.

• **-ㄴ** : 앞의 말이 관형어의 기능을 하게 만들고 현재의 상태를 나타내는 어미.
-n
An ending of a word that makes the preceding word function as an adnominal phrase and refers to the present state.

• **공동묘지 (noun)** : 한 지역에 여러 사람의 무덤이 있어 공동으로 관리하는 무덤.
public cemetery
A cemetery where many graves are maintained in common.

• **를** : 동작의 도착지나 동작이 이루어지는 장소를 나타내는 조사.
reul
A postpositional particle used to indicate a place where an action finishes or occurs.

• **지나가다 (verb)** : 어떤 곳을 통과하여 가다.
pass; cross
To go through a place.

• **-고 있다** : 앞의 말이 나타내는 행동이 계속 진행됨을 나타내는 표현.
-go itda
An expression used to state that the act mentioned in the preceding statement is continued.

• -었- : 사건이 과거에 일어났음을 나타내는 어미.
-eot-
An ending of a word used to indicate that an event happened in the past.

• -다 : 어떤 사건이나 사실, 상태를 서술함을 나타내는 종결 어미.
-da
A sentence-final ending used when describing a certain event, fact, state, etc.

그녀+들+은 <u>무섭(무서우)+었</u>+지만 <u>애쓰(애쓰)+어 태연하+ㄴ</u> 모습+으로 걸어가+[고 있]+었+는데
　　　　　무서웠지만　　　　　　**애써**　　　　**태연한**

갑자기 '톡탁톡탁' 하+는 소리+가 들려오+기 <u>시작하+였+다</u>.
　　　　　　　　　　　　　　　　　　시작했다

• 그녀 (pronoun) : 앞에서 이미 이야기한 여자를 가리키는 말.
she; her
A pronoun used to indicate the previously-mentioned woman.

• 들 : '복수'의 뜻을 더하는 접미사.
-deul
A suffix used to mean plural.

• 은 : 문장 속에서 어떤 대상이 화제임을 나타내는 조사.
eun
A postpositional particle used to indicate that a certain subject is the topic of a sentence.

• 무섭다 (adjective) : 어떤 대상이 꺼려지거나 무슨 일이 일어날까 두렵다.
fearful; scared of
Feeling scared of something, or feeling afraid something might happen.

• -었- : 사건이 과거에 일어났음을 나타내는 어미.
-eot-
An ending of a word used to indicate that an event happened in the past.

• -지만 : 앞에 오는 말을 인정하면서 그와 반대되거나 다른 사실을 덧붙일 때 쓰는 연결 어미.
-jiman
A connective ending used to recognize the truth of the preceding statement and add facts that are the opposite of it or different.

• 애쓰다 (verb) : 무엇을 이루기 위해 힘을 들이다.
try hard
To make a great effort to achieve something.

• -어 : 앞의 말이 뒤의 말보다 먼저 일어났거나 뒤의 말에 대한 방법이나 수단이 됨을 나타내는 연결 어미.

-eo

A connective ending used when the preceding statement happened before the following statement or was the ways or means to the following statement.

• 태연하다 (adjective) : 당연히 머뭇거리거나 두려워할 상황에서 태도나 얼굴빛이 아무렇지도 않다.

calm; cool; self-possessed

Showing no difference in attitude or complexion in a situation in which one is expected to hesitate or be scared.

• -ㄴ : 앞의 말이 관형어의 기능을 하게 만들고 현재의 상태를 나타내는 어미.

-n

An ending of a word that makes the preceding word function as an adnominal phrase and refers to the present state.

• 모습 (noun) : 겉으로 드러난 상태나 모양.

appearance; look

A state or look appearing outwardly.

• 으로 : 어떤 일의 방법이나 방식을 나타내는 조사.

euro

A postpositional particle that indicates a method or way to do something.

• 걸어가다 (verb) : 목적지를 향하여 다리를 움직여 나아가다.

walk; tread; stride

To take a step forward in the direction of a destination.

• -고 있다 : 앞의 말이 나타내는 행동이 계속 진행됨을 나타내는 표현.

-go itda

An expression used to state that the act mentioned in the preceding statement is continued.

• -었- : 사건이 과거에 일어났음을 나타내는 어미.

-eot-

An ending of a word used to indicate that an event happened in the past.

• -는데 : 뒤의 말을 하기 위하여 그 대상과 관련이 있는 상황을 미리 말함을 나타내는 연결 어미.

-neunde

A connective ending used to talk in advance about a situation to follow.

• 갑자기 (adverb) : 미처 생각할 틈도 없이 빨리.

suddenly; all of a sudden

Quickly, not allowing someone to think.

- **톡탁톡탁 (adverb)** : 단단한 물건을 계속해서 가볍게 두드리는 소리.
  tap-tap; pat-pat
  A word imitating the sound made when a hard object keeps being hit lightly.

- **하다 (verb)** : 그런 소리가 나다. 또는 그런 소리를 내다.
  sound; go
  To sound or make a sound in a certain way.

- **-는** : 앞의 말이 관형어의 기능을 하게 만들고 사건이나 동작이 현재 일어남을 나타내는 어미.
  -neun
  An ending of a word that makes the preceding statement function as an adnominal phrase and implies that an event or action is happening in the present.

- **소리 (noun)** : 물체가 진동하여 생긴 음파가 귀에 들리는 것.
  sound; noise
  Sound wave heard by the ear that is created when an object vibrates.

- **가** : 어떤 상태나 상황에 놓인 대상이나 동작의 주체를 나타내는 조사.
  ga
  A postpositional particle referring to a subject under a certain state or situation, or the subject of an act.

- **들려오다 (verb)** : 어떤 소리나 소식 등이 들리다.
  be heard
  For a certain sound, news, etc., to be heard.

- **-기** : 앞의 말이 명사의 기능을 하게 하는 어미.
  -gi
  An ending of a word used to make the preceding word function as a noun.

- **시작하다 (verb)** : 어떤 일이나 행동의 처음 단계를 이루거나 이루게 하다.
  start; begin; initiate
  To constitute or cause to constitute the initial phase of an affair or action.

- **-였-** : 사건이 과거에 일어났음을 나타내는 어미.
  -yeot-
  An ending of a word used to indicate that an event happened in the past.

- **-다** : 어떤 사건이나 사실, 상태를 서술함을 나타내는 종결 어미.
  -da
  A sentence-final ending used when describing a certain event, fact, state, etc.

깜짝 놀라+ㄴ 두 여자+는 공포+에 질리+어 가까스로 천천히 발걸음+을 내딛+[고 있]+었+다.
　　　놀란　　　　　　　　　질려

• **깜짝** (adverb) : 갑자기 놀라는 모양.
with a startle
In the manner of being surprised suddenly.

• **놀라다** (verb) : 뜻밖의 일을 당하거나 무서워서 순간적으로 긴장하거나 가슴이 뛰다.
be surprised; be astonished; be shocked; be scared
To become tense or feel one's heart pounding as one faces an unexpected incident or is scared.

• **-ㄴ** : 앞의 말이 관형어의 기능을 하게 만들고 사건이나 동작이 과거에 일어났음을 나타내는 어미.
-n
An ending of a word that makes the preceding statement function as an adnominal phrase and indicates an event or action having occurred in the past.

• **두** (determiner) : 둘의.
two
Two

• **여자** (noun) : 여성으로 태어난 사람.
woman
A person who was born a female.

• **는** : 문장 속에서 어떤 대상이 화제임을 나타내는 조사.
neun
A postpositional particle used to indicate that a certain subject is the topic of a sentence.

• **공포** (noun) : 두렵고 무서움.
fear
The state of being scared and afraid.

• **에** : 앞말이 어떤 일의 원인임을 나타내는 조사.
for; due to; because of
A postpositional particle to indicate that the preceding statement is the cause for something.

• **질리다** (verb) : 몹시 놀라거나 무서워서 얼굴빛이 변하다.
turn pale
For one's face to turn pale because one is very surprised or scared.

• **-어** : 앞에 오는 말이 뒤에 오는 말에 대한 원인이나 이유임을 나타내는 연결 어미.
-eo
A connective ending used when the preceding statement is the cause or reason for the following statement.

•**가까스로 (adverb)** : 매우 어렵게 힘을 들여.
with difficulty
With much effort.

•**천천히 (adverb)** : 움직임이나 태도가 느리게.
slowly
In the manner of moving or acting slowly.

•**발걸음 (noun)** : 발을 옮겨 걷는 동작.
gait
The act of moving one's foot from one spot to another.

•**을** : 동작이 직접적으로 영향을 미치는 대상을 나타내는 조사.
eul
A postpositional particle used to indicate the subject that an action has a direct influence on.

•**내딛다 (verb)** : 서 있다가 앞쪽으로 발을 옮기다.
step forward
To move one's foot forward from where one stood still.

•**-고 있다** : 앞의 말이 나타내는 행동이 계속 진행됨을 나타내는 표현.
-go itda
An expression used to state that the act mentioned in the preceding statement is continued.

•**-었-** : 사건이 과거에 일어났음을 나타내는 어미.
-eot-
An ending of a word used to indicate that an event happened in the past.

•**-다** : 어떤 사건이나 사실, 상태를 서술함을 나타내는 종결 어미.
-da
A sentence-final ending used when describing a certain event, fact, state, etc.

그때 눈앞+에 망치+를 들+고 정+으로 묘비+를 쪼+[고 있]+는 노인+의 모습+이 희미하+게 <u>보이</u>+었+다.
보였다

•**그때 (noun)** : 앞에서 이야기한 어떤 때.
that time; that moment; then
The previously-mentioned time.

•**눈앞 (noun)** : 눈에 바로 보이는 곳.
close place
A spot before one's eyes

• 에 : 앞말이 어떤 장소나 자리임을 나타내는 조사.
  on; in; at
  A postpositional particle to indicate that the preceding statement refers to a certain place or space.

• 망치 (noun) : 쇠뭉치에 손잡이를 달아 단단한 물건을 두드리거나 못을 박는 데 쓰는 연장.
  hammer
  A tool of iron with a handle attached, used to beat a hard object or drive a nail.

• 를 : 동작이 직접적으로 영향을 미치는 대상을 나타내는 조사.
  reul
  A postpositional particle used to indicate the subject that an action has a direct influence on.

• 들다 (verb) : 손에 가지다.
  hold; take; carry
  To have something in hand.

• -고 : 앞의 말이 나타내는 행동이나 그 결과가 뒤에 오는 행동이 일어나는 동안에 그대로 지속됨을 나타내는 연결 어미.
  -go
  A connective ending used when an action or result of the preceding statement remains the same while the following action happens.

• 정 (noun) : 돌에 구멍을 뚫거나 돌을 쪼아서 다듬는 데 쓰는 쇠로 만든 연장.
  chisel
  A metal tool used to make a hole in a stone or cut and shape a stone.

• 으로 : 어떤 일의 수단이나 도구를 나타내는 조사.
  euro
  A postpositional particle that indicates a tool or means for something.

• 묘비 (noun) : 죽은 사람의 이름, 출생일, 사망일, 행적, 신분 등을 새겨서 무덤 앞에 세우는 비석.
  tombstone
  A tombstone placed in front of a grave with the dead person's name, date of birth, date of death, achievements, position, etc.

• 를 : 동작이 직접적으로 영향을 미치는 대상을 나타내는 조사.
  reul
  A postpositional particle used to indicate the subject that an action has a direct influence on.

• 쪼다 (verb) : 뾰족한 끝으로 쳐서 찍다.
  peck
  To strike with a pointed end.

- -고 있다 : 앞의 말이 나타내는 행동이 계속 진행됨을 나타내는 표현.
  -go itda
  An expression used to state that the act mentioned in the preceding statement is continued.

- -는 : 앞의 말이 관형어의 기능을 하게 만들고 사건이나 동작이 현재 일어남을 나타내는 어미.
  -neun
  An ending of a word that makes the preceding statement function as an adnominal phrase and implies that an event or action is happening in the present.

- 노인 (noun) : 나이가 들어 늙은 사람.
  old person; the aged; senior citizen
  A person who is old.

- 의 : 앞의 말이 뒤의 말에 대하여 소유, 소속, 소재, 관계, 기원, 주체의 관계를 가짐을 나타내는 조사.
  ui
  A postpositional particle used to indicate that the referent of the following word is owned by, belongs to, is related to, originates from, or is the object of what the preceding word indicates.

- 모습 (noun) : 사람이나 사물의 생김새.
  appearance; look
  The appearance of a person or thing.

- 이 : 어떤 상태나 상황의 대상이나 동작의 주체를 나타내는 조사.
  i
  A postpositional particle referring to a subject under a certain state or situation, or the subject of an act.

- 희미하다 (adjective) : 분명하지 못하고 흐릿하다.
  dim; blurred
  Not being clear or vivid.

- -게 : 앞의 말이 뒤에서 가리키는 일의 목적이나 결과, 방식, 정도 등이 됨을 나타내는 연결 어미.
  -ge
  A connective ending used when the preceding statement is the purpose, result, method, amount, etc., of something mentioned in the following statement.

- 보이다 (verb) : 눈으로 대상의 존재나 겉모습을 알게 되다.
  be viewed; be visible; be in sight
  To come to know the presence or outward appearance of an object by looking at it.

- -었- : 사건이 과거에 일어났음을 나타내는 어미.
  -eot-
  An ending of a word used to indicate that an event happened in the past.

• -다 : 어떤 사건이나 사실, 상태를 서술함을 나타내는 종결 어미.

-da

A sentence-final ending used when describing a certain event, fact, state, etc.

순간 두 여자+는 안도+의 한숨+을 내쉬+며 말하+였+다.

말했다

• **순간 (noun)** : 어떤 일이 일어나거나 어떤 행동이 이루어지는 바로 그때.

instant

The exact time when something happens or an action is done.

• **두 (determiner)** : 둘의.

two

Two

• **여자 (noun)** : 여성으로 태어난 사람.

woman

A person who was born a female.

• 는 : 문장 속에서 어떤 대상이 화제임을 나타내는 조사.

neun

A postpositional particle used to indicate that a certain subject is the topic of a sentence.

• **안도 (noun)** : 어떤 일이 잘되어 마음을 놓음.

relief

The state of feeling relieved because something has turned out well.

• 의 : 앞의 말이 뒤의 말에 대하여 속성이나 수량을 한정하거나 같은 자격임을 나타내는 조사.

ui

A postpositional particle used to indicate that the referent of the preceding word limits the properties or amount of the referent of the following word or that two words are on an equal footing.

• **한숨 (noun)** : 걱정이 있을 때나 긴장했다가 마음을 놓을 때 길게 몰아서 내쉬는 숨.

sigh

A long breath that a person takes when he/she is relieved after feeling worried or nervous.

• 을 : 동작이 직접적으로 영향을 미치는 대상을 나타내는 조사.

eul

A postpositional particle used to indicate the subject that an action has a direct influence on.

• 내쉬다 (verb) : 숨을 몸 밖으로 내보내다.
  breathe out; exhale
  To breathe out.

• -며 : 두 가지 이상의 동작이나 상태가 함께 일어남을 나타내는 연결 어미.
  -myeo
  A connective ending used when more than two actions or states happen at the same time.

• 말하다 (verb) : 어떤 사실이나 자신의 생각 또는 느낌을 말로 나타내다.
  say; tell; speak; talk
  To verbally present a fact or one's thoughts or feelings.

• -였- : 사건이 과거에 일어났음을 나타내는 어미.
  -yeot-
  An ending of a word used to indicate that an event happened in the past.

• -다 : 어떤 사건이나 사실, 상태를 서술함을 나타내는 종결 어미.
  -da
  A sentence-final ending used when describing a certain event, fact, state, etc.

여자 1 : 할아버지, 귀신+이+[ㄴ 줄] 알+고 깜짝 놀라+았+잖아요.
              귀신인 줄   **놀랐잖아요**

• 할아버지 (noun) : (친근하게 이르는 말로) 늙은 남자를 이르거나 부르는 말.
  old man; elderly man
  (affectionate) A word used to refer to or address an old man.

• 귀신 (noun) : 사람이 죽은 뒤에 남는다고 하는 영혼.
  ghost; spirit
  A spirit said to be left behind after one's death.

• 이다 : 주어가 지시하는 대상의 속성이나 부류를 지정하는 뜻을 나타내는 서술격 조사.
  ida
  A predicate particle indicating the meaning of the attribute or category of the thing that the subject of the sentence refers to.

• -ㄴ 줄 : 어떤 사실이나 상태에 대해 알고 있거나 모르고 있음을 나타내는 표현.
  -n jul
  An expression used to indicate that one either knows or does not know a certain fact or state.

- 알다 (verb) : 교육이나 경험, 생각 등을 통해 사물이나 상황에 대한 정보 또는 지식을 갖추다.
  know; understand
  To have information or knowledge about an object or situation through education, experience, thoughts, etc.

- -고 : 앞의 말과 뒤의 말이 차례대로 일어남을 나타내는 연결 어미.
  -go
  A connective ending used when the preceding statement and the following statement happen in order.

- 깜짝 (adverb) : 갑자기 놀라는 모양.
  with a startle
  In the manner of being surprised suddenly.

- 놀라다 (verb) : 뜻밖의 일을 당하거나 무서워서 순간적으로 긴장하거나 가슴이 뛰다.
  be surprised; be astonished; be shocked; be scared
  To become tense or feel one's heart pounding as one faces an unexpected incident or is scared.

- -았- : 어떤 사건이 과거에 완료되었거나 그 사건의 결과가 현재까지 지속되는 상황을 나타내는 어미.
  -at-
  An ending of a word used to indicate that an event was completed in the past or its result continues in the present.

- -잖아요 : (두루높임으로) 어떤 상황에 대해 말하는 사람이 상대방에게 확인하거나 정정해 주듯이 말함을 나타내는 표현.
  -janayo
  (informal addressee-raising) An expression used to check with or correct the listener on something about a certain situation.

여자 1 : 그런데 이 늦+은 시간+에 여기+서 뭐 하+[고 계시]+어요?
                                        하고 계세요

- 그런데 (adverb) : 이야기를 앞의 내용과 관련시키면서 다른 방향으로 바꿀 때 쓰는 말.
  by the way
  A word used to change the direction of a story while relating it to the preceding statement.

- 이 (determiner) : 말하는 사람에게 가까이 있거나 말하는 사람이 생각하고 있는 대상을 가리킬 때 쓰는 말.
  this
  The word that is used to refer to a person who is close to the speaker or something that the speaker is thinking of.

- 늦다 (adjective) : 적당한 때를 지나 있다. 또는 시기가 한창인 때를 지나 있다.

  late; later

  Being past the right time, or being past the peak of something.

- -은 : 앞의 말이 관형어의 기능을 하게 만들고 현재의 상태를 나타내는 어미.

  -eun

  An ending of a word that makes the preceding word function as an adnominal phrase and refers to the present state.

- 시간 (noun) : 어떤 일을 하도록 정해신 때. 또는 하부 숭의 어느 한 때.

  time

  A time when one is supposed to do something, or a particular time of day.

- 에 : 앞말이 시간이나 때임을 나타내는 조사.

  in; at

  A postpositional particle to indicate that the preceding statement refers to the time.

- 여기 (pronoun) : 말하는 사람에게 가까운 곳을 가리키는 말.

  here; this

  A pronoun used to indicate a place close to the speaker.

- 서 : 앞말이 행동이 이루어지고 있는 장소임을 나타내는 조사.

  seo

  A postpositional particle used to indicate that the preceding word refers to a place where a certain act is being done.

- 뭐 (pronoun) : 모르는 사실이나 사물을 가리키는 말.

  what

  A pronoun used to refer to a fact or object that one does not know of.

- 하다 (verb) : 어떤 행동이나 동작, 활동 등을 행하다.

  do; perform

  To perform a certain move, action, activity, etc.

- -고 계시다 : (높임말로) 앞의 말이 나타내는 행동이 계속 진행됨을 나타내는 표현.

  -go gyesida

  (honorific) An expression used to indicate that the act mentioned in the preceding statement continues to occur.

- -어요 : (두루높임으로) 어떤 사실을 서술하거나 질문, 명령, 권유함을 나타내는 종결 어미.

  -eoyo

  (informal addressee-raising) A sentence-final ending used to describe a certain fact, ask a question, give an order, or advise.

여자 2 : 내일 밝+[을 때] <u>하+시</u>+[<u>는 것(거)]+이</u> 좋+[을 것 같]+아요.
<u>하시는 게</u>

- **내일 (adverb)** : 오늘의 다음 날에.
  tomorrow
  On the day after today.

- **밝다 (adjective)** : 빛을 많이 받아 어떤 장소가 환하다.
  bright
  A place being light as a result of getting a lot of sun.

- **-을 때** : 어떤 행동이나 상황이 일어나는 동안이나 그 시기 또는 그러한 일이 일어난 경우를 나타내는 표현.
  -eul ttae
  An expression used to indicate the duration, period, or occasion of a certain act or situation.

- **하다 (verb)** : 어떤 행동이나 동작, 활동 등을 행하다.
  do; perform
  To perform a certain move, action, activity, etc.

- **-시-** : 어떤 동작이나 상태의 주체를 높이는 뜻을 나타내는 어미.
  -si-
  An ending of a word used for the subject honorifics of an action or state.

- **-는 것** : 명사가 아닌 것을 문장에서 명사처럼 쓰이게 하거나 '이다' 앞에 쓰일 수 있게 할 때 쓰는 표현.
  -neun geot
  An expression used to enable a non-noun word to be used as a noun in a sentence or to be used in front of '이다' (be).

- **이** : 어떤 상태나 상황의 대상이나 동작의 주체를 나타내는 조사.
  i
  A postpositional particle referring to a subject under a certain state or situation, or the subject of an act.

- **좋다 (adjective)** : 어떤 일을 하기가 쉽거나 편하다.
  good; easy; convenient
  Easy or convenient to do something.

- **-을 것 같다** : 추측을 나타내는 표현.
  -eul geot gatda
  An expression used to indicate that the statement is a guess.

• -아요 : (두루높임으로) 어떤 사실을 서술하거나 질문, 명령, 권유함을 나타내는 종결 어미.

-ayo

(informal addressee-raising) A sentence-final ending used to describe a certain fact, ask a question, give an order, or advise.

여자 2 : 지금+은 어둡(어두우)+어서 위험하+세요.
　　　　　 어두워서

• 지금 (noun) : 말을 하고 있는 바로 이때.

now

The present moment as one speaks.

• 은 : 문장 속에서 어떤 대상이 화제임을 나타내는 조사.

eun

A postpositional particle used to indicate that a certain subject is the topic of a sentence.

• 어둡다 (adjective) : 빛이 없거나 약해서 밝지 않다.

dark; dim

Not bright due to the lack of light.

• -어서 : 이유나 근거를 나타내는 연결 어미.

-eoseo

A connective ending used for a reason or cause.

• 위험하다 (adjective) : 해를 입거나 다칠 가능성이 있어 안전하지 못하다.

dangerous; risky

Not safe due to the possibility of being harmed or injured.

• -세요 : (두루높임으로) 설명, 의문, 명령, 요청의 뜻을 나타내는 종결 어미.

-seyo

(informal addressee-raising) A sentence-final ending used to describe, ask a question, order, and request.

할아버지 : 음, 오늘 안+에 빨리 끝내+[(어)야 되]+어.
　　　　　　 끝내야 돼

• 음 (interjection) : 마음에 들지 않거나 걱정스러울 때 하는 소리.

hm; mmm

An exclamation uttered when the speaker does not like something or feels anxious about it.

- **오늘** (noun) : 지금 지나가고 있는 이날.

  today

  The day that is passing at the present time.

- **안** (noun) : 일정한 기준이나 한계를 넘지 않은 정도.

  within; inside

  A degree that does not exceed a certain standard or limit.

- 에 : 앞말이 시간이나 때임을 나타내는 조사.

  in; at

  A postpositional particle to indicate that the preceding statement refers to the time.

- **빨리** (adverb) : 걸리는 시간이 짧게.

  quickly

  In a short duration of time.

- **끝내다** (verb) : 일을 마지막까지 이루다.

  complete; finish

  To complete something until the end.

- **-어야 되다** : 반드시 그럴 필요나 의무가 있음을 나타내는 표현.

  -eoya doeda

  An expression used to indicate that one needs or is obligated to do a certain thing.

- **-어** : (두루낮춤으로) 어떤 사실을 서술하거나 물음, 명령, 권유를 나타내는 종결 어미.

  -eo

  (informal addressee-lowering) A sentence-final ending used to describe a certain fact, ask a question, give an order, or advise.

여자 1 : 그런데 묘비+에 무슨 문제+라도 있+나요?

- **그런데** (adverb) : 이야기를 앞의 내용과 관련시키면서 다른 방향으로 바꿀 때 쓰는 말.

  by the way

  A word used to change the direction of a story while relating it to the preceding statement.

- **묘비** (noun) : 죽은 사람의 이름, 출생일, 사망일, 행적, 신분 등을 새겨서 무덤 앞에 세우는 비석.

  tombstone

  A tombstone placed in front of a grave with the dead person's name, date of birth, date of death, achievements, position, etc.

• 에 : 앞말이 어떤 장소나 자리임을 나타내는 조사.

on; in; at

A postpositional particle to indicate that the preceding statement refers to a certain place or space.

• 무슨 (determiner) : 확실하지 않거나 잘 모르는 일, 대상, 물건 등을 물을 때 쓰는 말.

what

An expression used to ask about a business, subject or object that one is not sure of or does not exactly know.

• 문제 (noun) : 난처하거나 해결하기 어려운 일.

problem; issue

A difficult matter that is awkward or difficult to solve.

• 라도 : 불확실한 사실에 대한 말하는 이의 의심이나 의문을 나타내는 조사.

rado

A postpositional word that indicates the speaker's doubt or question about an unclear fact.

• 있다 (adjective) : 어떤 사람에게 무슨 일이 생긴 상태이다.

no equivalent expression

Something happening to someone.

• -나요 : (두루높임으로) 앞의 내용에 대해 상대방에게 물어볼 때 쓰는 표현.

-nayo

(informal addressee-raising) An expression used to ask the listener about the preceding content.

할아버지 : 글쎄, 어떤 <u>멍청하+ㄴ</u> 녀석+들+이 묘비+에 <u>나+의</u> 이름+을 잘못
　　　　　　　　멍청한　　　　　　　　　　　　**내**

　　　<u>쓰(ㅆ)+[어 놓]+았+잖아</u>.
　　　써 났잖아

• 글쎄 (interjection) : 말하는 이가 자신의 뜻이나 주장을 다시 강조하거나 고집할 때 쓰는 말.

you see; see

An exclamation used when the speaker emphasizes or persists with his/her idea or opinion.

• 어떤 (determiner) : 굳이 말할 필요가 없는 대상을 뚜렷하게 밝히지 않고 나타낼 때 쓰는 말.

certain; some

A word used to indirectly refer to a subject which does not need to be mentioned.

• **멍청하다 (adjective)** : 일을 제대로 판단하지 못할 정도로 어리석다.

stupid; foolish

So unintelligent as to be incapable of making sound judgements.

• **-ㄴ** : 앞의 말이 관형어의 기능을 하게 만들고 현재의 상태를 나타내는 어미.

-n

An ending of a word that makes the preceding word function as an adnominal phrase and refers to the present state.

• **녀석 (noun)** : (낮추는 말로) 남자.

nyeoseok

(impolite form) A bound noun used to refer to a man.

• **들** : '복수'의 뜻을 더하는 접미사.

-deul

A suffix used to mean plural.

• **이** : 어떤 상태나 상황의 대상이나 동작의 주체를 나타내는 조사.

i

A postpositional particle referring to a subject under a certain state or situation, or the subject of an act.

• **묘비 (noun)** : 죽은 사람의 이름, 출생일, 사망일, 행적, 신분 등을 새겨서 무덤 앞에 세우는 비석.

tombstone

A tombstone placed in front of a grave with the dead person's name, date of birth, date of death, achievements, position, etc.

• **에** : 앞말이 어떤 장소나 자리임을 나타내는 조사.

on; in; at

A postpositional particle to indicate that the preceding statement refers to a certain place or space.

• **나 (pronoun)** : 말하는 사람이 친구나 아랫사람에게 자기를 가리키는 말.

I

A pronoun used to indicate oneself to a friend or a younger person.

• **의** : 앞의 말이 뒤의 말에 대하여 소유, 소속, 소재, 관계, 기원, 주체의 관계를 가짐을 나타내는 조사.

ui

A postpositional particle used to indicate that the referent of the following word is owned by, belongs to, is related to, originates from, or is the object of what the preceding word indicates.

• **이름 (noun)** : 사람의 성과 그 뒤에 붙는 그 사람만을 부르는 말.
name; full name
The combination of the family and given names that is used to refer to or address a specific person.

• **을** : 동작이 직접적으로 영향을 미치는 대상을 나타내는 조사.
eul
A postpositional particle used to indicate the subject that an action has a direct influence on.

• **잘못 (adverb)** : 바르지 않게 또는 틀리게.
wrongly; incorrectly
In a way that is wrong or not right.

• **쓰다 (verb)** : 연필이나 펜 등의 필기도구로 종이 등에 획을 그어서 일정한 글자를 적다.
write
To write some letters by drawing strokes on paper with a writing instrument such as a pencil, pen, etc.

• **-어 놓다** : 앞의 말이 나타내는 행동을 끝내고 그 결과를 유지함을 나타내는 표현.
-eo nota
An expression used to indicate that a certain act mentioned in the preceding statement is completed and its result remains.

• **-았-** : 어떤 사건이 과거에 완료되었거나 그 사건의 결과가 현재까지 지속되는 상황을 나타내는 어미.
-at-
An ending of a word used to indicate that an event was completed in the past or its result continues in the present.

• **-잖아** : (두루낮춤으로) 어떤 상황에 대해 말하는 사람이 상대방에게 확인하거나 정정해 주듯이 말함을 나타내는 표현.
-jana
(informal addressee-lowering) An expression used to check with or correct the listener on something about a certain situation.

< 13 단원(chapter) >

제목 : 엄마는 왜 흰머리가 있어?

● 본문 (main text)

어느 날 설거지를 하고 있는 엄마에게 어린 딸이 머리를 갸우뚱거리며 질문을 했다.

딸 : 엄마 머리 앞쪽에 하얀색 머리카락이 있어.

엄마 : 이제 엄마도 흰머리가 점점 많이 생기네.

딸 : 나는 흰머리가 없는데 엄마는 왜 흰머리가 있어?

　　흰머리가 왜 생기는지 궁금해.

엄마 : 우리 딸이 엄마 말을 안 들어서 엄마가 속이 상하거나 슬퍼지면 흰머리가

　　　한 개씩 생기더라고.

　　　그러니까 앞으로 엄마가 하는 말 잘 들어야 돼.

딸은 잠시 동안 생각을 하다가 엄마에게 다시 물었다.

딸 : 엄마, 외할머니 머리는 전부 하얀색인데?

● 발음 (pronunciation)

어느 날 설거지를 하고 있는 엄마에게 어린 딸이 머리를 갸우뚱거리며 질문을 했다.
어느 날 설거지를 하고 인는 엄마에게 어린 따리 머리를 갸우뚱거리며 질무늘 핻따.
eoneu nal seolgeojireul hago inneun eommaege eorin ttari meorireul gyauttunggeorimyeo
jilmuneul haetda.

딸 : 엄마 머리 앞쪽에 하얀색 머리카락이 있어.
딸 : 엄마 머리 압쪼게 하얀색 머리카라기 이써.
ttal : eomma meori apjjoge hayansaek meorikaragi isseo.

엄마 : 이제 엄마도 흰머리가 점점 많이 생기네.
엄마 : 이제 엄마도 힌머리가 점점 마니 생기네.
eomma : ije eommado hinmeoriga jeomjeom mani saenggine.

딸 : 나는 흰머리가 없는데 엄마는 왜 흰머리가 있어?
딸 : 나는 힌머리가 엄는데 엄마는 왜 힌머리가 이써?
ttal : naneun hinmeoriga eomneunde eommaneun wae hinmeoriga isseo?

흰머리가 왜 생기는지 궁금해.
힌머리가 왜 생기는지 궁금해.
hinmeoriga wae saenggineunji gunggeumhae.

엄마 : 우리 딸이 엄마 말을 안 들어서 엄마가 속이 상하거나 슬퍼지면 흰머리가
엄마 : 우리 따리 엄마 마를 안 드러서 엄마가 소기 상하거나 슬퍼지면 힌머리가
eomma : uri ttari eomma mareul an deureoseo eommaga sogi sanghageona
　　　　　 seulpeojimyeon hinmeoriga

한 개씩 생기더라고.
한 개씩 생기더라고.
han gaessik saenggideorago.

그러니까 앞으로 엄마가 하는 말 잘 들어야 돼.
그러니까 아프로 엄마가 하는 말 잘 드러야 돼.
geureonikka apeuro eommaga haneun mal jal deureoya dwae.

딸은 잠시 동안 생각을 하다가 엄마에게 다시 물었다.
따른 잠시 동안 생가글 하다가 엄마에게 다시 무럳따.
ttareun jamsi dongan saenggageul hadaga eommaege dasi mureotda.

딸 : 엄마, 외할머니 머리는 전부 하얀색인데?
딸 : 엄마, 외할머니 머리는 전부 하얀새긴데?
ttal : eomma, oehalmeoni meorineun jeonbu hayansaeginde?

● 어휘 (vocabulary) / 문법 (grammar)

어느 날 설거지+를 하+고 있+는 엄마+에게 어리+ㄴ 딸+이 머리+를 갸우뚱거리+며 질문+을 하+였+다.

딸 : 엄마 머리 앞쪽+에 하얀색 머리카락+이 있+어.

엄마 : 이제 엄마+도 흰머리+가 점점 많이 생기+네.

딸 : 나+는 흰머리+가 없+는데 엄마+는 왜 흰머리+가 있+어?

　　흰머리+가 왜 생기+는지 궁금하+여.

엄마 : 우리 딸+이 엄마 말+을 안 들+어서 엄마+가 속+이 상하+거나 슬프(슬ㅍ)+어지+면

　　흰머리+가 한 개+씩 생기+더라고.

　　그러니까 앞+으로 엄마+가 하+는 말 잘 들+어야 되+어.

딸+은 잠시 동안 생각+을 하+다가 엄마+에게 다시 묻(물)+었+다.

딸 : 엄마, 외할머니 머리+는 전부 하얀색+이+ㄴ데?

어느 날 설거지+를 하+[고 있]+는 엄마+에게 <u>어리+ㄴ</u> 딸+이 머리+를 갸우뚱거리+며 질문+을 <u>하+였+다</u>.
어린   했다

- **어느 (determiner)** : 확실하지 않거나 분명하게 말할 필요가 없는 사물, 사람, 때, 곳 등을 가리키는 말.
certain
Meaning a thing, person, time, place, etc., that is not certain or does not need to be specified.

- **날 (noun)** : 밤 열두 시에서 다음 밤 열두 시까지의 이십사 시간 동안.
day
The period of twenty-four hours, from midnight to the midnight the next day.

- **설거지 (noun)** : 음식을 먹고 난 뒤에 그릇을 씻어서 정리하는 일.
dishwashing; doing the dishes
The act of washing and putting away the dishes after eating.

- **를** : 동작이 직접적으로 영향을 미치는 대상을 나타내는 조사.
reul
A postpositional particle used to indicate the subject that an act has a direct influence on.

- **하다 (verb)** : 어떤 행동이나 동작, 활동 등을 행하다.
do; perform
To perform a certain move, action, activity, etc.

- **-고 있다** : 앞의 말이 나타내는 행동이 계속 진행됨을 나타내는 표현.
-go itda
An expression used to state that the act mentioned in the preceding statement is continued.

- **-는** : 앞의 말이 관형어의 기능을 하게 만들고 사건이나 동작이 현재 일어남을 나타내는 어미.
-neun
An ending of a word that makes the preceding statement function as an adnominal phrase and implies that an event or action is happening in the present.

- **엄마 (noun)** : 격식을 갖추지 않아도 되는 상황에서 어머니를 이르거나 부르는 말.
mom
A word used to refer to or address one's mother in an informal situation.

- **에게** : 어떤 행동이 미치는 대상임을 나타내는 조사.
ege
A postpositional particle referring to the subject that is influenced by a certain action.

- **어리다 (adjective)** : 나이가 적다.
young
Low in age.

• -ㄴ : 앞의 말이 관형어의 기능을 하게 만들고 현재의 상태를 나타내는 어미.

-n

An ending of a word that makes the preceding statement function as an adnominal phrase and refers to the present state.

• **딸 (noun)** : 부모가 낳은 아이 중 여자. 여자인 자식.

daughter

A female child in relation to her parents.

• 이 : 어떤 상태나 상황의 대상이나 동작의 주체를 나타내는 조사.

i

A postpositional particle referring to a subject under a certain state or situation, or the agent of an action.

• **머리 (noun)** : 사람이나 동물의 몸에서 얼굴과 머리털이 있는 부분을 모두 포함한 목 위의 부분.

head

A part of the human or animal body above the neck that includes the face and hair.

• 를 : 동작이 직접적으로 영향을 미치는 대상을 나타내는 조사.

reul

A postpositional particle used to indicate the subject that an act has a direct influence on.

• **갸우뚱거리다 (verb)** : 물체가 자꾸 이쪽저쪽으로 기울어지며 흔들리다. 또는 그렇게 하다.

slant; move slantwise repeatedly

For an object to swing, being slanted one way or another; or to make it move in such a manner.

• -며 : 두 가지 이상의 동작이나 상태가 함께 일어남을 나타내는 연결 어미.

-myeo

A connective ending used when more than two actions or states happen at the same time.

• **질문 (noun)** : 모르는 것이나 알고 싶은 것을 물음.

question

An act of asking something one does not know or wants to know.

• 을 : 동작이 직접적으로 영향을 미치는 대상을 나타내는 조사.

eul

A postpositional particle used to indicate the subject that an act has a direct influence on.

• **하다 (verb)** : 어떤 행동이나 동작, 활동 등을 행하다.

do; perform

To perform a certain move, action, activity, etc.

- -였- : 사건이 과거에 일어났음을 나타내는 어미.
  -yeot-
  An ending of a word used to indicate that an event happened in the past.

- -다 : 어떤 사건이나 사실, 상태를 서술함을 나타내는 종결 어미.
  -da
  A sentence-final ending used when describing a certain event, fact, state, etc.

딸 : 엄마 머리 앞쪽+에 하얀색 머리카락+이 있+어.

- 엄마 (noun) : 격식을 갖추지 않아도 되는 상황에서 어머니를 이르거나 부르는 말.
  mom
  A word used to refer to or address one's mother in an informal situation.

- 머리 (noun) : 사람이나 동물의 몸에서 얼굴과 머리털이 있는 부분을 모두 포함한 목 위의 부분.
  head
  A part of the human or animal body above the neck that includes the face and hair.

- 앞쪽 (noun) : 앞을 향한 방향.
  front; forward
  A direction toward the front.

- 에 : 앞말이 어떤 장소나 자리임을 나타내는 조사.
  on; in; at
  A postpositional particle to indicate that the preceding statement refers to a certain place or space.

- 하얀색 (noun) : 눈이나 우유의 빛깔과 같이 밝고 선명한 흰색.
  white
  A clearly bright and white color like that of snow or milk.

- 머리카락 (noun) : 머리털 하나하나.
  hair
  Each and every hair.

- 이 : 어떤 상태나 상황의 대상이나 동작의 주체를 나타내는 조사.
  i
  A postpositional particle referring to a subject under a certain state or situation, or the agent of an action.

- 있다 (adjective) : 무엇이 어떤 곳에 자리나 공간을 차지하고 존재하는 상태이다.
  no equivalent expression
  Something occupying a certain place or space and existing there.

- -어 : (두루낮춤으로) 어떤 사실을 서술하거나 물음, 명령, 권유를 나타내는 종결 어미.

  -eo

  (informal addressee-lowering) A sentence-final ending used to describe a certain fact, ask a question, give an order, or advise.

엄마 : 이제 엄마+도 흰머리+가 점점 많이 생기+네.

- **이제 (adverb)** : 지금의 시기가 되어.

  now

  Reaching this time.

- **엄마 (noun)** : 격식을 갖추지 않아도 되는 상황에서 어머니를 이르거나 부르는 말.

  mom

  A word used to refer to or address one's mother in an informal situation.

- **도** : 이미 있는 어떤 것에 다른 것을 더하거나 포함함을 나타내는 조사.

  do

  A postpositional particle used to indicate an addition or inclusion of another thing to something that already exists.

- **흰머리 (noun)** : 하얗게 된 머리카락.

  gray hair

  Hair that has turned gray.

- **가** : 어떤 상태나 상황에 놓인 대상이나 동작의 주체를 나타내는 조사.

  ga

  A postpositional particle referring to a subject under a certain state or situation, or the agent of an action.

- **점점 (adverb)** : 시간이 지남에 따라 정도가 조금씩 더.

  gradually

  Little by little as times goes by.

- **많이 (adverb)** : 수나 양, 정도 등이 일정한 기준보다 넘게.

  much; in large numbers; in large amounts

  In a state in which a number, amount, degree, etc., are larger than a certain standard.

- **생기다 (verb)** : 없던 것이 새로 있게 되다.

  be formed; come into being

  For something that did not exist to come into existence.

• -네 : (아주낮춤으로) 지금 깨달은 일에 대하여 말함을 나타내는 종결 어미.

  -ne

(formal, highly addressee-lowering) A sentence-final ending used when talking about something that one just learned.

> **딸** : 나+는 흰머리+가 없+는데 엄마+는 왜 흰머리+가 있+어?

• 나 (pronoun) : 말하는 사람이 친구나 아랫사람에게 자기를 가리키는 말.

  I

A pronoun used to indicate oneself to a friend or a younger person.

• 는 : 어떤 대상이 다른 것과 대조됨을 나타내는 조사.

  neun

A postpositional particle used to indicate that a certain subject contrasts with something else.

• 흰머리 (noun) : 하얗게 된 머리카락.

  gray hair

Hair that has turned gray.

• 가 : 어떤 상태나 상황에 놓인 대상이나 동작의 주체를 나타내는 조사.

  ga

A postpositional particle referring to a subject under a certain state or situation, or the agent of an action.

• 없다 (adjective) : 사람, 사물, 현상 등이 어떤 곳에 자리나 공간을 차지하고 존재하지 않는 상태이다.

  being not

(for a person, thing, phenomenon, etc. to be) Not occupying a spot or space at a certain location.

• -는데 : 뒤의 말을 하기 위하여 그 대상과 관련이 있는 상황을 미리 말함을 나타내는 연결 어미.

  -neunde

A connective ending used to talk in advance about a situation to follow.

• 엄마 (noun) : 격식을 갖추지 않아도 되는 상황에서 어머니를 이르거나 부르는 말.

  mom

A word used to refer to or address one's mother in an informal situation.

• 는 : 어떤 대상이 다른 것과 대조됨을 나타내는 조사.

  neun

A postpositional particle used to indicate that a certain subject contrasts with something else.

- **왜 (adverb)** : 무슨 이유로. 또는 어째서.
  why
  For what reason; how come.

- **흰머리 (noun)** : 하얗게 된 머리카락.
  gray hair
  Hair that has turned gray.

- **가** : 어떤 상태나 상황에 놓인 대상이나 동작의 주체를 나타내는 조사.
  ga
  A postpositional particle referring to a subject under a certain state or situation, or the agent of an action.

- **있다 (adjective)** : 무엇이 어떤 곳에 자리나 공간을 차지하고 존재하는 상태이다.
  no equivalent expression
  Something occupying a certain place or space and existing there.

- **-어** : (두루낮춤으로) 어떤 사실을 서술하거나 물음, 명령, 권유를 나타내는 종결 어미.
  -eo
  (informal addressee-lowering) A sentence-final ending used to describe a certain fact, ask a question, give an order, or advise.

딸 : 흰머리+가 왜 생기+는지 <u>궁금하+여</u>.
궁금해

- **흰머리 (noun)** : 하얗게 된 머리카락.
  gray hair
  Hair that has turned gray.

- **가** : 어떤 상태나 상황에 놓인 대상이나 동작의 주체를 나타내는 조사.
  ga
  A postpositional particle referring to a subject under a certain state or situation, or the agent of an action.

- **왜 (adverb)** : 무슨 이유로. 또는 어째서.
  why
  For what reason; how come.

- **생기다 (verb)** : 없던 것이 새로 있게 되다.
  be formed; come into being
  For something that did not exist to come into existence.

- -는지 : 뒤에 오는 말의 내용에 대한 막연한 이유나 판단을 나타내는 연결 어미.
  -neunji
  A connective ending used to indicate an ambiguous reason or judgment about the following statement.

- 궁금하다 (adjective) : 무엇이 무척 알고 싶다.
  curious
  Having a strong desire to know about something.

- -여 : (두루낮춤으로) 어떤 사실을 서술하거나 불음, 명령, 권유를 나타내는 종결 어미.
  -yeo
  (informal addressee-lowering) A sentence-final ending used to describe a certain fact, ask a question, give an order, or advise.

엄마 : 우리 딸+이 엄마 말+을 안 듣(들)+어서 엄마+가 속+이 상하+거나
들어서

슬프(슬ㅍ)+어지+면 흰머리+가 한 개+씩 생기+더라고.
슬퍼지면

- 우리 (pronoun) : 말하는 사람이 자기보다 높지 않은 사람에게 자기와 관련된 것을 친근하게 나타낼 때 쓰는 말.
  uri
  we: A pronoun used when the speaker intimately refers to something related to him/her while speaking to the person junior to himself/herself.

- 딸 (noun) : 부모가 낳은 아이 중 여자. 여자인 자식.
  daughter
  A female child in relation to her parents.

- 이 : 어떤 상태나 상황의 대상이나 동작의 주체를 나타내는 조사.
  i
  A postpositional particle referring to a subject under a certain state or situation, or the agent of an action.

- 엄마 (noun) : 격식을 갖추지 않아도 되는 상황에서 어머니를 이르거나 부르는 말.
  mom
  A word used to refer to or address one's mother in an informal situation.

- 말 (noun) : 생각이나 느낌을 표현하고 전달하는 사람의 소리.
  speech; words
  Human voice through which thoughts or feelings are expressed and conveyed.

• 을 : 동작이 직접적으로 영향을 미치는 대상을 나타내는 조사.
eul
A postpositional particle used to indicate the subject that an act has a direct influence on.

• 안 (adverb) : 부정이나 반대의 뜻을 나타내는 말.
not
An adverb that has the meaning of negation or opposite.

• 듣다 (verb) : 다른 사람이 말하는 대로 따르다.
follow; obey; heed
To follow what others say.

• -어서 : 이유나 근거를 나타내는 연결 어미.
-eoseo
A connective ending used for a reason or cause.

• 엄마 (noun) : 격식을 갖추지 않아도 되는 상황에서 어머니를 이르거나 부르는 말.
mom
A word used to refer to or address one's mother in an informal situation.

• 가 : 어떤 상태나 상황에 놓인 대상이나 동작의 주체를 나타내는 조사.
ga
A postpositional particle referring to a subject under a certain state or situation, or the agent of an action.

• 속 (noun) : 품고 있는 마음이나 생각.
inside
A mind or thought that one carries.

• 이 : 어떤 상태나 상황의 대상이나 동작의 주체를 나타내는 조사.
i
A postpositional particle referring to a subject under a certain state or situation, or the agent of an action.

• 상하다 (verb) : 싫은 일을 당하여 기분이 안 좋아지거나 마음이 불편해지다.
be hurt; be injured
To feel bad or uncomfortable because one has experienced something unpleasant.

• -거나 : 앞에 오는 말과 뒤에 오는 말 중에서 하나가 선택될 수 있음을 나타내는 연결 어미.
-geona
A connective ending used when one of either the preceding statement or the following statement can be chosen.

• **슬프다 (adjective)** : 눈물이 날 만큼 마음이 아프고 괴롭다.
  sad
  Sad and sorrowful enough to make one cry.

• **-어지다** : 앞에 오는 말이 나타내는 대로 행동하게 되거나 그 상태로 됨을 나타내는 표현.
  -eojida
  An expression used to indicate that one does the act or becomes the state mentioned in the preceding statement.

• **-면** : 뒤에 오는 말에 대한 근거나 소선이 됨을 나타내는 연결 어미.
  -myeon
  A connective ending used when the preceding statement becomes the reason or condition of the following statement.

• **흰머리 (noun)** : 하얗게 된 머리카락.
  gray hair
  Hair that has turned gray.

• **가** : 어떤 상태나 상황에 놓인 대상이나 동작의 주체를 나타내는 조사.
  ga
  A postpositional particle referring to a subject under a certain state or situation, or the agent of an action.

• **한 (determiner)** : 하나의.
  one
  One.

• **개 (noun)** : 낱으로 떨어진 물건을 세는 단위.
  gae
  A bound noun that serves as a unit for counting the number of objects that are available as a single piece.

• **씩** : '그 수량이나 크기로 나뉨'의 뜻을 더하는 접미사.
  -ssik
  A suffix used to mean being divided by that number or size.

• **생기다 (verb)** : 없던 것이 새로 있게 되다.
  be formed; come into being
  For something that did not exist to come into existence.

• **-더라고** : (두루낮춤으로) 과거에 경험하여 새로 알게 된 사실에 대해 지금 상대방에게 옮겨 전할 때 쓰는 표현.
  -deorago
  (informal addressee-lowering) An expression used to refer to and convey in the present a fact the speaker learned through a past experience to the listener.

엄마 : 그러니까 앞+으로 엄마+가 하+는 말 잘 <u>듣(들)+[어야 되]+</u>어.
들어야 돼

- **그러니까 (adverb)** : 그런 이유로. 또는 그런 까닭에.
  so
  For that reason, or therefore.

- **앞 (noun)** : 다가올 시간.
  future
  A time to come.

- **으로** : 시간을 나타내는 조사.
  euro
  A postpositional particle that indicates time.

- **엄마 (noun)** : 격식을 갖추지 않아도 되는 상황에서 어머니를 이르거나 부르는 말.
  mom
  A word used to refer to or address one's mother in an informal situation.

- **가** : 어떤 상태나 상황에 놓인 대상이나 동작의 주체를 나타내는 조사.
  ga
  A postpositional particle referring to a subject under a certain state or situation, or the agent of an action.

- **하다 (verb)** : 어떤 행동이나 동작, 활동 등을 행하다.
  do; perform
  To perform a certain move, action, activity, etc.

- **-는** : 앞의 말이 관형어의 기능을 하게 만들고 사건이나 동작이 현재 일어남을 나타내는 어미.
  -neun
  An ending of a word that makes the preceding statement function as an adnominal phrase and implies that an event or action is happening in the present.

- **말 (noun)** : 생각이나 느낌을 표현하고 전달하는 사람의 소리.
  speech; words
  Human voice through which thoughts or feelings are expressed and conveyed.

- **잘 (adverb)** : 관심을 집중해서 주의 깊게.
  carefully
  With concentration and care.

• 듣다 (verb) : 다른 사람이 말하는 대로 따르다.
  follow; obey; heed
  To follow what others say.

• -어야 되다 : 반드시 그럴 필요나 의무가 있음을 나타내는 표현.
  -eoya doeda
  An expression used to indicate that one needs or is obligated to do a certain thing.

• -어 : (두루낮춤으로) 어떤 사실을 서술하거나 물음, 명령, 권유를 나타내는 종결 어미.
  -eo
  (informal addressee-lowering) A sentence-final ending used to describe a certain fact, ask a question, give an order, or advise.

딸+은 잠시 동안 생각+을 하+다가 엄마+에게 다시 <u>묻(물)+었+다</u>.
물었다

• 딸 (noun) : 부모가 낳은 아이 중 여자. 여자인 자식.
  daughter
  A female child in relation to her parents.

• 은 : 문장 속에서 어떤 대상이 화제임을 나타내는 조사.
  eun
  A postpositional particle used to indicate that a certain subject is the topic of a sentence.

• 잠시 (noun) : 잠깐 동안.
  moment; short while
  A short time.

• 동안 (noun) : 한때에서 다른 때까지의 시간의 길이.
  while
  The period from one time to another.

• 생각 (noun) : 사람이 머리를 써서 판단하거나 인식하는 것.
  thought
  The act of a human being using his/her brains to judge or perceive something.

• 을 : 동작이 직접적으로 영향을 미치는 대상을 나타내는 조사.
  eul
  A postpositional particle used to indicate the subject that an act has a direct influence on.

• 하다 (verb) : 어떤 행동이나 동작, 활동 등을 행하다.
  do; perform
  To perform a certain move, action, activity, etc.

- -다가 : 어떤 행동이나 상태 등이 중단되고 다른 행동이나 상태로 바뀜을 나타내는 연결 어미.
  -daga
  A connective ending used when an action or state, etc., is stopped and changed to another action or state.

- 엄마 (noun) : 격식을 갖추지 않아도 되는 상황에서 어머니를 이르거나 부르는 말.
  mom
  A word used to refer to or address one's mother in an informal situation.

- 에게 : 어떤 행동이 미치는 대상임을 나타내는 조사.
  ege
  A postpositional particle referring to the subject that is influenced by a certain action.

- 다시 (adverb) : 같은 말이나 행동을 반복해서 또.
  again
  Repeatedly with the same words or behavior.

- 묻다 (verb) : 대답이나 설명을 요구하며 말하다.
  ask; inquire; interrogate
  To say something, demanding an answer or explanation.

- -었- : 사건이 과거에 일어났음을 나타내는 어미.
  -eot-
  An ending of a word used to indicate that an event happened in the past.

- -다 : 어떤 사건이나 사실, 상태를 서술함을 나타내는 종결 어미.
  -da
  A sentence-final ending used when describing a certain event, fact, state, etc.

딸 : 엄마, 외할머니 머리+는 전부 <u>하얀색+이+ㄴ데</u>?
하얀색인데

- 엄마 (noun) : 격식을 갖추지 않아도 되는 상황에서 어머니를 이르거나 부르는 말.
  mom
  A word used to refer to or address one's mother in an informal situation.

- 외할머니 (noun) : 어머니의 친어머니를 이르거나 부르는 말.
  maternal grandmother
  A word used to refer to or address one's mother's mother.

- **머리 (noun)** : 머리에 난 털.
  hair
  The hair on the head.

- **는** : 문장 속에서 어떤 대상이 화제임을 나타내는 조사.
  neun
  A postpositional particle used to indicate that a certain subject is the topic of a sentence.

- **전부 (adverb)** : 빠짐없이 다.
  all
  Wholly without anything omitted.

- **하얀색 (noun)** : 눈이나 우유의 빛깔과 같이 밝고 선명한 흰색.
  white
  A clearly bright and white color like that of snow or milk.

- **이다** : 주어가 지시하는 대상의 속성이나 부류를 지정하는 뜻을 나타내는 서술격 조사.
  ida
  A predicate particle indicating the meaning of the attribute or category of the thing that the subject of the sentence refers to.

- **-ㄴ데** : (두루낮춤으로) 듣는 사람의 반응을 기대하며 어떤 일에 대해 감탄함을 나타내는 종결 어미.
  -nde
  (informal addressee-lowering) A sentence-final ending used to admire something while anticipating the listener's response.

< 14 단원(chapter) >

제목 : 혹시 그 여자가 이 아이였습니까?

● 본문 (main text)

한 택시 기사가 젊은 여자 손님을 태우게 되었다.

그 여자는 집으로 가는 내내 창백한 얼굴로 멍하니 창밖을 바라보고 있었다.

이윽고 택시는 여자의 집에 도착했다.

여자 : 기사님, 잠시만 기다려 주세요.

　　　집에 들어가서 택시비 금방 가지고 나올게요.

하지만 한참을 기다려도 여자가 돌아오지 않자 화가 난 택시 기사는 그 집 문을 두드렸고, 잠시 후

안에서 중년의 남자가 나왔다.

택시 기사가 자초지종을 얘기하자 남자는 깜짝 놀라며 안으로 들어갔다가 사진 한 장을 들고 나와

택시 기사한테 물었다.

남자 : 혹시 그 여자가 이 아이였습니까?

택시 기사 : 네, 맞아요.

남자 : 아이고, 오늘이 네 제삿날인 줄 알고 왔구나.

흐느끼는 남자의 모습을 본 택시 기사는 순간 무서웠는지 그냥 도망가 버렸다.

그때 여자가 나오며 하는 말.

여자 : 아빠, 나 잘했지?

남자 : 오냐, 다음부터는 모범택시를 타도록 해라.

● 발음 (pronunciation)

한 택시 기사가 젊은 여자 손님을 태우게 되었다.
한 택씨 기사가 절믄 여자 손니믈 태우게 되얻따.
han taeksi gisaga jeolmeun yeoja sonnimeul taeuge doeeotda.

그 여자는 집으로 가는 내내 창백한 얼굴로 멍하니 창밖을 바라보고 있었다.
그 여자는 지브로 가는 내내 창배칸 얼굴로 멍하니 창바끌 바라보고 이썯따.
geu yeojaneun jibeuro ganeun naenae changbaekan eolgullo meonghani changbakkeul
barabogo isseotda.

이윽고 택시는 여자의 집에 도착했다.
이윽꼬 택씨는 여자에 지베 도차캗따.
ieukgo taeksineun yeojaui(yeojae) jibe dochakaetda.

여자 : 기사님, 잠시만 기다려 주세요.
여자 : 기사님, 잠시만 기다려 주세요.
yeoja : gisanim, jamsiman gidaryeo juseyo.

집에 들어가서 택시비 금방 가지고 나올게요.
지베 드러가서 택씨비 금방 가지고 나올께요.
jibe deureogaseo taeksibi geumbang gajigo naolgeyo.

하지만 한참을 기다려도 여자가 돌아오지 않자 화가 난 택시 기사는 그 집 문을 두드렸고, 잠시 후
하지만 한차믈 기다려도 여자가 도라오지 안차 화가 난 택씨 기사는 그 집 무늘 두드렫꼬, 잠시 후
hajiman hanchameul gidaryeodo yeojaga doraoji ancha hwaga nan taeksi gisaneun geu jip
muneul dudeuryeotgo, jamsi hu

안에서 중년의 남자가 나왔다.
아네서 중녀네 남자가 나왇따.
aneseo jungnyeonui(jungnyeone) namjaga nawatda.

택시 기사가 자초지종을 얘기하자 남자는 깜짝 놀라며 안으로 들어갔다가 사진 한 장을 들고 나와
택씨 기사가 자초지종을 얘기하자 남자는 깜짝 놀라며 아느로 드러갇따가 사진 한 장을 들고 나와
taeksi gisaga jachojijongeul yaegihaja namjaneun kkamjjak nollamyeo aneuro deureogatdaga
sajin han jangeul deulgo nawa

택시 기사한테 물었다.
택씨 기사한테 무럳따.
taeksi gisahante mureotda.

남자 : 혹시 그 여자가 이 아이였습니까?
남자 : 혹씨 그 여자가 이 아이엳씀니까?
namja : hoksi geu yeojaga i aiyeotseumnikka?

택시 기사 : 네, 맞아요.
택씨 기사 : 네, 마자요.
taeksi gisa : ne, majayo.

남자 : 아이고, 오늘이 네 제삿날인 줄 알고 왔구나.
남자 : 아이고, 오느리 네 제산나린 줄 알고 왇꾸나.
namja : aigo, oneuri ne jesannarin jul algo watguna.

흐느끼는 남자의 모습을 본 택시 기사는 순간 무서웠는지 그냥 도망가 버렸다.
흐느끼는 남자에 모스블 본 택씨 기사는 순간 무서원는지 그냥 도망가 버렫따.
heuneukkineun namjaui(namjae) moseubeul bon taeksi gisaneun sungan museowonneunji geunyang domangga beoryeotda.

그때 여자가 나오며 하는 말.
그때 여자가 나오며 하는 말.
geuttae yeojaga naomyeo haneun mal.

여자 : 아빠, 나 잘했지?
여자 : 아빠, 나 잘핻찌?
yeoja : appa, na jalhaetji?

남자 : 오냐, 다음부터는 모범택시를 타도록 해라.
남자 : 오냐, 다음부터는 모범택씨를 타도록 해라.
namja : onya, daeumbuteoneun mobeomtaeksireul tadorok haera.

● 어휘 (vocabulary) / 문법 (grammar)

한 택시 기사+가 젊+은 여자 손님+을 태우+<u>게 되</u>+었+다.

그 여자+는 집+으로 가+는 내내 창백하+ㄴ 얼굴+로 멍하니 창밖+을 바라보+<u>고 있</u>+었+다.

이윽고 택시+는 여자+의 집+에 도착하+였+다.

여자 : 기사+님, 잠시+만 기다리+<u>어 주</u>+세요.

　　　　집+에 들어가+(아)서 택시+비 금방 가지+고 나오+ㄹ게요.

하지만 한참+을 기다리+어도 여자+가 돌아오+<u>지 않</u>+자 화+가 나+ㄴ 택시 기사+는 그 집 문+을

두드리+었+고, 잠시 후 안+에서 중년+의 남자+가 나오+았+다.

택시 기사+가 자초지종+을 얘기하+자 남자+는 깜짝 놀라+며 안+으로 들어가+았+다가 사진 한 장+을

들+고 나오+아 택시 기사+한테 묻(물)+었+다.

남자 : 혹시 그 여자+가 이 아이+이+었+습니까?

택시 기사 : 네, 맞+아요.

남자 : 아이고, 오늘+이 너+의 제삿날+이+ㄴ 줄 알+고 오+았+구나.

흐느끼+는 남자+의 모습+을 보+ㄴ 택시 기사+는 순간 무섭(무서우)+었+는지 그냥 도망가+<u>(아) 버리</u>+었+다.

그때 여자+가 나오+며 하+는 말.

여자 : 아빠, 나 잘하+였+지?

남자 : 오냐, 다음+부터+는 모범택시+를 타+<u>도록 하</u>+여라.

한 택시 기사+가 젊+은 여자 손님+을 태우+[게 되]+었+다.

- **한 (determiner)** : 여럿 중 하나인 어떤.
  one
  One of many.

- **택시 (noun)** : 돈을 받고 손님이 원하는 곳까지 태워 주는 일을 하는 승용차.
  taxi; cab
  A car that takes a passenger to a requested destination for money.

- **기사 (noun)** : 직업적으로 자동차나 기계 등을 운전하는 사람.
  driver
  A person who drives vehicles or operates machines as a profession.

- **가** : 어떤 상태나 상황에 놓인 대상이나 동작의 주체를 나타내는 조사.
  ga
  A postpositional particle referring to a subject under a certain state or situation, or the subject of an act.

- **젊다 (adjective)** : 나이가 한창때에 있다.
  young
  Being in one's youthful years.

- **-은** : 앞의 말이 관형어의 기능을 하게 만들고 현재의 상태를 나타내는 어미.
  -eun
  An ending of a word that makes the preceding word function as an adnominal phrase and refers to the present state.

- **여자 (noun)** : 여성으로 태어난 사람.
  woman
  A person who was born a female.

- **손님 (noun)** : 버스나 택시 등과 같은 교통수단을 이용하는 사람.
  passenger
  A person who uses a means of transportation such as a bus, taxi, etc.

- **을** : 동작이 직접적으로 영향을 미치는 대상을 나타내는 조사.
  eul
  A postpositional particle used to indicate the subject that an action has a direct influence on.

- **태우다 (verb)** : 차나 배와 같은 탈것이나 짐승의 등에 타게 하다.
  have someone mount
  To have someone mount a vehicle such as a car or ship or the back of an animal.

• -게 되다 : 앞의 말이 나타내는 상태나 상황이 됨을 나타내는 표현.
-ge doeda
An expression used to indicate that something will become the state or situation mentioned in the preceding statement.

• -었- : 어떤 사건이 과거에 완료되었거나 그 사건의 결과가 현재까지 지속되는 상황을 나타내는 어미.
-eot-
An ending of a word used to indicate that an event was completed in the past or its result continues in the present.

• -다 : 어떤 사건이나 사실, 상태를 서술함을 나타내는 종결 어미.
-da
A sentence-final ending used when describing a certain event, fact, state, etc.

그 여자+는 집+으로 가+는 내내 <u>창백하+ㄴ</u> 얼굴+로 멍하니 창밖+을 바라보+[고 있]+었+다.
창백한

• 그 (determiner) : 앞에서 이미 이야기한 대상을 가리킬 때 쓰는 말.
that; the
A term referring to something mentioned earlier.

• 여자 (noun) : 여성으로 태어난 사람.
woman
A person who was born a female.

• 는 : 문장 속에서 어떤 대상이 화제임을 나타내는 조사.
neun
A postpositional particle used to indicate that a certain subject is the topic of a sentence.

• 집 (noun) : 사람이나 동물이 추위나 더위 등을 막고 그 속에 들어 살기 위해 지은 건물.
house
A structure built by a human or animal to serve as protection from cold, heat, etc., and as a place to live in.

• 으로 : 움직임의 방향을 나타내는 조사.
euro
A postpositional particle that indicates the direction of movement.

• 가다 (verb) : 한 곳에서 다른 곳으로 장소를 이동하다.
go; travel
To move from one place to another place.

• -는 : 앞의 말이 관형어의 기능을 하게 만들고 사건이나 동작이 현재 일어남을 나타내는 어미.
-neun
An ending of a word that makes the preceding statement function as an adnominal phrase and implies that an event or action is happening in the present.

• 내내 (adverb) : 처음부터 끝까지 계속해서.
throughout
Continuously from beginning to end.

• 창백하다 (adjective) : 얼굴이나 피부가 푸른빛이 돌 만큼 핏기 없이 하얗다.
pale
Bluish white in one's complexion or skin without any color.

• -ㄴ : 앞의 말이 관형어의 기능을 하게 만들고 현재의 상태를 나타내는 어미.
-n
An ending of a word that makes the preceding statement function as an adnominal phrase and refers to the present state.

• 얼굴 (noun) : 어떠한 심리 상태가 겉으로 드러난 표정.
look on one's face
The look on one's face that represents the state of his/her mind.

• 로 : 어떤 일의 방법이나 방식을 나타내는 조사.
ro
A postpositional particle that indicates a method or way to do something.

• 멍하니 (adverb) : 정신이 나간 것처럼 가만히.
blankly
(staying) Still as if one lost one's mind.

• 창밖 (noun) : 창문의 밖.
outside a window
Outside of a window.

• 을 : 동작이 직접적으로 영향을 미치는 대상을 나타내는 조사.
eul
A postpositional particle used to indicate the subject that an action has a direct influence on.

• 바라보다 (verb) : 바로 향해 보다.
look; stare; gaze
To look straight at something.

• -고 있다 : 앞의 말이 나타내는 행동이 계속 진행됨을 나타내는 표현.
  -go itda
  An expression used to state that the act mentioned in the preceding statement is continued.

• -었- : 어떤 사건이 과거에 완료되었거나 그 사건의 결과가 현재까지 지속되는 상황을 나타내는 어미.
  -eot-
  An ending of a word used to indicate that an event was completed in the past or its result continues in the present.

• -다 : 어떤 사건이나 사실, 상태를 서술함을 나타내는 종결 어미.
  -da
  A sentence-final ending used when describing a certain event, fact, state, etc.

이윽고 택시+는 여자+의 집+에 <u>도착하+였+다</u>.
도착했다

• 이윽고 (adverb) : 시간이 얼마쯤 흐른 뒤에 드디어.
  soon afterward; in a while; after a while
  Finally after some time passes.

• 택시 (noun) : 돈을 받고 손님이 원하는 곳까지 태워 주는 일을 하는 승용차.
  taxi; cab
  A car that takes a passenger to a requested destination for money.

• 는 : 문장 속에서 어떤 대상이 화제임을 나타내는 조사.
  neun
  A postpositional particle used to indicate that a certain subject is the topic of a sentence.

• 여자 (noun) : 여성으로 태어난 사람.
  woman
  A person who was born a female.

• 의 : 앞의 말이 뒤의 말에 대하여 소유, 소속, 소재, 관계, 기원, 주체의 관계를 가짐을 나타내는 조사.
  ui
  A postpositional particle used to indicate that the referent of the following word is owned by, belongs to, is related to, originates from, or is the object of what the preceding word indicates.

• 집 (noun) : 사람이나 동물이 추위나 더위 등을 막고 그 속에 들어 살기 위해 지은 건물.
  house
  A structure built by a human or animal to serve as protection from cold, heat, etc., and as a place to live in.

• 에 : 앞말이 목적지이거나 어떤 행위의 진행 방향임을 나타내는 조사.

　to; at

A postpositional particle to indicate that the preceding statement refers to a destination or the course of a certain action.

• 도착하다 (verb) : 목적지에 다다르다.

arrive; reach

To reach a destination.

• -였- : 어떤 사건이 과거에 완료되었거나 그 사건의 결과가 현재까시 시속되는 상황을 나타내는 어미.

　-yeot-

An ending of a word used to indicate that an event was completed in the past or its result continues in the present.

• -다 : 어떤 사건이나 사실, 상태를 서술함을 나타내는 종결 어미.

　-da

A sentence-final ending used when describing a certain event, fact, state, etc.

여자 : 기사+님, 잠시+만 기다리+[어 주]+세요.
기다려 주세요

• 기사 (noun) : 직업적으로 자동차나 기계 등을 운전하는 사람.

driver

A person who drives vehicles or operates machines as a profession.

• 님 : '높임'의 뜻을 더하는 접미사.

　-nim

A suffix used to mean "honorific."

• 잠시 (adverb) : 잠깐 동안에.

for a while; for a moment; for some time

For a short time.

• 만 : 무엇을 강조하는 뜻을 나타내는 조사.

man

A postpositional particle that indicates an emphasis on something.

• 기다리다 (verb) : 사람, 때가 오거나 어떤 일이 이루어질 때까지 시간을 보내다.

wait

To spend time until a person or time comes or a certain event is realized.

- -어 주다 : 남을 위해 앞의 말이 나타내는 행동을 함을 나타내는 표현.
  -eo juda
  An expression used to indicate that one does the act mentioned in the preceding statement for someone.

- -세요 : (두루높임으로) 설명, 의문, 명령, 요청의 뜻을 나타내는 종결 어미.
  -seyo
  (informal addressee-raising) A sentence-final ending used to describe, ask a question, order, and request.

> 여자 : 집+에 들어가+(아)서 택시+비 금방 가지+고 나오+ㄹ게요.
>   들어가서   나올게요

- 집 (noun) : 사람이나 동물이 추위나 더위 등을 막고 그 속에 들어 살기 위해 지은 건물.
  house
  A structure built by a human or animal to serve as protection from cold, heat, etc., and as a place to live in.

- 에 : 앞말이 목적지이거나 어떤 행위의 진행 방향임을 나타내는 조사.
  to; at
  A postpositional particle to indicate that the preceding statement refers to a destination or the course of a certain action.

- 들어가다 (verb) : 밖에서 안으로 향하여 가다.
  enter; go into
  To go inside from outside.

- -아서 : 앞의 말과 뒤의 말이 순차적으로 일어남을 나타내는 연결 어미.
  -aseo
  A connective ending used to indicate that the preceding event and the following one happened sequentially.

- 택시 (noun) : 돈을 받고 손님이 원하는 곳까지 태워 주는 일을 하는 승용차.
  taxi; cab
  A car that takes a passenger to a requested destination for money.

- 비 : '비용', '돈'의 뜻을 더하는 접미사.
  -bi
  A suffix used to mean expense, money, etc.

• **금방 (adverb)** : 시간이 얼마 지나지 않아 곧바로.
immediately; soon
Before long; shortly

• **가지다 (verb)** : 무엇을 손에 쥐거나 몸에 지니다.
have; hold
To carry or keep something, or hold it in one's hands.

• **-고** : 앞의 말과 뒤의 말이 차례대로 일어남을 나타내는 연결 어미.
-go
A connective ending used when the preceding statement and the following statement happen in order.

• **나오다 (verb)** : 안에서 밖으로 오다.
come out; get out
To come out.

• **-ㄹ게요** : (두루높임으로) 말하는 사람이 어떤 행동을 할 것을 듣는 사람에게 약속하거나 의지를 나타내는 표현.
-lgeyo
(informal addressee-raising) An expression used when the speaker promises or notifies the listener that he/she will do something.

하지만 한참+을 <u>기다리+어도</u> 여자+가 돌아오+[지 않]+자 화+가 <u>나+ㄴ</u> 택시 기사+는 그 집 문+을
         기다려도   **난**

<u>두드리+었+고</u>, 잠시 후 안+에서 중년+의 남자+가 <u>나오+았+다</u>.
  두드렸고   **나왔다**

• **하지만 (adverb)** : 내용이 서로 반대인 두 개의 문장을 이어 줄 때 쓰는 말.
but; however
A word used to connect two statements that are opposite in meaning to each other.

• **한참 (noun)** : 시간이 꽤 지나는 동안.
long time; being a while
A lapse of a fairly long time.

• **을** : 동작 대상의 수량이나 동작의 순서를 나타내는 조사.
eul
A postpositional particle referring to the amount of a subject or the steps of an action.

• **기다리다 (verb)** : 사람, 때가 오거나 어떤 일이 이루어질 때까지 시간을 보내다.
wait
To spend time until a person or time comes or a certain event is realized.

• **-어도** : 앞에 오는 말을 가정하거나 인정하지만 뒤에 오는 말에는 관계가 없거나 영향을 끼치지 않음을 나타내는 연결 어미.
-eodo
A connective ending used when assuming or recognizing the truth of the preceding statement, although it is not related to or does not influence the following statement.

• **여자 (noun)** : 여성으로 태어난 사람.
woman
A person who was born a female.

• **가** : 어떤 상태나 상황에 놓인 대상이나 동작의 주체를 나타내는 조사.
ga
A postpositional particle referring to a subject under a certain state or situation, or the subject of an act.

• **돌아오다 (verb)** : 원래 있던 곳으로 다시 오거나 다시 그 상태가 되다.
come back; return
To come again to where one was before or to be in such a state.

• **-지 않다** : 앞의 말이 나타내는 행위나 상태를 부정하는 뜻을 나타내는 표현.
-ji anta
An expression used to deny the act or state indicated in the preceding statement.

• **-자** : 앞에 오는 말이 뒤에 오는 말의 원인이나 동기가 됨을 나타내는 연결 어미.
-ja
A connective ending used to indicate that the preceding content is the cause or motive of the following content.

• **화 (noun)** : 몹시 못마땅하거나 노여워하는 감정.
anger; fury
A feeling of strong frustration or anger.

• **가** : 어떤 상태나 상황에 놓인 대상이나 동작의 주체를 나타내는 조사.
ga
A postpositional particle referring to a subject under a certain state or situation, or the subject of an act.

• **나다 (verb)** : 어떤 감정이나 느낌이 생기다.
feel
To feel a certain emotion or sensation.

- -ㄴ : 앞의 말이 관형어의 기능을 하게 만들고 사건이나 동작이 완료되어 그 상태가 유지되고 있음를 나타내는 어미.
  -n
  An ending of a word that makes the preceding statement function as an adnominal phrase and indicates that an event or action has been completed and its state continues.

- 택시 (noun) : 돈을 받고 손님이 원하는 곳까지 태워 주는 일을 하는 승용차.
  taxi; cab
  A car that takes a passenger to a requested destination for money.

- 기사 (noun) : 직업적으로 자동차나 기계 등을 운전하는 사람.
  driver
  A person who drives vehicles or operates machines as a profession.

- 는 : 문장 속에서 어떤 대상이 화제임을 나타내는 조사.
  neun
  A postpositional particle used to indicate that a certain subject is the topic of a sentence.

- 그 (determiner) : 앞에서 이미 이야기한 대상을 가리킬 때 쓰는 말.
  that; the
  A term referring to something mentioned earlier.

- 집 (noun) : 사람이나 동물이 추위나 더위 등을 막고 그 속에 들어 살기 위해 지은 건물.
  house
  A structure built by a human or animal to serve as protection from cold, heat, etc., and as a place to live in.

- 문 (noun) : 사람이 안과 밖을 드나들거나 물건을 넣고 꺼낼 수 있게 하기 위해 열고 닫을 수 있도록 만든 시설.
  door
  An openable structure through which people go in and come out of a place; or put in or take out things.

- 을 : 동작이 직접적으로 영향을 미치는 대상을 나타내는 조사.
  eul
  A postpositional particle used to indicate the subject that an action has a direct influence on.

- 두드리다 (verb) : 소리가 나도록 잇따라 치거나 때리다.
  knock; tap
  To hit or beat something in succession, making a sound.

• **-었-** : 어떤 사건이 과거에 완료되었거나 그 사건의 결과가 현재까지 지속되는 상황을 나타내는 어미.
-eot-
An ending of a word used to indicate that an event was completed in the past or its result continues in the present.

• **-고** : 앞의 말과 뒤의 말이 차례대로 일어남을 나타내는 연결 어미.
-go
A connective ending used when the preceding statement and the following statement happen in order.

• **잠시 (noun)** : 잠깐 동안.
moment; short while
A short time.

• **후 (noun)** : 얼마만큼 시간이 지나간 다음.
later time
A point of time following a certain passage of time.

• **안 (noun)** : 어떤 물체나 공간의 둘레에서 가운데로 향한 쪽. 또는 그러한 부분.
inside
The side that faces the center from the circumference of an object or space; such a part.

• **에서** : 앞말이 출발점의 뜻을 나타내는 조사.
eseo
A postpositional particle used to indicate that the preceding word refers to the starting point of something.

• **중년 (noun)** : 마흔 살 전후의 나이. 또는 그 나이의 사람.
middle age
An age around 40, or a person of such age.

• **의** : 앞의 말이 뒤의 말에 대하여 속성이나 수량을 한정하거나 같은 자격임을 나타내는 조사.
ui
A postpositional particle used to indicate that the referent of the preceding word limits the properties or amount of the referent of the following word or that two words are on an equal footing.

• **남자 (noun)** : 남성으로 태어난 사람.
man; male
A person who was born as a male.

• **가** : 어떤 상태나 상황에 놓인 대상이나 동작의 주체를 나타내는 조사.
ga
A postpositional particle referring to a subject under a certain state or situation, or the subject of an act.

· **나오다 (verb)** : 안에서 밖으로 오다.
 come out; get out
 To come out.

· **-았-** : 어떤 사건이 과거에 완료되었거나 그 사건의 결과가 현재까지 지속되는 상황을 나타내는 어미.
 -at-
 An ending of a word used to indicate that an event was completed in the past or its result continues in the present.

· **-다** : 어떤 사건이나 사실, 상태를 서술함을 나타내는 종결 어미.
 -da
 A sentence-final ending used when describing a certain event, fact, state, etc.

택시 기사+가 자초지종+을 얘기하+자 남자+는 깜짝 놀라+며 안+으로 <u>들어가+았+다가</u> 사진 한 장+을
                                                                    들어갔다가

들+고 <u>나오+아</u> 택시 기사+한테 <u>묻(물)+었+다</u>.
     나와   **물었다**

· **택시 (noun)** : 돈을 받고 손님이 원하는 곳까지 태워 주는 일을 하는 승용차.
 taxi; cab
 A car that takes a passenger to a requested destination for money.

· **기사 (noun)** : 직업적으로 자동차나 기계 등을 운전하는 사람.
 driver
 A person who drives vehicles or operates machines as a profession.

· **가** : 어떤 상태나 상황에 놓인 대상이나 동작의 주체를 나타내는 조사.
 ga
 A postpositional particle referring to a subject under a certain state or situation, or the subject of an act.

· **자초지종 (noun)** : 처음부터 끝까지의 모든 과정.
 all the details; whole story; full account of
 The whole story from beginning to end.

· **을** : 동작이 직접적으로 영향을 미치는 대상을 나타내는 조사.
 eul
 A postpositional particle used to indicate the subject that an action has a direct influence on.

· **얘기하다 (verb)** : 어떠한 사실이나 상태, 현상, 경험, 생각 등에 관해 누군가에게 말을 하다.

tell; say; speak

To talk to someone about a certain fact, state, phenomenon, experience, thought, etc.

· **-자** : 앞에 오는 말이 뒤에 오는 말의 원인이나 동기가 됨을 나타내는 연결 어미.

-ja

A connective ending used to indicate that the preceding content is the cause or motive of the following content.

· **남자 (noun)** : 남성으로 태어난 사람.

man; male

A person who was born as a male.

· **는** : 문장 속에서 어떤 대상이 화제임을 나타내는 조사.

neun

A postpositional particle used to indicate that a certain subject is the topic of a sentence.

· **깜짝 (adverb)** : 갑자기 놀라는 모양.

with a startle

In the manner of being surprised suddenly.

· **놀라다 (verb)** : 뜻밖의 일을 당하거나 무서워서 순간적으로 긴장하거나 가슴이 뛰다.

be surprised; be astonished; be shocked; be scared

To become tense or feel one's heart pounding as one faces an unexpected incident or is scared.

· **-며** : 두 가지 이상의 동작이나 상태가 함께 일어남을 나타내는 연결 어미.

-myeo

A connective ending used when more than two actions or states happen at the same time.

· **안 (noun)** : 어떤 물체나 공간의 둘레에서 가운데로 향한 쪽. 또는 그러한 부분.

inside

The side that faces the center from the circumference of an object or space; such a part.

· **으로** : 움직임의 방향을 나타내는 조사.

euro

A postpositional particle that indicates the direction of movement.

· **들어가다 (verb)** : 밖에서 안으로 향하여 가다.

enter; go into

To go inside from outside.

- -았- : 어떤 사건이 과거에 완료되었거나 그 사건의 결과가 현재까지 지속되는 상황을 나타내는 어미.
  -at-
  An ending of a word used to indicate that an event was completed in the past or its result continues in the present.

- -다가 : 어떤 행동이나 상태 등이 중단되고 다른 행동이나 상태로 바뀜을 나타내는 연결 어미.
  -daga
  A connective ending used when an action or state, etc., is stopped and changed to another action or state.

- **사진 (noun)** : 사물의 모습을 오래 보존할 수 있도록 사진기로 찍어 종이나 컴퓨터 등에 나타낸 영상.
  picture; photo
  An image of a certain object recorded by a camera, and then produced in a print format, in a file on the computer, etc. to preserve it for a long period of time.

- **한 (determiner)** : 하나의.
  one
  One.

- **장 (noun)** : 종이나 유리와 같이 얇고 넓적한 물건을 세는 단위.
  piece; sheet
  A bound noun that serves as a unit for counting thin, wide objects such as a sheet of paper or glass.

- 을 : 동작이 직접적으로 영향을 미치는 대상을 나타내는 조사.
  eul
  A postpositional particle used to indicate the subject that an action has a direct influence on.

- **들다 (verb)** : 손에 가지다.
  hold; take; carry
  To have something in hand.

- -고 : 앞의 말이 나타내는 행동이나 그 결과가 뒤에 오는 행동이 일어나는 동안에 그대로 지속됨을 나타내는 연결 어미.
  -go
  A connective ending used when an action or result of the preceding statement remains the same while the following action happens.

- **나오다 (verb)** : 안에서 밖으로 오다.
  come out; get out
  To come out.

- -아 : 앞의 말이 뒤의 말보다 먼저 일어났거나 뒤의 말에 대한 방법이나 수단이 됨을 나타내는 연결 어미.
  -a
  A connective ending used when the preceding statement happened before the following statement or was the ways or means to the following statement.

- 택시 (noun) : 돈을 받고 손님이 원하는 곳까지 태워 주는 일을 하는 승용차.
  taxi; cab
  A car that takes a passenger to a requested destination for money.

- 기사 (noun) : 직업적으로 자동차나 기계 등을 운전하는 사람.
  driver
  A person who drives vehicles or operates machines as a profession.

- 한테 : 어떤 행동이 미치는 대상임을 나타내는 조사.
  hante
  A postpositional particle referring to the subject that an act has an influence on.

- 묻다 (verb) : 대답이나 설명을 요구하며 말하다.
  ask; inquire; interrogate
  To say something, demanding an answer or explanation.

- -었- : 어떤 사건이 과거에 완료되었거나 그 사건의 결과가 현재까지 지속되는 상황을 나타내는 어미.
  -eot-
  An ending of a word used to indicate that an event was completed in the past or its result continues in the present.

- -다 : 어떤 사건이나 사실, 상태를 서술함을 나타내는 종결 어미.
  -da
  A sentence-final ending used when describing a certain event, fact, state, etc.

남자 : 혹시 그 여자+가 이 <u>아이+이+었+습니까</u>?
아이였습니까

- 혹시 (adverb) : 그러리라 생각하지만 분명하지 않아 말하기를 망설일 때 쓰는 말.
  by any chance
  The word that is used when one is hesitant to say something he/she thinks is possible but he/she is uncertain about.

- 그 (determiner) : 앞에서 이미 이야기한 대상을 가리킬 때 쓰는 말.
  that; the
  A term referring to something mentioned earlier.

• **여자 (noun)** : 여성으로 태어난 사람.
woman
A person who was born a female.

• **가** : 어떤 상태나 상황에 놓인 대상이나 동작의 주체를 나타내는 조사.
ga
A postpositional particle referring to a subject under a certain state or situation, or the subject of an act.

• **이 (determiner)** : 말하는 사람에게 가까이 있거나 말하는 사람이 생각하고 있는 대상을 가리킬 때 쓰는 말.
this
The word that is used to refer to a person who is close to the speaker or something that the speaker is thinking of.

• **아이 (noun)** : (낮추는 말로) 자기의 자식.
kid
(impolite form) One's child

• **이다** : 주어가 지시하는 대상의 속성이나 부류를 지정하는 뜻을 나타내는 서술격 조사.
ida
A predicate particle indicating the meaning of the attribute or category of the thing that the subject of the sentence refers to.

• **-었-** : 어떤 사건이 과거에 완료되었거나 그 사건의 결과가 현재까지 지속되는 상황을 나타내는 어미.
-eot-
An ending of a word used to indicate that an event was completed in the past or its result continues in the present.

• **-습니까** : (아주높임으로) 말하는 사람이 듣는 사람에게 정중하게 물음을 나타내는 종결 어미.
-seupnikka
(formal, highly addressee-raising) A sentence-final ending used when the speaker asks the listener politely.

택시 기사 : 네, 맞+아요.

• **네 (interjection)** : 윗사람의 물음이나 명령 등에 긍정하여 대답할 때 쓰는 말.
yes; yes sir; yes ma'am
An exclamation uttered when the speaker affirmatively answers the call or order of his/her superior.

- **맞다 (verb)** : 그렇거나 옳다.
  be so; be right
  To be so or right.

- **-아요** : (두루높임으로) 어떤 사실을 서술하거나 질문, 명령, 권유함을 나타내는 종결 어미.
  -ayo
  (informal addressee-raising) A sentence-final ending used to describe a certain fact, ask a question, give an order, or advise.

남자 : 아이고, 오늘+이 너+의 제삿날+이+[ㄴ 줄] 알+고 오+았+구나!
                    네   제삿날인 줄   왔구나

- **아이고 (interjection)** : 절망하거나 매우 속상하여 한숨을 쉬면서 내는 소리.
  darn it; oh no
  An exclamation the speaker utters while sighing when he/she feels very discouraged or frustrated.

- **오늘 (noun)** : 지금 지나가고 있는 이날.
  today
  The day that is passing at the present time.

- **이** : 어떤 상태나 상황에 놓인 대상이나 동작의 주체를 나타내는 조사.
  i
  A postpositional particle referring to a subject under a certain state or situation, or the subject of an act.

- **너 (pronoun)** : 듣는 사람이 친구나 아랫사람일 때, 그 사람을 가리키는 말.
  no equivalent expression
  A pronoun used to indicate the listener when he/she is the same age or younger.

- **의** : 앞의 말이 뒤의 말에 대하여 소유, 소속, 소재, 관계, 기원, 주체의 관계를 가짐을 나타내는 조사.
  ui
  A postpositional particle used to indicate that the referent of the following word is owned by, belongs to, is related to, originates from, or is the object of what the preceding word indicates.

- **제삿날 (noun)** : 제사를 지내는 날.
  day of ancestral ritual
  A day when an ancestral ritual is held.

- 이다 : 주어가 지시하는 대상의 속성이나 부류를 지정하는 뜻을 나타내는 서술격 조사.
  ida
  A predicate particle indicating the meaning of the attribute or category of the thing that the subject of the sentence refers to.

- -ㄴ 줄 : 어떤 사실이나 상태에 대해 알고 있거나 모르고 있음을 나타내는 표현.
  -n jul
  An expression used to indicate that one either knows or does not know a certain fact or state.

- **알다 (verb)** : 교육이나 경험, 생각 등을 통해 사물이나 상황에 대한 정보 또는 지식을 갖추다.
  know; understand
  To have information or knowledge about an object or situation through education, experience, thoughts, etc.

- -고 : 앞의 말이 나타내는 행동이나 그 결과가 뒤에 오는 행동이 일어나는 동안에 그대로 지속됨을 나타내는 연결 어미.
  -go
  A connective ending used when an action or result of the preceding statement remains the same while the following action happens.

- **오다 (verb)** : 무엇이 다른 곳에서 이곳으로 움직이다.
  come
  For something to move from another place to here.

- -았- : 어떤 사건이 과거에 완료되었거나 그 사건의 결과가 현재까지 지속되는 상황을 나타내는 어미.
  -at-
  An ending of a word used to indicate that an event was completed in the past or its result continues in the present.

- -구나 : (아주낮춤으로) 새롭게 알게 된 사실에 어떤 느낌을 실어 말함을 나타내는 종결 어미.
  -guna
  (formal, highly addressee-lowering) A sentence-final ending used to imply a certain feeling in a newly learned fact.

흐느끼+는 남자+의 모습+을 보+ㄴ 택시 기사+는 순간 무섭(무서우)+었+는지 그냥
　　　　　　　　　　　　　본　　　　　　　　　　　　　　무서웠는지

도망가+[(아) 버리]+었+다.
　도망가 버렸다

• **흐느끼다 (verb)** : 몹시 슬프거나 감격에 겨워 흑흑 소리를 내며 울다.
   weep; sob
   To cry with sobs, being extremely sad or touched.

• **-는** : 앞의 말이 관형어의 기능을 하게 만들고 사건이나 동작이 현재 일어남을 나타내는 어미.
   -neun
   An ending of a word that makes the preceding statement function as an adnominal phrase and implies that an event or action is happening in the present.

• **남자 (noun)** : 남성으로 태어난 사람.
   man; male
   A person who was born as a male.

• **의** : 앞의 말이 뒤의 말에 대하여 소유, 소속, 소재, 관계, 기원, 주체의 관계를 가짐을 나타내는 조사.
   ui
   A postpositional particle used to indicate that the referent of the following word is owned by, belongs to, is related to, originates from, or is the object of what the preceding word indicates.

• **모습 (noun)** : 겉으로 드러난 상태나 모양.
   appearance; look
   A state or look appearing outwardly.

• **을** : 동작이 직접적으로 영향을 미치는 대상을 나타내는 조사.
   eul
   A postpositional particle used to indicate the subject that an action has a direct influence on.

• **보다 (verb)** : 눈으로 대상의 존재나 겉모습을 알다.
   see; look at; notice
   To perceive with eyes the existence or appearance of an object.

• **-ㄴ** : 앞의 말이 관형어의 기능을 하게 만들고 사건이나 동작이 완료되어 그 상태가 유지되고 있음을 나타내는 어미.
   -n
   An ending of a word that makes the preceding statement function as an adnominal phrase and indicates that an event or action has been completed and its state continues.

• **택시 (noun)** : 돈을 받고 손님이 원하는 곳까지 태워 주는 일을 하는 승용차.
   taxi; cab
   A car that takes a passenger to a requested destination for money.

• **기사 (noun)** : 직업적으로 자동차나 기계 등을 운전하는 사람.
   driver
   A person who drives vehicles or operates machines as a profession.

- 는 : 문장 속에서 어떤 대상이 화제임을 나타내는 조사.

  neun

  A postpositional particle used to indicate that a certain subject is the topic of a sentence.

- **순간 (noun)** : 어떤 일이 일어나거나 어떤 행동이 이루어지는 바로 그때.

  instant

  The exact time when something happens or an action is done.

- **무섭다 (adjective)** : 어떤 사람이나 상황이 대하기 어렵거나 피하고 싶다.

  afraid; scared

  A person or situation being so dreadful as to make one want to avoid the person or thing.

- -었- : 어떤 사건이 과거에 완료되었거나 그 사건의 결과가 현재까지 지속되는 상황을 나타내는 어미.

  -eot-

  An ending of a word used to indicate that an event was completed in the past or its result continues in the present.

- -는지 : 뒤에 오는 말의 내용에 대한 막연한 이유나 판단을 나타내는 연결 어미.

  -neunji

  A connective ending used to indicate an ambiguous reason or judgment about the following statement.

- **그냥 (adverb)** : 아무 것도 하지 않고 있는 그대로.

  as it is; as it stands

  In the manner of leaving something as it is.

- **도망가다 (verb)** : 피하거나 쫓기어 달아나다.

  escape; make off; flee

  To run away from something or someone because one is either chased or wants to avoid it or him/her.

- -아 버리다 : 앞의 말이 나타내는 행동이 완전히 끝났음을 나타내는 표현.

  -a beorida

  An expression used to indicate that the act mentioned in the preceding statement is completely done.

- -었- : 어떤 사건이 과거에 완료되었거나 그 사건의 결과가 현재까지 지속되는 상황을 나타내는 어미.

  -eot-

  An ending of a word used to indicate that an event was completed in the past or its result continues in the present.

- -다 : 어떤 사건이나 사실, 상태를 서술함을 나타내는 종결 어미.

  -da

  A sentence-final ending used when describing a certain event, fact, state, etc.

그때 여자+가 나오+며 하+는 말.

- **그때 (noun)** : 앞에서 이야기한 어떤 때.
  that time; that moment; then
  The previously-mentioned time.

- **여자 (noun)** : 여성으로 태어난 사람.
  woman
  A person who was born a female.

- **가** : 어떤 상태나 상황에 놓인 대상이나 동작의 주체를 나타내는 조사.
  ga
  A postpositional particle referring to a subject under a certain state or situation, or the subject of an act.

- **나오다 (verb)** : 안에서 밖으로 오다.
  come out; get out
  To come out.

- **-며** : 두 가지 이상의 동작이나 상태가 함께 일어남을 나타내는 연결 어미.
  -myeo
  A connective ending used when more than two actions or states happen at the same time.

- **하다 (verb)** : 다른 사람의 말이나 생각 등을 나타내는 문장을 받아 뒤에 오는 단어를 꾸미는 말.
  say
  The word that refers to a preceding phrase that describes someone's words, thoughts, etc., and modifies the following word.

- **-는** : 앞의 말이 관형어의 기능을 하게 만들고 사건이나 동작이 현재 일어남을 나타내는 어미.
  -neun
  An ending of a word that makes the preceding statement function as an adnominal phrase and implies that an event or action is happening in the present.

- **말 (noun)** : 생각이나 느낌을 표현하고 전달하는 사람의 소리.
  speech; words
  Human voice through which thoughts or feelings are expressed and conveyed.

여자 : 아빠, 나 잘하+였+지?
　　　　잘했지

- **아빠 (noun)** : 격식을 갖추지 않아도 되는 상황에서 아버지를 이르거나 부르는 말.
  dad; daddy
  A word used to refer to or address a father in an informal situation.

- **나 (pronoun)** : 말하는 사람이 친구나 아랫사람에게 자기를 가리키는 말.
  I
  A pronoun used to indicate oneself to a friend or a younger person.

- **잘하다 (verb)** : 좋고 훌륭하게 하다.
  do well
  To do something in an excellent and successful way.

- **-였-** : 어떤 사건이 과거에 완료되었거나 그 사건의 결과가 현재까지 지속되는 상황을 나타내는 어미.
  -yeot-
  An ending of a word used to indicate that an event was completed in the past or its result continues in the present.

- **-지** : (두루낮춤으로) 말하는 사람이 듣는 사람에게 친근함을 나타내며 물을 때 쓰는 종결 어미.
  -ji
  (informal addressee-lowering) A sentence-final ending used when the speaker asks the listener in a friendly manner.

> 남자 : 오냐, 다음+부터+는 모범택시+를 <u>타+[도록 하]+여라</u>.
> **타도록 해라**

- **오냐 (interjection)** : 아랫사람의 물음이나 부탁에 긍정하여 대답할 때 하는 말.
  yes; okay
  An exclamation uttered when the speaker answers in the affirmative to the question or request of someone junior to him/her.

- **다음 (noun)** : 이번 차례의 바로 뒤.
  next; following
  The thing that comes right after this time or turn in sequence.

- **부터** : 어떤 일의 시작이나 처음을 나타내는 조사.
  buteo
  A postpositional particle that indicates the start or beginning of something.

- **는** : 문장 속에서 어떤 대상이 화제임을 나타내는 조사.
  neun
  A postpositional particle used to indicate that a certain subject is the topic of a sentence.

• **모범택시** (noun) : 일반 택시보다 시설이 좋고 더 나은 서비스를 제공하며 요금이 비싼 택시.

　luxury taxi; deluxe taxi

　A taxi that has a higher fare system than an ordinary taxi because it offers better service and a better vehicle.

• **를** : 동작이 직접적으로 영향을 미치는 대상을 나타내는 조사.

　reul

　A postpositional particle used to indicate the subject that an action has a direct influence on.

• **타다** (verb) : 탈것이나 탈것으로 이용하는 짐승의 몸 위에 오르다

　ride; get on; board

　To mount a vehicle or the body of an animal used as a vehicle.

• **-도록 하다** : 듣는 사람에게 어떤 행동을 명령하거나 권유할 때 쓰는 표현.

　-dorok hada

　An expression used to order or recommend someone to do a certain act.

• **-여라** : (아주낮춤으로) 명령을 나타내는 종결 어미.

　-yeora

　A sentence-final ending used to indicate a statement as a command.

< 15 단원(chapter) >

제목 : 왜 아무런 응답이 없으신가요?

● 본문 (main text)

한 남자가 퇴근한 후에 매일 교회에 가서 눈물을 흘리며 기도를 했다.

남자 : 하나님, 복권에 당첨되게 해 주세요.

　　　하나님, 제발 복권에 한 번만 당첨되게 해 주세요.

그렇게 기도한 지 육 개월이 되었지만 남자의 소원은 이뤄지지 않았다.

남자는 너무나 지쳐서 하나님이 원망스러워지기 시작했다.

남자 : 이렇게까지 기도하는데 못 들은 척하시는 무심한 하나님, 정말 너무하세요.

　　　제가 매일 밤 애원하며 기도했는데 왜 아무런 응답이 없으신가요?

그러자 보다 못해 답답한 하나님께서 남자에게 이렇게 말씀하셨다.

하나님 : 일단 복권을 사란 말이야.

● 발음 (pronunciation)

한 남자가 퇴근한 후에 매일 교회에 가서 눈물을 흘리며 기도를 했다.
한 남자가 퇴근한 후에 매일 교회에 가서 눈무를 흘리며 기도를 핻따.
han namjaga toegeunhan hue maeil gyohoee gaseo nunmureul heullimyeo gidoreul haetda.

남자 : 하나님, 복권에 당첨되게 해 주세요.
남자 : 하나님, 복꿔네 당첨되게 해 주세요.
namja : hananim, bokgwone dangcheomdoege hae juseyo.

　　　하나님, 제발 복권에 한 번만 당첨되게 해 주세요.
　　　하나님, 제발 복꿔네 한 번만 당첨되게 해 주세요.
　　　hananim, jebal bokgwone han beonman dangcheomdoege hae juseyo.

그렇게 기도한 지 육 개월이 되었지만 남자의 소원은 이뤄지지 않았다.
그러케 기도한 지 육 개워리 되얻찌만 남자에 소워는 이뤄지지 아낟따.
geureoke gidohan ji yuk gaewori doeeotjiman namjaui(namjauie) soworeun irwojiji anatda.

남자는 너무나 지쳐서 하나님이 원망스러워지기 시작했다.
남자는 너무나 지쳐서 하나니미 원망스러워지기 시자캗따.
namjaneun neomuna jicheoseo hananimi wonmangseureowojigi sijakaetda.

남자 : 이렇게까지 기도하는데 못 들은 척하시는 무심한 하나님, 정말 너무하세요.
남자 : 이러케까지 기도하는데 몯 드른 처카시는 무심한 하나님, 정말 너무하세요.
namja : ireokekkaji gidohaneunde mot deureun cheokasineun musimhan hananim, jeongmal neomuhaseyo.

　　　제가 매일 밤 애원하며 기도했는데 왜 아무런 응답이 없으신가요?
　　　제가 매일 밤 애원하며 기도핸는데 왜 아무런 응다비 업쓰신가요?
　　　jega maeil bam aewonhamyeo gidohaenneunde wae amureon eungdabi eopseusingayo?

그러자 보다 못해 답답한 하나님께서 남자에게 이렇게 말씀하셨다.
그러자 보다 모태 답따판 하나님께서 남자에게 이러케 말씀하셛따.
geureoja boda motae dapdapan hananimkkeseo namjaege ireoke malsseumhasyeotda.

하나님 : 일단 복권을 사란 말이야.
하나님 : 일딴 복꿔늘 사란 마리야.
hananim : ildan bokgwoneul saran mariya.

● 어휘 (vocabulary) / 문법 (grammar)

한 남자+가 퇴근하+<u>ㄴ 후에</u> 매일 교회+에 가+(아)서 눈물+을 흘리+며 기도+를 하+였+다.

남자 : 하나님, 복권+에 당첨되+<u>게 하</u>+여 주+세요.

하나님, 제발 복권+에 한 번+만 당첨되+<u>게 하</u>+<u>여 주</u>+세요.

그렇+게 기도하+<u>ㄴ 지</u> 육 개월+이 되+었+지만 남자+의 소원+은 이루어지+<u>지 않</u>+았+다.

남자+는 너무나 지치+어서 하나님+이 원망스럽(원망스러우)+어지+기 시작하+였+다.

남자 : 이렇+게+까지 기도하+는데 못 듣(들)+<u>은 척하</u>+시+는 무심하+ㄴ 하나님,

정말 너무하+세요.

제+가 매일 밤 애원하+며 기도하+였+는데 왜 아무런 응답+이 없+으시+ㄴ가요?

그리하+자 보+<u>다 못하</u>+여 답답하+ㄴ 하나님+께서 남자+에게 이렇+게 말씀하+시+었+다.

하나님 : 일단 복권+을 사+라는 말+이+야.

> 한 남자+가 <u>퇴근하</u>+[<u>ㄴ 후에</u>] 매일 교회+에 <u>가</u>+<u>(아)서</u> 눈물+을 흘리+며 기도+를 <u>하</u>+였+다.
> **퇴근한 후에**   **가서**   **했다**

- **한 (determiner)** : 여럿 중 하나인 어떤.
  one
  One of many.

- **남자 (noun)** : 남성으로 태어난 사람.
  man; male
  A person who was born as a male.

- **가** : 어떤 상태나 상황에 놓인 대상이나 동작의 주체를 나타내는 조사.
  ga
  A postpositional particle referring to a subject under a certain state or situation, or the subject of an act.

- **퇴근하다 (verb)** : 일터에서 일을 끝내고 집으로 돌아가거나 돌아오다.
  leaving work; arriving home from work
  An act of leaving one's workplace or returning home after work.

- **-ㄴ 후에** : 앞에 오는 말이 나타내는 행동을 하고 시간적으로 뒤에 다른 행동을 함을 나타내는 표현.
  -n hue
  An expression used to indicate that one does a certain act mentioned in the preceding statement and a while later, does another thing.

- **매일 (adverb)** : 하루하루마다 빠짐없이.
  every day; every single day
  Every day without exceptions.

- **교회 (noun)** : 예수 그리스도를 구세주로 믿고 따르는 사람들의 공동체. 또는 그런 사람들이 모여 종교 활동을 하는 장소.
  church
  A community of believers of Jesus Christ, or a place where they gather for religious activities.

- **에** : 앞말이 목적지이거나 어떤 행위의 진행 방향임을 나타내는 조사.
  to; at
  A postpositional particle to indicate that the preceding statement refers to a destination or the course of a certain action.

- **가다 (verb)** : 한 곳에서 다른 곳으로 장소를 이동하다.
  go; travel
  To move from one place to another place.

- -아서 : 앞의 말과 뒤의 말이 순차적으로 일어남을 나타내는 연결 어미.

  -aseo

  A connective ending used to indicate that the preceding event and the following one happened sequentially.

- 눈물 (noun) : 사람이나 동물의 눈에서 흘러나오는 맑은 액체.

  tear

  Clear liquid running from the eyes of a person or animal.

- 을 : 동작이 직접적으로 영향을 미치는 대상을 나타내는 조사.

  eul

  A postpositional particle used to indicate the subject that an action has a direct influence on.

- 흘리다 (verb) : 몸에서 땀, 눈물, 콧물, 피, 침 등의 액체를 밖으로 내다.

  shed; ooze; discharge

  To let sweat, tears, nasal discharge, blood, saliva, etc., out of the body.

- -며 : 두 가지 이상의 동작이나 상태가 함께 일어남을 나타내는 연결 어미.

  -myeo

  A connective ending used when more than two actions or states happen at the same time.

- 기도 (noun) : 바라는 바가 이루어지도록 절대적 존재 혹은 신앙의 대상에게 비는 것.

  prayer

  The act of praying to the absolute being or the target of faith for a desired thing to be achieved.

- 를 : 동작이 직접적으로 영향을 미치는 대상을 나타내는 조사.

  reul

  A postpositional particle used to indicate the subject that an action has a direct influence on.

- 하다 (verb) : 어떤 행동이나 동작, 활동 등을 행하다.

  do; perform

  To perform a certain move, action, activity, etc.

- -였- : 어떤 사건이 과거에 완료되었거나 그 사건의 결과가 현재까지 지속되는 상황을 나타내는 어미.

  -yeot-

  An ending of a word used to indicate that an event was completed in the past or its result continues in the present.

- -다 : 어떤 사건이나 사실, 상태를 서술함을 나타내는 종결 어미.

  -da

  A sentence-final ending used when describing a certain event, fact, state, etc.

> 남자 : 하나님, 복권+에 <u>당첨되</u>+[<u>게 하</u>]+[<u>여 주</u>]+세요.
> ## 당첨되게 해 주세요

- **하나님 (noun)** : 기독교에서 믿는 신을 개신교에서 부르는 이름.
  God
  A name used by Protestantism to address a god '하느님' believed by Christianity.

- **복권 (noun)** : 적혀 있는 숫자나 기호가 추첨한 것과 일치하면 상금이나 상품을 받을 수 있게 만든 표.
  lottery ticket
  A ticket that can be exchanged for prize money or a prize when its numbers or signs match the drawn numbers or signs.

- **에** : 앞말이 어떤 행위나 작용이 미치는 대상임을 나타내는 조사.
  on; in; to
  A postpositional particle to indicate that the preceding statement is the subject to which a certain action or operation is applied.

- **당첨되다 (verb)** : 여럿 가운데 어느 하나를 골라잡는 추첨에서 뽑히다.
  be chosen; be picked
  To win a prize in a drawing of lots.

- **-게 하다** : 다른 사람의 어떤 행동을 허용하거나 허락함을 나타내는 표현.
  -ge hada
  An expression used to accept or allow a certain act of another person.

- **-여 주다** : 남을 위해 앞의 말이 나타내는 행동을 함을 나타내는 표현.
  -yeo juda
  An expression used to indicate that one does the act mentioned in the preceding statement for someone.

- **-세요** : (두루높임으로) 설명, 의문, 명령, 요청의 뜻을 나타내는 종결 어미.
  -seyo
  (informal addressee-raising) A sentence-final ending used to describe, ask a question, order, and request.

> 남자 : 하나님, 제발 복권+에 한 번+만 <u>당첨되</u>+[<u>게 하</u>]+[<u>여 주</u>]+세요.
> ## 당첨되게 해 주세요

- **하나님 (noun)** : 기독교에서 믿는 신을 개신교에서 부르는 이름.
  God
  A name used by Protestantism to address a god '하느님' believed by Christianity.

- **제발 (adverb)** : 간절히 부탁하는데.
  please
  Beg or request with a desperate plea.

- **복권 (noun)** : 적혀 있는 숫자나 기호가 추첨한 것과 일치하면 상금이나 상품을 받을 수 있게 만든 표.
  lottery ticket
  A ticket that can be exchanged for prize money or a prize when its numbers or signs match the drawn numbers or signs.

- **에** : 앞말이 어떤 행위나 작용이 미치는 대상임을 나타내는 조사.
  on; in; to
  A postpositional particle to indicate that the preceding statement is the subject to which a certain action or operation is applied.

- **한 (determiner)** : 하나의.
  one
  One.

- **번 (noun)** : 일의 횟수를 세는 단위.
  beon
  A bound noun that serves as a unit for counting the frequency of a task.

- **만** : 다른 것은 제외하고 어느 것을 한정함을 나타내는 조사.
  man
  A postpositional particle used when limiting the field to one thing, excluding all the others.

- **당첨되다 (verb)** : 여럿 가운데 어느 하나를 골라잡는 추첨에서 뽑히다.
  be chosen; be picked
  To win a prize in a drawing of lots.

- **-게 하다** : 다른 사람의 어떤 행동을 허용하거나 허락함을 나타내는 표현.
  -ge hada
  An expression used to accept or allow a certain act of another person.

- **-여 주다** : 남을 위해 앞의 말이 나타내는 행동을 함을 나타내는 표현.
  -yeo juda
  An expression used to indicate that one does the act mentioned in the preceding statement for someone.

• -세요 : (두루높임으로) 설명, 의문, 명령, 요청의 뜻을 나타내는 종결 어미.
-seyo
(informal addressee-raising) A sentence-final ending used to describe, ask a question, order, and request.

> 그렇+게 기도하+[ㄴ 지] 육 개월+이 되+었+지만 남자+의 소원+은 이루어지+[지 않]+았+다.
> 　　　　기도한 지　　　　　　　　　　　　　　　　　　이뤄지지 않았다

• 그렇다 (adjective) : 상태, 모양, 성질 등이 그와 같다.
so; as such; like that
A state, appearance, characteristic, etc., being as such.

• -게 : 앞의 말이 뒤에서 가리키는 일의 목적이나 결과, 방식, 정도 등이 됨을 나타내는 연결 어미.
-ge
A connective ending used when the preceding statement is the purpose, result, method, amount, etc., of something mentioned in the following statement.

• 기도하다 (verb) : 바라는 바가 이루어지도록 절대적 존재 혹은 신앙의 대상에게 빌다.
pray; wish
To pray to the absolute being or the target of faith for a desired thing to be achieved.

• -ㄴ 지 : 앞의 말이 나타내는 행동을 한 후 시간이 얼마나 지났는지를 나타내는 표현.
-n ji
An expression used to indicate that a certain amount of time has passed since a certain act mentioned in the preceding statement occurred.

• 육 (determiner) : 여섯의.
six
Being the number six.

• 개월 (noun) : 달을 세는 단위.
month
A bound noun that serves as a unit for counting the number of months.

• 이 : 바뀌게 되는 대상이나 부정하는 대상임을 나타내는 조사.
i
A postpositional particle referring to the subject that is to be changed, or the subject that one denies.

• 되다 (verb) : 어떤 때나 시기, 상태에 이르다.
come; fall
To reach a certain timing or state.

- -었- : 어떤 사건이 과거에 완료되었거나 그 사건의 결과가 현재까지 지속되는 상황을 나타내는 어미.
  -eot-
  An ending of a word used to indicate that an event was completed in the past or its result continues in the present.

- -지만 : 앞에 오는 말을 인정하면서 그와 반대되거나 다른 사실을 덧붙일 때 쓰는 연결 어미.
  -jiman
  A connective ending used to recognize the truth of the preceding statement and add facts that are the opposite of it or different.

- **남자 (noun)** : 남성으로 태어난 사람.
  man; male
  A person who was born as a male.

- 의 : 앞의 말이 뒤의 말에 대하여 소유, 소속, 소재, 관계, 기원, 주체의 관계를 가짐을 나타내는 조사.
  ui
  A postpositional particle used to indicate that the referent of the following word is owned by, belongs to, is related to, originates from, or is the object of what the preceding word indicates.

- **소원 (noun)** : 어떤 일이 이루어지기를 바람. 또는 바라는 그 일.
  wish; hope
  Hope for something to come true, or the thing that one is hoping for.

- 은 : 문장 속에서 어떤 대상이 화제임을 나타내는 조사.
  eun
  A postpositional particle used to indicate that a certain subject is the topic of a sentence.

- **이루어지다 (verb)** : 원하거나 뜻하는 대로 되다.
  be achieved; be accomplished; be realized
  To be done as one wants or plans.

- -지 않다 : 앞의 말이 나타내는 행위나 상태를 부정하는 뜻을 나타내는 표현.
  -ji anta
  An expression used to deny the act or state indicated in the preceding statement.

- -았- : 어떤 사건이 과거에 완료되었거나 그 사건의 결과가 현재까지 지속되는 상황을 나타내는 어미.
  -at-
  An ending of a word used to indicate that an event was completed in the past or its result continues in the present.

- -다 : 어떤 사건이나 사실, 상태를 서술함을 나타내는 종결 어미.
  -da
  A sentence-final ending used when describing a certain event, fact, state, etc.

남자+는 너무나 지치+어서 하나님+이 원망스럽(원망스러우)+어지+기 시작하+였+다.
　　　　　지쳐서　　　　　　　　원망스러워지기　　　　　시작했다

- **남자 (noun)** : 남성으로 태어난 사람.
  man; male
  A person who was born as a male.

- **는** : 문장 속에서 어떤 대상이 화제임을 나타내는 조사.
  neun
  A postpositional particle used to indicate that a certain subject is the topic of a sentence.

- **너무나 (adverb)** : (강조하는 말로) 너무.
  too; excessively
  (emphasizing form) Very.

- **지치다 (verb)** : 힘든 일을 하거나 어떤 일에 시달려서 힘이 없다.
  be tired; be exhausted
  To have no energy due to hard work or suffering.

- **-어서** : 이유나 근거를 나타내는 연결 어미.
  -eoseo
  A connective ending used for a reason or cause.

- **하나님 (noun)** : 기독교에서 믿는 신을 개신교에서 부르는 이름.
  God
  A name used by Protestantism to address a god '하느님' believed by Christianity.

- **이** : 어떤 상태나 상황의 대상이나 동작의 주체를 나타내는 조사.
  i
  A postpositional particle referring to a subject under a certain state or situation, or the subject of an act.

- **원망스럽다 (adjective)** : 마음에 들지 않아서 탓하거나 미워하는 마음이 있다.
  resentful; reproachful
  Having the mind of blaming or hating something or someone because one is displeased with it or him/her.

- **-어지다** : 앞에 오는 말이 나타내는 상태로 점점 되어 감을 나타내는 표현.
  -eojida
  An expression used to indicate that someone or something gradually becomes the state mentioned in the preceding statement.

- -기 : 앞의 말이 명사의 기능을 하게 하는 어미.

  -gi

  An ending of a word used to make the preceding word function as a noun.

- **시작하다 (verb)** : 어떤 일이나 행동의 처음 단계를 이루거나 이루게 하다.

  start; begin; initiate

  To constitute or cause to constitute the initial phase of an affair or action.

- -였- : 어떤 사건이 과거에 완료되었거나 그 사건의 결과가 현재까지 지속되는 상황을 나타내는 어미.

  -yeot-

  An ending of a word used to indicate that an event was completed in the past or its result continues in the present.

- -다 : 어떤 사건이나 사실, 상태를 서술함을 나타내는 종결 어미.

  -da

  A sentence-final ending used when describing a certain event, fact, state, etc.

> 남자 : 이렇+게+까지 기도하+는데 못 듣(들)+[은 척하]+시+는 무심하+ㄴ
>   들은 척하시는   무심한
>
> 하나님, 정말 너무하+세요.

- **이렇다 (adjective)** : 상태, 모양, 성질 등이 이와 같다.

  such; of this kind; of this sort

  A state, shape, property, etc., being like this.

- -게 : 앞의 말이 뒤에서 가리키는 일의 목적이나 결과, 방식, 정도 등이 됨을 나타내는 연결 어미.

  -ge

  A connective ending used when the preceding statement is the purpose, result, method, amount, etc., of something mentioned in the following statement.

- 까지 : 정상적인 정도를 지나침을 나타내는 조사.

  kkaji

  A postpositional particle used to go beyond the normal degree.

- **기도하다 (verb)** : 바라는 바가 이루어지도록 절대적 존재 혹은 신앙의 대상에게 빌다.

  pray; wish

  To pray to the absolute being or the target of faith for a desired thing to be achieved.

- -는데 : 뒤의 말을 하기 위하여 그 대상과 관련이 있는 상황을 미리 말함을 나타내는 연결 어미.

  -neunde

  A connective ending used to talk in advance about a situation to follow.

- 못 (adverb) : 동사가 나타내는 동작을 할 수 없게.

  not

  The word that negates the action represented by the verb.

- 듣다 (verb) : 다른 사람의 말이나 소리 등에 귀를 기울이다.

  listen to

  To listen carefully with strained ears to others' words or sounds.

- -은 척하다 : 실제로 그렇지 않은데도 어떤 행동이나 상태를 거짓으로 꾸밈을 나타내는 표현.

  -eun cheokada

  An expression used to indicate that one pretends to do or to be something, which is not true.

- -시- : 어떤 동작이나 상태의 주체를 높이는 뜻을 나타내는 어미.

  -si-

  An ending of a word used for the subject honorifics of an action or state.

- -는 : 앞의 말이 관형어의 기능을 하게 만들고 사건이나 동작이 현재 일어남을 나타내는 어미.

  -neun

  An ending of a word that makes the preceding statement function as an adnominal phrase and implies that an event or action is happening in the present.

- 무심하다 (adjective) : 어떤 일이나 사람에 대하여 걱정하는 마음이나 관심이 없다.

  indifferent

  Lacking care or concern towards a matter or person.

- -ㄴ : 앞의 말이 관형어의 기능을 하게 만들고 현재의 상태를 나타내는 어미.

  -n

  An ending of a word that makes the preceding statement function as an adnominal phrase and refers to the present state.

- 하나님 (noun) : 기독교에서 믿는 신을 개신교에서 부르는 이름.

  God

  A name used by Protestantism to address a god '하느님' believed by Christianity.

- 정말 (adverb) : 거짓이 없이 진짜로.

  really

  In actual truth without falsehood.

- 너무하다 (adjective) : 일정한 정도나 한계를 넘어서 지나치다.

  too much; excessive

  Excessive, exceeding a certain extent or limit.

• -세요 : (두루높임으로) 설명, 의문, 명령, 요청의 뜻을 나타내는 종결 어미.
  -seyo
  (informal addressee-raising) A sentence-final ending used to describe, ask a question, order, and request.

남자 : 제+가 매일 밤 애원하+며 <u>기도하+였+는데</u> 왜 아무런 응답+이
                          기도했는데

<u>없+으시+ㄴ가요</u>?
없으신가요

• 제 (pronoun) : 말하는 사람이 자신을 낮추어 가리키는 말인 '저'에 조사 '가'가 붙을 때의 형태.
  I
  A form of '저' (I), the humble form used by the speaker to show humility, when the postpositional particle '가' is attached to it.

• 가 : 어떤 상태나 상황에 놓인 대상이나 동작의 주체를 나타내는 조사.
  ga
  A postpositional particle referring to a subject under a certain state or situation, or the subject of an act.

• 매일 (adverb) : 하루하루마다 빠짐없이.
  every day; every single day
  Every day without exceptions.

• 밤 (noun) : 해가 진 후부터 다음 날 해가 뜨기 전까지의 어두운 동안.
  night; evening
  The period of dark hours from sunset to sunrise the next day.

• 애원하다 (verb) : 요청이나 소원을 들어 달라고 애처롭게 사정하여 간절히 부탁하다.
  plead; implore
  To beg someone earnestly and pathetically to meet a person's demands or do something that he/she wishes for.

• -며 : 두 가지 이상의 동작이나 상태가 함께 일어남을 나타내는 연결 어미.
  -myeo
  A connective ending used when more than two actions or states happen at the same time.

• 기도하다 (verb) : 바라는 바가 이루어지도록 절대적 존재 혹은 신앙의 대상에게 빌다.
  pray; wish
  To pray to the absolute being or the target of faith for a desired thing to be achieved.

- **-였-** : 어떤 사건이 과거에 완료되었거나 그 사건의 결과가 현재까지 지속되는 상황을 나타내는 어미.
  -yeot-
  An ending of a word used to indicate that an event was completed in the past or its result continues in the present.

- **-는데** : 뒤의 말을 하기 위하여 그 대상과 관련이 있는 상황을 미리 말함을 나타내는 연결 어미.
  -neunde
  A connective ending used to talk in advance about a situation to follow.

- **왜 (adverb)** : 무슨 이유로. 또는 어째서.
  why
  For what reason; how come.

- **아무런 (determiner)** : 전혀 어떠한.
  any; no
  Not at all.

- **응답 (noun)** : 부름이나 물음에 답함.
  response
  An act of answering someone's call or question.

- **이** : 어떤 상태나 상황의 대상이나 동작의 주체를 나타내는 조사.
  i
  A postpositional particle referring to a subject under a certain state or situation, or the subject of an act.

- **없다 (adjective)** : 어떤 사실이나 현상이 현실로 존재하지 않는 상태이다.
  lacking
  (for a fact or phenomenon to be) Not existent in reality.

- **-으시-** : 높이고자 하는 인물과 관계된 소유물이나 신체의 일부가 문장의 주어일 때 그 인물을 높이는 뜻을 나타내는 어미.
  -eusi-
  An ending of a word used to show respect to a person when that person's possession or body part is the subject of the sentence.

- **-ㄴ가요** : (두루높임으로) 현재의 사실에 대한 물음을 나타내는 종결 어미.
  -n-gayo
  (informal addressee-raising) A sentence-final ending referring to a question about a fact of the present.

그리하+자	보+[다 못하]+여	답답하+ㄴ	하나님+께서 남자+에게 이렇+게	말씀하+시+었+다.
그러자	보다 못해	답답한		말씀하셨다

· **그리하다 (verb)** : 앞에서 일어난 일이나 말한 것과 같이 그렇게 하다.
  do so
  To do in the same way as what occurred or was stated previously.

· **-자** : 앞의 말이 나타내는 동작이 끝난 뒤 곧 뒤의 말이 나타내는 동작이 잇따라 일어남을 나타내는 연결 어미.
  -ja
  A connective ending used to indicate that the preceding action was completed and then the following action occurred successively

· **보다 (verb)** : 눈으로 대상의 존재나 겉모습을 알다.
  see; look at; notice
  To perceive with eyes the existence or appearance of an object.

· **-다 못하다** : 앞의 말이 나타내는 행동을 더 이상 계속할 수 없음을 나타내는 표현.
  -da motada
  An expression used to indicate that the act mentioned in the preceding statement cannot be continued.

· **-여** : 앞에 오는 말이 뒤에 오는 말에 대한 원인이나 이유임을 나타내는 연결 어미.
  -yeo
  A connective ending used when the preceding statement is the cause or reason for the following statement.

· **답답하다 (adjective)** : 다른 사람의 태도나 상황이 마음에 차지 않아 안타깝다.
  upset; worried
  Feeling anxious because someone's attitude or situation is not uncomfortable.

· **-ㄴ** : 앞의 말이 관형어의 기능을 하게 만들고 현재의 상태를 나타내는 어미.
  -n
  An ending of a word that makes the preceding statement function as an adnominal phrase and refers to the present state.

· **하나님 (noun)** : 기독교에서 믿는 신을 개신교에서 부르는 이름.
  God
  A name used by Protestantism to address a god '하느님' believed by Christianity.

· **께서** : (높임말로) 가. 이. 어떤 동작의 주체가 높여야 할 대상임을 나타내는 조사.
  kkeseo
  (honorific) '가,' '이'; a postpositional particle used to indicate that the subject of an act is elevated.

· **남자 (noun)** : 남성으로 태어난 사람.
  man; male
  A person who was born as a male.

• 에게 : 어떤 행동이 미치는 대상임을 나타내는 조사.

ege

A postpositional particle referring to the subject that is influenced by a certain action.

• 이렇다 (adjective) : 상태, 모양, 성질 등이 이와 같다.

such; of this kind; of this sort

A state, shape, property, etc., being like this.

• -게 : 앞의 말이 뒤에서 가리키는 일의 목적이나 결과, 방식, 정도 등이 됨을 나타내는 연결 어미.

-ge

A connective ending used when the preceding statement is the purpose, result, method, amount, etc., of something mentioned in the following statement.

• 말씀하다 (verb) : (높임말로) 말하다.

say; speak

(honorific) To speak.

• -시- : 어떤 동작이나 상태의 주체를 높이는 뜻을 나타내는 어미.

-si-

An ending of a word used for the subject honorifics of an action or state.

• -었- : 어떤 사건이 과거에 완료되었거나 그 사건의 결과가 현재까지 지속되는 상황을 나타내는 어미.

-eot-

An ending of a word used to indicate that an event was completed in the past or its result continues in the present.

• -다 : 어떤 사건이나 사실, 상태를 서술함을 나타내는 종결 어미.

-da

A sentence-final ending used when describing a certain event, fact, state, etc.

> 하나님 : 일단 복권+을 <u>사</u>+라는 말+이+야.
> **사란**

• 일단 (adverb) : 우선 먼저.

first; in the first place; to begin with

First of all.

• 복권 (noun) : 적혀 있는 숫자나 기호가 추첨한 것과 일치하면 상금이나 상품을 받을 수 있게 만든 표.

lottery ticket

A ticket that can be exchanged for prize money or a prize when its numbers or signs match the drawn numbers or signs.

• 을 : 동작이 직접적으로 영향을 미치는 대상을 나타내는 조사.
  eul
  A postpositional particle used to indicate the subject that an action has a direct influence on.

• **사다 (verb)** : 돈을 주고 어떤 물건이나 권리 등을 자기 것으로 만들다.
  buy; purchase; get
  To get ownership of an item, right, etc., by paying for it.

• **-라는** : 명령이나 요청 등의 말을 인용하여 전달하면서 그 뒤에 오는 명시를 꾸며 줄 때 쓰는 표현.
  -raneun
  An expression used to quote a remark such as an order, request, etc., while modifying the following noun.

• **말 (noun)** : 다시 강조하거나 확인하는 뜻을 나타내는 말.
  meaning
  A word used to emphasize or confirm something.

• **이다** : 주어가 지시하는 대상의 속성이나 부류를 지정하는 뜻을 나타내는 서술격 조사.
  ida
  A predicate particle indicating the meaning of the attribute or category of the thing that the subject of the sentence refers to.

• **-야** : (두루낮춤으로) 어떤 사실에 대하여 서술하거나 물음을 나타내는 종결 어미.
  -ya
  (informal addressee-lowering) A sentence-final ending used to describe a certain fact or ask a question.

< 16 단원(chapter) >

제목 : 왜 먹지 못하지요?

● 본문 (main text)

요즘 국내에 반려동물을 키우는 사람들이 많아지면서 건강에 좋은 사료를 개발하는 회사들도 점점

늘어나고 있다.

올해 한 사료 회사에서 유기농 원료를 사용한 신제품 개발에 성공하여 투자자를 위한 모임을 개최하게

되었다.

직원 : 이것으로 신제품 사료에 대한 설명을 마치도록 하겠습니다.

　　　　지금부터는 투자자분들의 질문을 받도록 하겠습니다.

투자자 : 자세한 설명 잘 들었습니다.

　　　　그런데 혹시 그거 사람도 먹을 수 있습니까?

직원 : 사람은 못 먹습니다.

투자자 : 아니, 유기농 원료에 영양가 높고 위생적으로 만든 개 사료라면서

　　　　왜 먹지 못하지요?

직원 : 비싸서 절대 못 먹습니다.

● 본문 (main text)

● 발음 (pronunciation)

요즘 국내에 반려동물을 키우는 사람들이 많아지면서 건강에 좋은 사료를 개발하는 회사들도 점점
요즘 궁내에 발려동무를 키우는 사람드리 마나지면서 건강에 조은 사료를 개발하는 회사들도 점점
yojeum gungnaee ballyeodongmureul kiuneun saramdeuri manajimyeonseo geongange joeun
saryoreul gaebalhaneun hoesadeuldo jeomjeom

늘어나고 있다.
느러나고 읻따.
neureonago itda.

올해 한 사료 회사에서 유기농 원료를 사용한 신제품 개발에 성공하여 투자자를 위한 모임을 개최하게
올해 한 사료 회사에서 유기농 월료를 사용한 신제품 개바레 성공하여 투자자를 위한 모이믈 개최하게
olhae han saryo hoesaeseo yuginong wollyoreul sayonghan sinjepum gaebare seonggonghayeo
tujajareul wihan moimeul gaechoehage

되었다.
되얻따.
doeeotda.

직원 : 이것으로 신제품 사료에 대한 설명을 마치도록 하겠습니다.
지권 : 이거스로 신제품 사료에 대한 설명을 마치도록 하겠씀니다.
jigwon : igeoseuro sinjepum saryoe daehan seolmyeongeul machidorok
         hagetseumnida.

       지금부터는 투자자분들의 질문을 받도록 하겠습니다.
       지금부터는 투자자분드릐 질무늘 받또록 하겠씀니다.
       jigeumbuteoneun tujajabundeurui(bundeure) jilmuneul batdorok
       hagetseumnida.

투자자 : 자세한 설명 잘 들었습니다.
투자자 : 자세한 설명 잘 드럳씀니다.
tujaja : jasehan seolmyeong jal deureotseumnida.

       그런데 혹시 그거 사람도 먹을 수 있습니까?
       그런데 혹씨 그거 사람도 머글 쑤 읻씀니까?
       geureonde hoksi geugeo saramdo meogeul su itseumnikka?

직원 : 사람은 못 먹습니다.
지권 : 사라믄 몯 먹씀니다.
jigwon : sarameun mot meokseumnida.

투자자 : 아니, 유기농 원료에 영양가 높고 위생적으로 만든 개 사료라면서
투자자 : 아니, 유기농 월료에 영양까 놉꼬 위생저그로 만든 개 사료라면서
tujaja : ani, yuginong wollyoe yeongyangga nopgo wisaengjeogeuro mandeun
gae saryoramyeonseo

왜 먹지 못하지요?
왜 먹찌 모타지요?
wae meokji motajiyo?

직원 : 비싸서 절대 못 먹습니다.
지권 : 비싸서 절때 몯 먹씀니다.
jigwon : bissaseo jeoldae mot meokseumnida.

● 어휘 (vocabulary) / 문법 (grammar)

요즘 국내+에 반려동물+을 키우+는 사람+들+이 많아지+면서 선강+에 좋+은 사료+를 개발하+는

회사+들+도 점점 늘어나+<u>고 있</u>+다.

올해 한 사료 회사+에서 유기농 원료+를 사용하+ㄴ 신제품 개발+에 성공하+여 투자자+를 위하+ㄴ

모임+을 개최하+<u>게 되</u>+었+다.

직원 : 이것+으로 신제품 사료+<u>에 대한</u> 설명+을 마치+<u>도록 하</u>+겠+습니다.

　　　　지금+부터+는 투자자+분+들+의 질문+을 받+<u>도록 하</u>+겠+습니다.

투자자 : 자세하+ㄴ 설명 잘 듣(들)+었+습니다.

　　　　　그런데 혹시 그거 사람+도 먹+<u>을 수 있</u>+습니까?

직원 : 사람+은 못 먹+습니다.

투자자 : 아니, 유기농 원료+에 영양가 높+고 위생적+으로 만들(만드)+ㄴ

　　　　　개 사료+(이)+라면서 왜 먹+<u>지 못하</u>+지요?

직원 : 비싸+(아)서 절대 못 먹+습니다.

요즘 국내+에 반려동물+을 키우+는 사람+들+이 많아지+면서 건강+에 좋+은 사료+를 개발하+는

회사+들+도 점점 늘어나+[고 있]+다.

• **요즘 (noun)** : 아주 가까운 과거부터 지금까지의 사이.
nowadays; these days
A period from a while ago to the present.

• **국내 (noun)** : 나라의 안.
interior of a country; domestic territory
Area within a country.

• 에 : 앞말이 어떤 장소나 자리임을 나타내는 조사.
on; in; at
A postpositional particle to indicate that the preceding statement refers to a certain place or space.

• **반려동물 (noun)**
반려 (noun) : 짝이 되는 사람이나 동물.
companion; partner
A person or animal that is one's companion.
동물 (noun) : 사람을 제외한 길짐승, 날짐승, 물짐승 등의 움직이는 생물.
animal
Living things other than human, such as crawling, feathered, aquatic animals.

• 을 : 동작이 직접적으로 영향을 미치는 대상을 나타내는 조사.
eul
A postpositional particle used to indicate the subject that an action has a direct influence on.

• **키우다 (verb)** : 동식물을 보살펴 자라게 하다.
grow; raise
To take care of an animal or plant so that it grows.

• -는 : 앞의 말이 관형어의 기능을 하게 만들고 사건이나 동작이 현재 일어남을 나타내는 어미.
-neun
An ending of a word that makes the preceding statement function as an adnominal phrase and implies that an event or action is happening in the present.

• **사람 (noun)** : 생각할 수 있으며 언어와 도구를 만들어 사용하고 사회를 이루어 사는 존재.
human; man
A being that is capable of thinking, makes and uses languages and tools and lives by forming a society with others.

• 들 : '복수'의 뜻을 더하는 접미사.
 -deul
 A suffix used to mean plural.

• 이 : 어떤 상태나 상황의 대상이나 동작의 주체를 나타내는 조사.
 i
 A postpositional particle referring to a subject under a certain state or situation, or the agent of an action.

• **많아지다 (verb)** : 수나 양 등이 적지 아니하고 일정한 기준을 넘게 되다.
 increase; grow
 For a number, amount, etc., to not be small and come to exceed a certain standard.

• -면서 : 두 가지 이상의 동작이나 상태가 함께 일어남을 나타내는 연결 어미.
 -myeonseo
 A connective ending used when more than two actions or states happen at the same time.

• **건강 (noun)** : 몸이나 정신이 이상이 없이 튼튼한 상태.
 health; wellbeing
 A state of body and mind that is robust with no illness.

• 에 : 앞말이 무엇의 목적이나 목표임을 나타내는 조사.
 for
 A postpositional particle to indicate that the preceding word is the goal or objective of something.

• **좋다 (adjective)** : 어떤 것이 몸이나 건강을 더 나아지게 하는 성질이 있다.
 good
 Having qualities that are good for the body or health.

• -은 : 앞의 말이 관형어의 기능을 하게 만들고 현재의 상태를 나타내는 어미.
 -eun
 An ending of a word that makes the preceding word function as an adnominal phrase and refers to the present state.

• **사료 (noun)** : 집이나 농장 등에서 기르는 동물에게 주는 먹이.
 feed; fodder
 Food for animals domesticated in a house or farm.

• 를 : 동작이 직접적으로 영향을 미치는 대상을 나타내는 조사.
 reul
 A postpositional particle used to indicate the subject that an action has a direct influence on.

• **개발하다 (verb)** : 새로운 물건을 만들거나 새로운 생각을 내놓다.
develop; devise; invent
To create a new product or idea.

• **-는** : 앞의 말이 관형어의 기능을 하게 만들고 사건이나 동작이 현재 일어남을 나타내는 어미.
-neun
An ending of a word that makes the preceding statement function as an adnominal phrase and implies that an event or action is happening in the present.

• **회사 (noun)** : 사업을 통해 이익을 얻기 위해 여러 사람이 모여 만든 법인 단체.
company; corporation
A legal entity created together by many people to earn profits by running a certain business.

• **들** : '복수'의 뜻을 더하는 접미사.
-deul
A suffix used to mean plural.

• **도** : 이미 있는 어떤 것에 다른 것을 더하거나 포함함을 나타내는 조사.
do
A postpositional particle used to indicate an addition or inclusion of another thing to something that already exists.

• **점점 (adverb)** : 시간이 지남에 따라 정도가 조금씩 더.
gradually
Little by little as times goes by.

• **늘어나다 (verb)** : 부피나 수량이나 정도가 원래보다 점점 커지거나 많아지다.
increase; swell
For the volume, amount, or degree of something to become gradually bigger or larger than before.

• **-고 있다** : 앞의 말이 나타내는 행동이 계속 진행됨을 나타내는 표현.
-go itda
An expression used to state that the act mentioned in the preceding statement is continued.

• **-다** : 어떤 사건이나 사실, 상태를 서술함을 나타내는 종결 어미.
-da
A sentence-final ending used when describing a certain event, fact, state, etc.

올해 한 사료 회사+에서 유기농 원료+를 <u>사용하</u>+ㄴ 신제품 개발+에 성공하+여 투자자+를 <u>위하</u>+ㄴ
　　　　　　　　　　　　　　　　　　사용한　　　　　　　　　　　　　　　　　　　　　위한

모임+을 개최하+[게 되]+었+다.

• **올해 (noun)** : 지금 지나가고 있는 이 해.
this year
The current year.

• **한 (determiner)** : 여럿 중 하나인 어떤.
one
One of many.

• **사료 (noun)** : 집이나 농장 등에서 기르는 동물에게 주는 먹이.
feed; fodder
Food for animals domesticated in a house or farm.

• **회사 (noun)** : 사업을 통해 이익을 얻기 위해 여러 사람이 모여 만든 법인 단체.
company; corporation
A legal entity created together by many people to earn profits by running a certain business.

• **에서** : 앞말이 주어임을 나타내는 조사.
eseo
A postpositional particle used to indicate that the preceding word refers to the subject of the sentence.

• **유기농 (noun)** : 화학 비료나 농약을 쓰지 않고 생물의 작용으로 만들어진 것만을 사용하는 방식의 농업.
organic farming
Farming that uses only things made through the metabolic process of living organisms, not using chemical fertilizers or agricultural pesticides.

• **원료 (noun)** : 어떤 것을 만드는 데 들어가는 재료.
raw material; materials
Materials used to make something.

• **를** : 동작이 직접적으로 영향을 미치는 대상을 나타내는 조사.
reul
A postpositional particle used to indicate the subject that an action has a direct influence on.

• **사용하다 (verb)** : 무엇을 필요한 일이나 기능에 맞게 쓰다.
use
To use something for a certain job or function.

- -ㄴ : 앞의 말이 관형어의 기능을 하게 만들고 사건이나 동작이 완료되어 그 상태가 유지되고 있음을 나타내는 어미.
  -n
  An ending of a word that makes the preceding statement function as an adnominal phrase and indicates that an event or action has been completed and its state continues.

- **신제품 (noun)** : 새로 만든 제품.
  new product
  A newly released product.

- **개발 (noun)** : 새로운 물건을 만들거나 새로운 생각을 내놓음.
  development; invention
  The act of creating a new product or idea.

- 에 : 앞말이 어떤 행위나 감정 등의 대상임을 나타내는 조사.
  with; for; against
  A postpositional particle to indicate that the preceding statement is the subject that is influenced by a certain action, emotion, etc.

- **성공하다 (verb)** : 원하거나 목적하는 것을 이루다.
  succeed
  To achieve something that one wanted or aimed for.

- -여 : 앞에 오는 말이 뒤에 오는 말에 대한 원인이나 이유임을 나타내는 연결 어미.
  -yeo
  A connective ending used when the preceding statement is the cause or reason for the following statement.

- **투자자 (noun)** : 이익을 얻기 위해 어떤 일이나 사업에 돈을 대거나 시간이나 정성을 쏟는 사람.
  investor
  A person who spends money, time, or energy in a certain project or business, to gain a profit.

- 를 : 동작이 직접적으로 영향을 미치는 대상을 나타내는 조사.
  reul
  A postpositional particle used to indicate the subject that an action has a direct influence on.

- **위하다 (verb)** : 무엇을 이롭게 하거나 도우려 하다.
  do in favor of; do for the benefit of
  To try to benefit or help someone or something.

• -ㄴ : 앞의 말이 관형어의 기능을 하게 만들고 사건이나 동작이 완료되어 그 상태가 유지되고 있음을 나타내는 어미.
-n
An ending of a word that makes the preceding statement function as an adnominal phrase and indicates that an event or action has been completed and its state continues.

• 모임 (noun) : 어떤 일을 하기 위하여 여러 사람이 모이는 일.
meeting; gathering
A meeting of many people to do something.

• 을 : 동작이 직접적으로 영향을 미치는 대상을 나타내는 조사.
eul
A postpositional particle used to indicate the subject that an action has a direct influence on.

• 개최하다 (verb) : 모임, 행사, 경기 등을 조직적으로 계획하여 열다.
host; hold
To organize, plan and hold gatherings, events, sports meets, etc.

• -게 되다 : 앞의 말이 나타내는 상태나 상황이 됨을 나타내는 표현.
-ge doeda
An expression used to indicate that something will become the state or situation mentioned in the preceding statement.

• -었- : 어떤 사건이 과거에 완료되었거나 그 사건의 결과가 현재까지 지속되는 상황을 나타내는 어미.
-eot-
An ending of a word used to indicate that an event was completed in the past or its result continues in the present.

• -다 : 어떤 사건이나 사실, 상태를 서술함을 나타내는 종결 어미.
-da
A sentence-final ending used when describing a certain event, fact, state, etc.

직원 : 이것+으로 신제품 사료+[에 대한] 설명+을 마치+[도록 하]+겠+습니다.

• 이것 (pronoun) : 바로 앞에서 이야기한 대상을 가리키는 말.
this
A word that refers to something which was just mentioned.

• 으로 : 어떤 일의 방법이나 방식을 나타내는 조사.
euro
A postpositional particle that indicates a method or way to do something.

- **신제품 (noun)** : 새로 만든 제품.
  new product
  A newly released product.

- **사료 (noun)** : 집이나 농장 등에서 기르는 동물에게 주는 먹이.
  feed; fodder
  Food for animals domesticated in a house or farm.

- **에 대한** : 뒤에 오는 명사를 수식하며 앞에 오는 명사를 뒤에 오는 명사의 대상으로 함을 나타내는 표현.
  e daehan
  An expression that modifies the following noun and indicates that the preceding noun is the subject of the following noun.

- **설명 (noun)** : 어떤 것을 남에게 알기 쉽게 풀어 말함. 또는 그런 말.
  explanation; account
  The act of describing something to another person in a way that he/she could understand easily, or such words.

- **을** : 동작이 직접적으로 영향을 미치는 대상을 나타내는 조사.
  eul
  A postpositional particle used to indicate the subject that an action has a direct influence on.

- **마치다 (verb)** : 하던 일이나 과정이 끝나다. 또는 그렇게 하다.
  complete; finish
  For a task or process in progress to complete or to complete it.

- **-도록 하다** : 말하는 사람이 어떤 행위를 할 것이라는 의지나 다짐을 나타내는 표현.
  -dorok hada
  An expression used to indicate the speaker's will or determination to do a certain act.

- **-겠-** : 완곡하게 말하는 태도를 나타내는 어미.
  -get-
  An ending of a word referring to an attitude of speaking indirectly.

- **-습니다** : (아주높임으로) 현재의 동작이나 상태, 사실을 정중하게 설명함을 나타내는 종결 어미.
  -seupnida
  (formal, highly addressee-raising) A sentence-final ending used to explain the present action, state, or fact politely.

직원 : 지금+부터+는 투자자+분+들+의 질문+을 받+[도록 하]+겠+습니다.

• **지금** (noun) : 말을 하고 있는 바로 이때.
 now
 The present moment as one speaks.

• 부터 : 어떤 일의 시작이나 처음을 나타내는 조사.
 buteo
 A postpositional particle that indicates the start or beginning of something.

• 는 : 문장 속에서 어떤 대상이 화제임을 나타내는 조사.
 neun
 A postpositional particle used to indicate that a certain subject is the topic of a sentence.

• **투자자** (noun) : 이익을 얻기 위해 어떤 일이나 사업에 돈을 대거나 시간이나 정성을 쏟는 사람.
 investor
 A person who spends money, time, or energy in a certain project or business, to gain a profit.

• 분 : '높임'의 뜻을 더하는 접미사.
 -bun
 A suffix used to mean "showing respect."

• 들 : '복수'의 뜻을 더하는 접미사.
 -deul
 A suffix used to mean plural.

• 의 : 앞의 말이 뒤의 말에 대하여 소유, 소속, 소재, 관계, 기원, 주체의 관계를 가짐을 나타내는 조사.
 ui
 A postpositional particle used to indicate that the referent of the following word is owned by, belongs to, is related to, originates from, or is the object of what the preceding word indicates.

• **질문** (noun) : 모르는 것이나 알고 싶은 것을 물음.
 question
 An act of asking something one does not know or wants to know.

• 을 : 동작이 직접적으로 영향을 미치는 대상을 나타내는 조사.
 eul
 A postpositional particle used to indicate the subject that an action has a direct influence on.

• **받다** (verb) : 요구나 신청, 질문, 공격, 신호 등과 같은 작용을 당하거나 그에 응하다.
 receive; get
 To receive or respond to an action such as a request, application, inquiry, attack, signal, etc.

- -도록 하다 : 말하는 사람이 어떤 행위를 할 것이라는 의지나 다짐을 나타내는 표현.
  -dorok hada
  An expression used to indicate the speaker's will or determination to do a certain act.

- -겠- : 완곡하게 말하는 태도를 나타내는 어미.
  -get-
  An ending of a word referring to an attitude of speaking indirectly.

- -습니다 : (아주높임으로) 현재의 동작이나 상태, 사실을 정중하게 설명함을 나타내는 종결 어미.
  -seupnida
  (formal, highly addressee-raising) A sentence-final ending used to explain the present action, state, or fact politely.

투자자 : <u>자세하+ㄴ</u> 설명 잘 <u>듣(들)+었+습니다</u>.
　　　　　 자세한　　　　　　　들었습니다

- 자세하다 (adjective) : 아주 사소한 부분까지 구체적이고 분명하다.
  detailed; minute; particularized
  Concrete and clear even in insignificant parts.

- -ㄴ : 앞의 말이 관형어의 기능을 하게 만들고 현재의 상태를 나타내는 어미.
  -n
  An ending of a word that makes the preceding statement function as an adnominal phrase and refers to the present state.

- 설명 (noun) : 어떤 것을 남에게 알기 쉽게 풀어 말함. 또는 그런 말.
  explanation; account
  The act of describing something to another person in a way that he/she could understand easily, or such words.

- 잘 (adverb) : 관심을 집중해서 주의 깊게.
  carefully
  With concentration and care.

- 듣다 (verb) : 다른 사람의 말이나 소리 등에 귀를 기울이다.
  listen to
  To listen carefully with strained ears to others' words or sounds.

- -었- : 어떤 사건이 과거에 완료되었거나 그 사건의 결과가 현재까지 지속되는 상황을 나타내는 어미.
  -eot-
  An ending of a word used to indicate that an event was completed in the past or its result continues in the present.

• -습니다 : (아주높임으로) 현재의 동작이나 상태, 사실을 정중하게 설명함을 나타내는 종결 어미.

-seupnida

(formal, highly addressee-raising) A sentence-final ending used to explain the present action, state, or fact politely.

投资者 : 그런데 혹시 그거 사람+도 먹+[을 수 있]+습니까?

• 그런데 (adverb) : 이야기를 앞의 내용과 관련시키면서 다른 방향으로 바꿀 때 쓰는 말.

by the way

A word used to change the direction of a story while relating it to the preceding statement.

• 혹시 (adverb) : 그러리라 생각하지만 분명하지 않아 말하기를 망설일 때 쓰는 말.

by any chance

The word that is used when one is hesitant to say something he/she thinks is possible but he/she is uncertain about.

• 그거 (pronoun) : 앞에서 이미 이야기한 대상을 가리키는 말.

no equivalent expression

A pronoun used to indicate the previously-mentioned object.

• 사람 (noun) : 생각할 수 있으며 언어와 도구를 만들어 사용하고 사회를 이루어 사는 존재.

human; man

A being that is capable of thinking, makes and uses languages and tools and lives by forming a society with others.

• 도 : 이미 있는 어떤 것에 다른 것을 더하거나 포함함을 나타내는 조사.

do

A postpositional particle used to indicate an addition or inclusion of another thing to something that already exists.

• 먹다 (verb) : 음식 등을 입을 통하여 배 속에 들여보내다.

eat; have; consume; take

To put food into one's mouth and take it in one's stomach.

• -을 수 있다 : 어떤 행동이나 상태가 가능함을 나타내는 표현.

-eul su itda

An expression used to indicate that an act or state is possible.

• -습니까 : (아주높임으로) 말하는 사람이 듣는 사람에게 정중하게 물음을 나타내는 종결 어미.

-seupnikka

(formal, highly addressee-raising) A sentence-final ending used when the speaker asks the listener politely.

> **직원 : 사람+은 못 먹+습니다.**

- **사람 (noun)** : 생각할 수 있으며 언어와 도구를 만들어 사용하고 사회를 이루어 사는 존재.
  human; man
  A being that is capable of thinking, makes and uses languages and tools and lives by forming a society with others.

- **은** : 문장 속에서 어떤 대상이 화제임을 나타내는 조사.
  eun
  A postpositional particle used to indicate that a certain subject is the topic of a sentence.

- **못 (adverb)** : 동사가 나타내는 동작을 할 수 없게.
  not
  The word that negates the action represented by the verb.

- **먹다 (verb)** : 음식 등을 입을 통하여 배 속에 들여보내다.
  eat; have; consume; take
  To put food into one's mouth and take it in one's stomach.

- **-습니다** : (아주높임으로) 현재의 동작이나 상태, 사실을 정중하게 설명함을 나타내는 종결 어미.
  -seupnida
  (formal, highly addressee-raising) A sentence-final ending used to explain the present action, state, or fact politely.

> **투자자 : 아니, 유기농 원료+에 영양가 높+고 위생적+으로 만들(만드)+ㄴ**
> **만든**
>
> **개 사료+(이)+라면서 왜 먹+[지 못하]+지요?**
> **개 사료라면서**

- **아니 (interjection)** : 놀라거나 감탄스러울 때, 또는 의심스럽고 이상할 때 하는 말.
  what; no way; oh no
  An exclamation uttered when the speaker is surprised, impressed, has doubts, or feels that something is strange.

- **유기농 (noun)** : 화학 비료나 농약을 쓰지 않고 생물의 작용으로 만들어진 것만을 사용하는 방식의 농업.
  organic farming
  Farming that uses only things made through the metabolic process of living organisms, not using chemical fertilizers or agricultural pesticides.

• **원료** (noun) : 어떤 것을 만드는 데 들어가는 재료.
  raw material; materials
  Materials used to make something.

• **에** : 앞말에 무엇이 더해짐을 나타내는 조사.
  to
  A postpositional particle to indicate that something is added to the preceding statement.

• **영양가** (noun) : 식품이 가진 영양의 가치.
  nutritional value
  The value of a food's nutrition.

• **높다** (adjective) : 품질이나 수준 또는 능력이나 가치가 보통보다 위에 있다.
  high
  The quality, level, ability, or value being higher than the average.

• **-고** : 두 가지 이상의 대등한 사실을 나열할 때 쓰는 연결 어미.
  -go
  A connective ending used when listing more than two equal facts.

• **위생적** (noun) : 건강에 이롭거나 도움이 되도록 조건을 갖춘 것.
  being sanitary; being hygienic
  The state of meeting criteria to be beneficial to or good for health.

• **으로** : 어떤 일의 방법이나 방식을 나타내는 조사.
  euro
  A postpositional particle that indicates a method or way to do something.

• **만들다** (verb) : 힘과 기술을 써서 없던 것을 생기게 하다.
  make; create; produce; manufacture
  To create something that did not exist, using one's power or skill.

• **-ㄴ** : 앞의 말이 관형어의 기능을 하게 만들고 사건이나 동작이 완료되어 그 상태가 유지되고 있음을
        나타내는 어미.
  -n
  An ending of a word that makes the preceding statement function as an adnominal phrase and indicates that an event or action has been completed and its state continues.

• **개** (noun) : 냄새를 잘 맡고 귀가 매우 밝으며 영리하고 사람을 잘 따라 사냥이나 애완 등의 목적으로
        기르는 동물.
  dog
  An animal raised as a pet or hunting companion, because it has a good sense of hearing and smell, is intelligent, and makes a good companion to humans.

• **사료 (noun)** : 집이나 농장 등에서 기르는 동물에게 주는 먹이.

  feed; fodder

  Food for animals domesticated in a house or farm.

• **이다** : 주어가 지시하는 대상의 속성이나 부류를 지정하는 뜻을 나타내는 서술격 조사.

  ida

  A predicate particle indicating the meaning of the attribute or category of the thing that the subject of the sentence refers to.

• **-라면서** : 듣는 사람이나 다른 사람이 이전에 했던 말이 예상이나 지금의 상황과 다름을 따져 물을 때 쓰는 표현.

  -ramyeonseo

  An expression used to ask if the current situation is different from what the listener or another person said before.

• **왜 (adverb)** : 무슨 이유로. 또는 어째서.

  why

  For what reason; how come.

• **먹다 (verb)** : 음식 등을 입을 통하여 배 속에 들여보내다.

  eat; have; consume; take

  To put food into one's mouth and take it in one's stomach.

• **-지 못하다** : 앞의 말이 나타내는 행동을 할 능력이 없거나 주어의 의지대로 되지 않음을 나타내는 표현.

  -ji motada

  An expression used to indicate that the speaker cannot do the act mentioned in the preceding statement, or that things did not work out as the subject intended.

• **-지요** : (두루높임으로) 말하는 사람이 듣는 사람에게 친근함을 나타내며 물을 때 쓰는 종결 어미.

  -jiyo

  (informal addressee-raising) A sentence-final ending used when the speaker asks the listener in a friendly manner.

> **직원** : <u>비싸+(아)서</u> 절대 못 먹+습니다.
>   비싸서

• **비싸다 (adjective)** : 물건값이나 어떤 일을 하는 데 드는 비용이 보통보다 높다.

  expensive; costly

  The price of an object or the cost to do something being higher than the average.

- -아서 : 이유나 근거를 나타내는 연결 어미.

  -aseo

  A connective ending used for a reason or cause.

- 절대 (adverb) : 어떤 경우라도 반드시.

  absolutely; never

  Surely and in any case.

- 못 (adverb) : 동사가 나타내는 동작을 할 수 없게.

  not

  The word that negates the action represented by the verb.

- 먹다 (verb) : 음식 등을 입을 통하여 배 속에 들여보내다.

  eat; have; consume; take

  To put food into one's mouth and take it in one's stomach.

- -습니다 : (아주높임으로) 현재의 동작이나 상태, 사실을 정중하게 설명함을 나타내는 종결 어미.

  -seupnida

  (formal, highly addressee-raising) A sentence-final ending used to explain the present action, state, or fact politely.

● 숫자 (number)

- 0 (영, 공) : zero
- 1 (일, 하나) : one
- 2 (이, 둘) : two
- 3 (삼, 셋) : three
- 4 (사, 넷) : four
- 5 (오, 다섯) : five
- 6 (육, 여섯) : six
- 7 (칠, 일곱) : seven
- 8 (팔, 여덟) : eight
- 9 (구, 아홉) : nine
- 10 (십, 열) : ten
- 20 (이십, 스물) : twenty
- 30 (삼십, 서른) : thirty
- 40 (사십, 마흔) : forty
- 50 (오십, 쉰) : fifty
- 60 (육십, 예순) : sixty
- 70 (칠십, 일흔) : seventy
- 80 (팔십, 여든) : eighty
- 90 (구십, 아흔) : ninety
- 100 (백) : hundred
- 1,000 (천) : thousand
- 10,000 (만) : ten thousand
- 100,000 (십만) : hundred thousand
- 1,000,000 (백만) : million
- 10,000,000 (천만) : ten million
- 100,000,000 (억) : hundred million
- 1,000,000,000,000 (조) : trillion

● 시간 (time)

- **시 (noun)** : 하루를 스물넷으로 나누었을 때 그 하나를 나타내는 시간의 단위.
  o'clock
  A bound noun indicating one of 24 hours of a day.

- **분 (noun)** : 한 시간의 60분의 1을 나타내는 시간의 단위.
  minute
  A bound noun indicating a unit of time, which is one-sixtieth of an hour.

- **초 (noun)** : 일 분의 60분의 1을 나타내는 시간의 단위.
  second
  A bound noun used to indicate a unit of time, which is one-sixtieth of a minute.

- **새벽 (noun)**
  1) 해가 뜰 즈음.
     dawn
     The time around sunrise.
  2) 아주 이른 오전 시간을 가리키는 말.
     morning
     A time in the very early morning hours.

- **아침 (noun)** : 날이 밝아올 때부터 해가 떠올라 하루의 일이 시작될 때쯤까지의 시간.
  morning
  The hours between dawn and the time when the sun is up and daily activities start.

- **점심 (noun)** : 하루 중에 해가 가장 높이 떠 있는, 아침과 저녁의 중간이 되는 시간.
  afternoon
  The time between morning and evening when the sun is at its highest during the day.

- **저녁 (noun)** : 해가 지기 시작할 때부터 밤이 될 때까지의 동안.
  evening
  The hours between the time when the sun starts setting and the time when the night falls.

- **낮 (noun)**
  1) 해가 뜰 때부터 질 때까지의 동안.
     day; daytime
     The time from sunrise to sunset.
  2) 오후 열두 시가 지나고 저녁이 되기 전까지의 동안.
     afternoon
     The time from past noon to before nightfall.

- **밤 (noun)** : 해가 진 후부터 다음 날 해가 뜨기 전까지의 어두운 동안.

  night; evening

  The period of dark hours from sunset to sunrise the next day.

- **오전 (noun)**

  1) 아침부터 낮 열두 시까지의 동안.

     morning

     The time from morning to noon.

  2) 밤 열두 시부터 낮 열두 시까지의 동안.

     morning; a.m.

     The time from 12 a.m. to 12 p.m.

- **오후 (noun)**

  1) 정오부터 해가 질 때까지의 동안.

     afternoon

     The duration from noon to the time when the sun goes down.

  2) 정오부터 밤 열두 시까지의 시간.

     afternoon

     The time from noon to 12 a.m.

- **정오 (noun)** : 낮 열두 시.

  noon

  Twelve o'clock in the afternoon.

- **자정 (noun)** : 밤 열두 시.

  midnight

  Twelve o'clock at night.

- **그저께 (noun)** : 어제의 전날. 즉 오늘로부터 이틀 전.

  the day before yesterday

  The day before yesterday; that is, two days before today.

- **어제 (noun)** : 오늘의 하루 전날.

  yesterday

  The day before the present day.

- **오늘 (noun)** : 지금 지나가고 있는 이날.

  today

  The day that is passing at the present time.

- **내일 (noun)** : 오늘의 다음 날.

  days to come; future

  The day after today.

• **모레** (noun) : 내일의 다음 날.
day after tomorrow
The day following tomorrow.

• **하루** (noun) : 밤 열두 시부터 다음 날 밤 열두 시까지의 스물네 시간.
day
The 24 hours from midnight to the following midnight.

• **이틀** (noun) : 두 날.
no equivalent expression
Two days.

• **사흘** (noun) : 세 날.
three days
Three days.

• **나흘** (noun) : 네 날.
four days
The four days.

• **닷새** (noun) : 다섯 날.
five days
A duration of five days.

• **엿새** (noun) : 여섯 날.
six days
A duration of six days.

• **이레** (noun) : 일곱 날.
seven days
Seven days.

• **여드레** (noun) : 여덟 날.
eight days
Eight days.

• **아흐레** (noun) : 아홉 날.
nine days
Nine days.

• **열흘** (noun) : 열 날.
ten days
Ten days

• **월요일 (noun)** : 한 주가 시작되는 첫 날.
Monday
The first day of a week.

• **화요일 (noun)** : 월요일을 기준으로 한 주의 둘째 날.
Tuesday
The second day of a week that starts from Monday.

• **수요일 (noun)** : 월요일을 기준으로 한 주의 셋째 날.
Wednesday
The third day of a week that starts from Monday.

• **목요일 (noun)** : 월요일을 기준으로 한 주의 넷째 날.
Thursday
The fourth day of a week starting from Monday.

• **금요일 (noun)** : 월요일을 기준으로 한 주의 다섯째 날.
Friday
The fifth day from Monday in a week.

• **토요일 (noun)** : 월요일을 기준으로 한 주의 여섯째 날.
Saturday
The sixth day of a week starting from Monday.

• **일요일 (noun)** : 월요일을 기준으로 한 주의 마지막 날.
Sunday
The last day of a week starting from Monday.

• **일주일 (noun)** : 월요일부터 일요일까지 칠 일. 또는 한 주일.
one week; a week
Seven days from Monday to Sunday, or one week.

• **일월 (noun)** : 일 년 열두 달 가운데 첫째 달.
January
The first month of a year, out of twelve months.

• **이월 (noun)** : 일 년 열두 달 가운데 둘째 달.
February
The second month of a year, out of twelve months.

• **삼월 (noun)** : 일 년 열두 달 가운데 셋째 달.
March
The third month of a year, out of twelve months.

• **사월** (noun) : 일 년 열두 달 가운데 넷째 달.

April

The fourth month of a year, out of twelve months.

• **오월** (noun) : 일 년 열두 달 가운데 다섯째 달.

May

The fifth month in a year.

• **유월** (noun) : 일 년 열두 달 가운데 여섯째 달.

June

The sixth month of a year, out of twelve months.

• **칠월** (noun) : 일 년 열두 달 가운데 일곱째 달.

July

The seventh month of a year, out of twelve months.

• **팔월** (noun) : 일 년 열두 달 가운데 여덟째 달.

August

The eighth month of a year, out of twelve months.

• **구월** (noun) : 일 년 열두 달 가운데 아홉째 달.

September

The ninth month of a year, out of twelve months.

• **시월** (noun) : 일 년 열두 달 중 열 번째 달.

October

The tenth month among the twelve months of a year.

• **십일월** (noun) : 일 년 열두 달 가운데 열한째 달.

November

The eleventh month of a year, out of twelve months.

• **십이월** (noun) : 일 년 열두 달 가운데 마지막 달.

December

The last month of a year, out of twelve months.

• **봄** (noun) : 네 계절 중의 하나로 겨울과 여름 사이의 계절.

spring

The season between winter and summer.

• **여름** (noun) : 네 계절 중의 하나로 봄과 가을 사이의 더운 계절.

summer

One of four seasons which is hot and comes between spring and fall.

- **가을 (noun)** : 네 계절 중의 하나로 여름과 겨울 사이의 계절.
  fall
  One of four seasons which comes between summer and winter.

- **겨울 (noun)** : 네 계절 중의 하나로 가을과 봄 사이의 추운 계절.
  winter
  One of four seasons which is the coldest, and comes between fall and spring.

- **작년 (noun)** : 지금 지나가고 있는 해의 바로 전 해.
  last year
  The previous year of the current year.

- **올해 (noun)** : 지금 지나가고 있는 이 해.
  this year
  The current year.

- **내년 (noun)** : 올해의 바로 다음 해.
  next year
  The year coming after this year.

- **과거 (noun)** : 지나간 때.
  past
  A time that has passed

- **현재 (noun)** : 지금 이때.
  now; present; today
  The present time.

- **미래 (noun)** : 앞으로 올 때.
  future; days ahead
  Time to come.

< 참고 문헌 (reference) >

고려대학교 한국어대사전, 고려대학교 민족문화연구원, 2009
우리말샘, 국립국어원, 2016
표준국어대사전, 국립국어원, 1999
한국어교육 문법 자료편, 한글파크, 2016
한국어 교육학 사전, 하우, 2014
한국어기초사전, 국립국어원, 2016
한국어 문법 총론 Ⅰ, 집문당, 2015

HANPUK

유머로 배우는 한국어 English(영어) translation(번역)

발 행 | 2024년 7월 15일
저 자 | 주식회사 한글2119연구소
펴낸이 | 한건희
펴낸곳 | 주식회사 부크크
출판사등록 | 2014.07.15.(제2014-16호)
주 소 | 서울특별시 금천구 가산디지털1로 119 SK트윈타워 A동 305호
전 화 | 1670-8316
이메일 | info@bookk.co.kr

ISBN | 979-11-410-9534-5

www.bookk.co.kr